QDT 別冊 ジャパニーズ エステティック デンティストリー 2020

The Japanese Journal of Esthetic Dentistry

ISSUE 2020

Editor-in-Chief:
Masao Yamazaki

日本発・世界を牽引する
最新審美症例集

編集委員長

山﨑長郎 Masao Yamazaki

執筆

山﨑長郎 Masao Yamazaki

中野忠彦 Tadahiko Nakano

中村茂人 Shigeru Nakamura

高橋 健 Ken Takahashi

岩田 淳 Jun Iwata

橋村吾郎 Goro Hashimura

志田和浩 Kazuhiro Shida

関 錦二郎 Kinjiro Seki

Jan-Frederik Güth

Bogna Stawarczyk

Daniel Edelhoff

Anja Liebermann

クインテッセンス出版株式会社 2019

QUINTESSENCE PUBLISHING

Berlin, Barcelona, Chicago, Istanbul, London, Milan, Moscow, New Delhi, Paris, Prague, São Paulo, Seoul, Singapore, Tokyo, Warsaw

別冊

The Japanese Journal of **Esthetic Dentistry**

Printed in Japan.

山﨑長郎 Masao Yamazaki,
Editor-in-Chief

刊行にあたって

さる5月に日本が迎えた、令和時代初の本別冊。これは通算6冊目ということになるが、引き続き日本発の、最新の審美修復について世界に発信するメディアでありたいと願っている。本年度版では、日本屈指の知名度と技術をもつ歯科医師・歯科技工士によるケースプレゼンテーション6編に加え、ドイツQuintessenz Verlagが刊行する「Quintessence International」からの翻訳論文1編を掲載させていただいた。まずは、多忙な臨床の中で執筆に協力していただいた著者各位に深甚なる敬意と感謝を表したい。

歯冠部の審美性についてはすでに探求され尽くした感のある昨今。プレスセラミックの普及とその効果は言うに及ばず、モノリシックジルコニアレストレーションであっても症例を選べば必要十分な審美性が得られるようになった。デジタル技術を用いたスマイルデザインに関しても、本別冊の読者にとってはすでにおなじみのことだろう。

こうした中、現在の審美歯科治療に携わる歯科医師・歯科技工士は、補綴装置のいっそうの歯肉との調和、あるいは歯肉そのものの「創造」により注力しつつある。かねてから、補綴装置と歯肉との調和は審美歯科治療の、否すべての歯科治療の根幹であるが、近年ではマイクロスコープの普及や外科手技、再生療法の発展により、より高いレベルの歯肉との調和を目の当たりにする機会が多くなってきた。また、歯周組織が大きく損なわれ、再生療法の適応にならない場合に選択されるピンクポーセレンを併用したクラウン・ブリッジ、あるいは部分床／全部床義歯の研磨面へのリアリティ、あるいは生命感の付与は日本の歯科技工士が非常に得意とするところであり、本別冊でもその一端を目撃することができる。

このような審美性を得ようとするときに、歯科医師は「削って」「型を採って」「歯科技工士にお任せ」ではもちろん済まされない。本別冊に掲載されたすべての症例は、歯冠部・歯肉ともに高い審美性を示すものであり、インターディシプリナリートリートメントの果実である。2016年の本欄にも記したが、歯科医療に審美修復かそれ以外か、といった区別は存在しないし、歯科医療を組み立てるそれぞれのパーツが高いレベルで融合したとき、術者は知らずして審美修復を手掛けていることになるのだ。この最新号も、ぜひ楽しんでいただければと思う。

The Japanese Journal of Esthetic Dentistry

ISSUE 2020 CONTENTS

Editor-in-Chief:
Masao Yamazaki

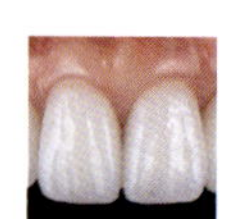

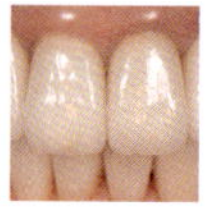

CONTENTS

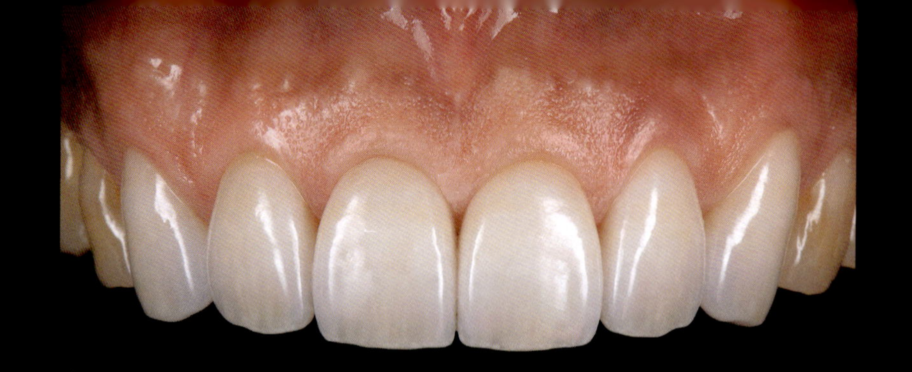

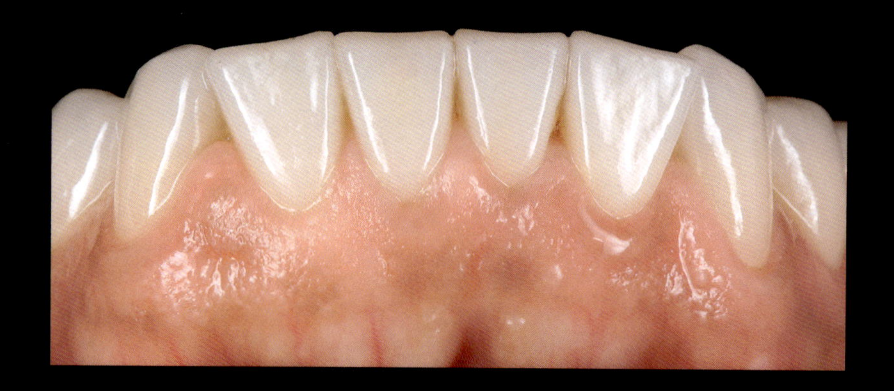

Minimally invasive approaches to tooth erosion

Masao Yamazaki, DDS
Harajuku Dental Office

酸蝕症に対するMIアプローチ

山﨑長郎
原宿デンタルオフィス
東京都渋谷区渋谷2-1-12 パシフィックスクエアビル4F

はじめに

昨今、接着歯学および歯冠色修復材料の進歩により、酸蝕歯に対するアプローチが世界各国から多く発表されるようになってきている。酸蝕は、エナメル質ではpH5.5を超える酸性の物質に触れた場合に、象牙質ではpH6.0を超えた物質に触れた場合に生じるもので、口腔内への酸の供給源としては、砂糖含有飲料、柑橘類、サラダドレッシング、酢、ワイン、アスピリン、鉄剤、ビタミンC製剤などが挙げられる。また、食品以外の環境的な原因としては、バッテリー液を扱う工場やめっき工場など、そしてプロのスイミング選手の間で酸への曝露による酸蝕が生じている。また、拒食症患者の頻回にわたる嘔吐や、胃酸の逆流といった内因的な要素も挙げられる。

こうした中、とくに臼歯部の酸蝕では、部分的なピット状の欠損にはコンポジットレジン（CR）修復、より広範囲な歯質欠損に対してはメタルアンレーやクラウンによる修復が行われてきたが、昨今では冒頭で述べた各種材料の進化、中でもプレスセラミックの進化により、歯質を可及的に温存したまま自然感の高いMinimal Invasive（MI）な歯冠色修復が行えるようになっている。かねてから、前歯部酸蝕症例にはポーセレンラミネートベニアが用いられて長い実績をもつが、臼歯部咬合面にも積極的にセラミック材料を応用できるようになったことは近年のトピックといえよう。そこで、本年の本別冊巻頭論文としては、筆者が経験した酸蝕症例に対し、二ケイ酸リチウム材料とCR直接修復を用い、MIと審美・機能の両立を図った症例を供覧させていただく。

Case Presentation

症例の概要

患者は2018年初診、51歳男性。「笑ったときに歯が見えない」「歯が全体的に減っていて、噛みづらい」ことを主訴に来院された。**Fig 1**に、初診時の口腔内所見を示す。

本症例の場合は咬合面や切端にシャープなエッジがみられなかったため、ブラキシズムやクレンチングによるものではなく、習慣的な酸性飲料や果物の摂取などによる酸蝕であると推測できた。こういった、歯の摩耗を呈する場合の病因について**Table 1**に示すが、これらは大別すると物理的な原因と化学的な原因の２種に分けることができ、前者には歯と歯の接触による咬耗症（Attrition）および歯と歯以外の材料の接触による摩耗症（Abrasion）が、後者には酸による侵食を受けたことで生じる酸蝕（Erosion）および摩耗症を生じた部分が脱灰したPerimonolysisが含まれる。この患者では、30年間にわたり大量のコーラを飲んでいたことが問診から判明した。

顔貌写真を**Fig 2**に示すが、主訴のとおり年齢の割にスマイル時の歯の露出が少ないことが明らかである。**Fig 3**に示すパノラマエックス線写真からは、すべての歯が生活歯であり、歯周病の兆候もみられず、酸蝕歯への修復治療のみで対応可能と判断した。

治療の流れ

まず、CRとCOでの咬合採得をそれぞれ行った上で、模型を咬合器付着した。ここにおいて必要となる咬合高径の設定であるが、まず上下顎の6前歯、合計12歯の形態を回復

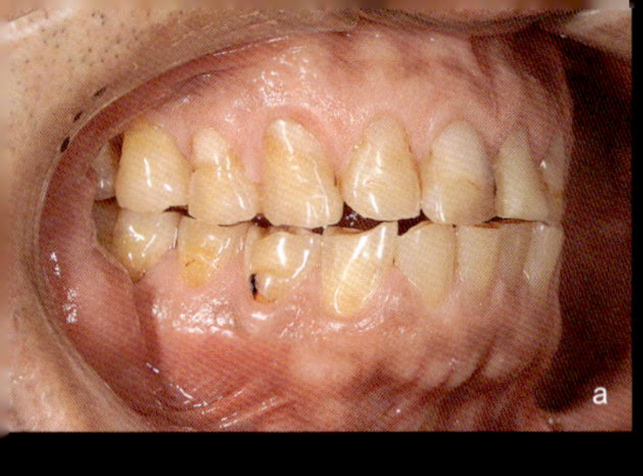
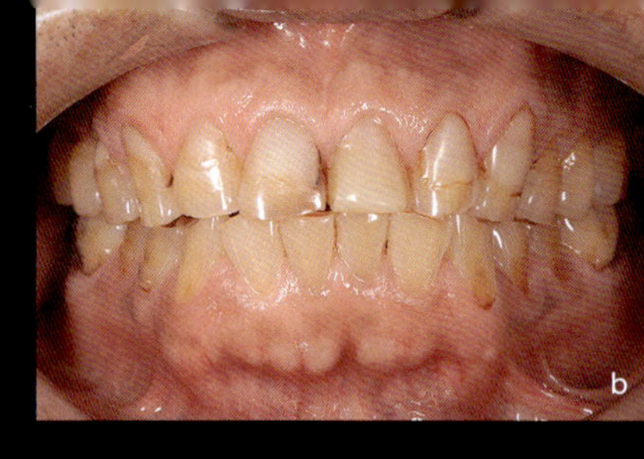
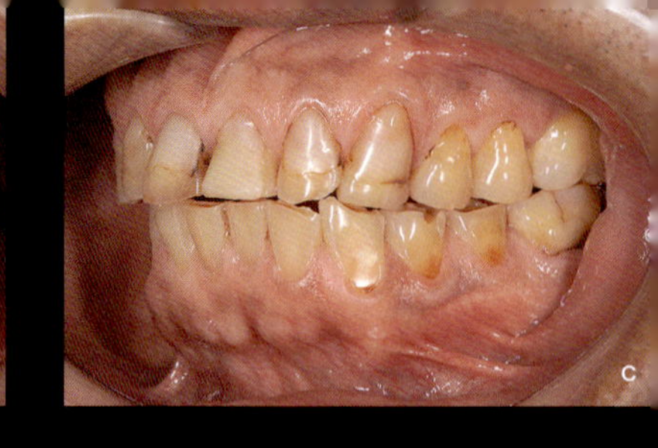
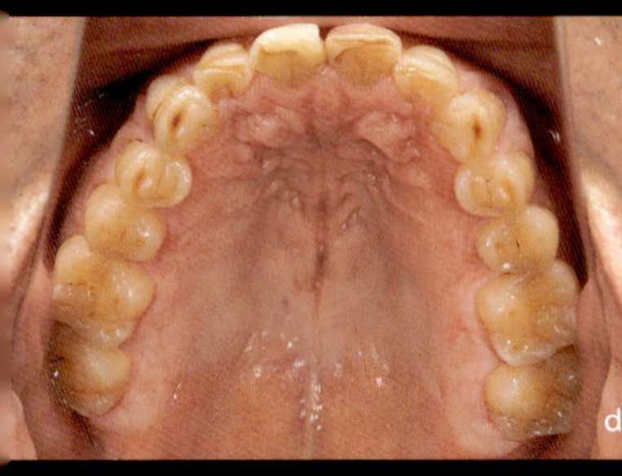
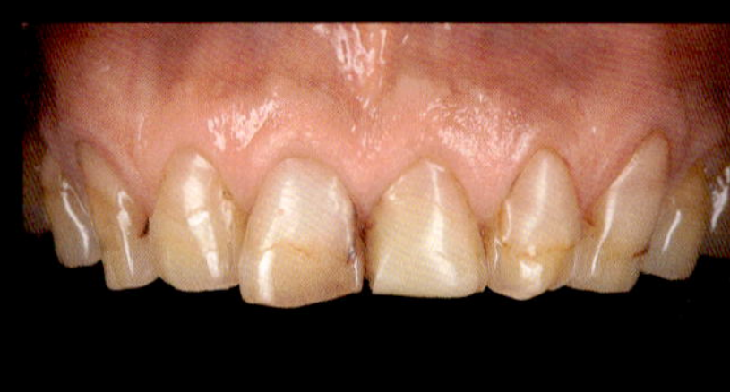
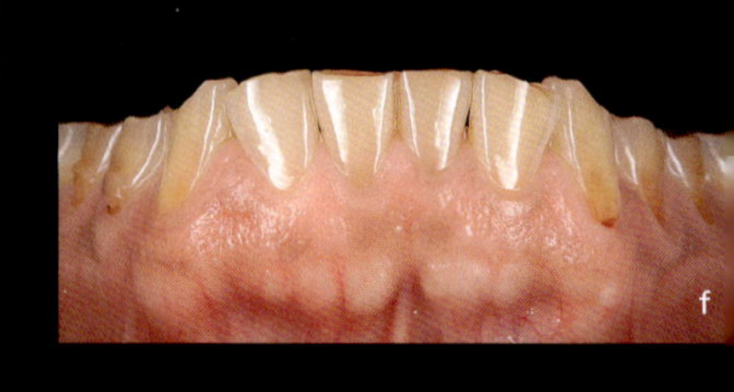
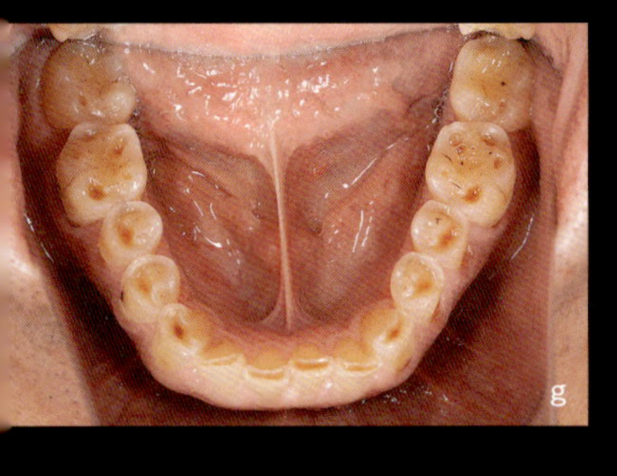
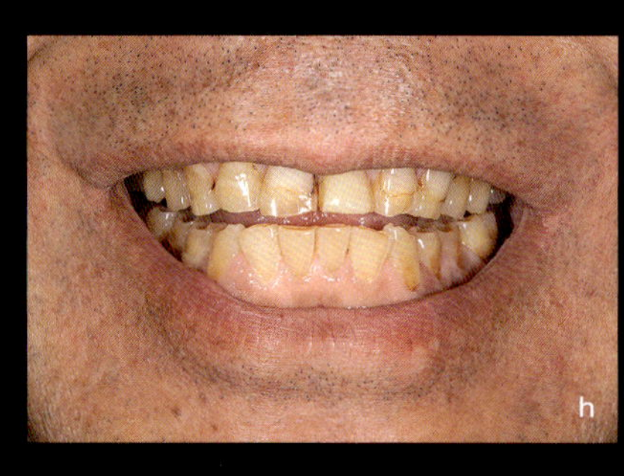

Fig 1a to h　「笑ったときに歯が見えない」「歯が全体的に減っていて、噛みづらい」ことを主訴に来院された。

Etiologies of tooth wear

Physical causes	
Attrition	Tooth to tooth contact
Abrasion	Tooth and exogenous agent
Chemical causes	
Erosion	Exposure of the tooth to an acid
Perimonolysis	Demineralization followed by abrasion

Table 1　歯の摩耗の病因について。大別すると物理的な原因と化学的な原因の２種に分けることができる。

するようにワックスアップを行い、その状態で切歯指導釘を下ろした際の臼歯部の空隙を基準とした。結果、前歯部では１mm、臼歯部では0.5〜0.7mmの咬合面の厚みの回復が必要であることが明らかとなった（**Fig 4**）。ワックスアップが完了した状態を**Fig 5**に示す。このワックスアップからは

下顎臼歯部にはテーブルトップもしくはアンレー形態のセラミック修復物が必要であろうことと、その一方で上顎臼歯部にはコンポジットレジン（以下、CR）直接修復で対応が可能であろうと判断した。なお、上顎６前歯は形態の回復と審美性向上のために全周にわたる形成を行った上でのクラウン

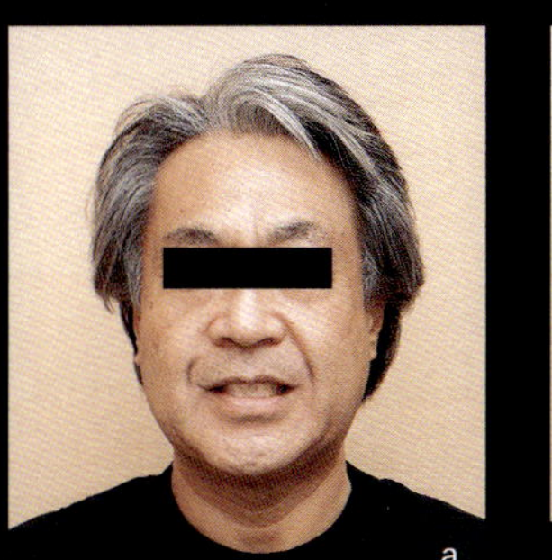

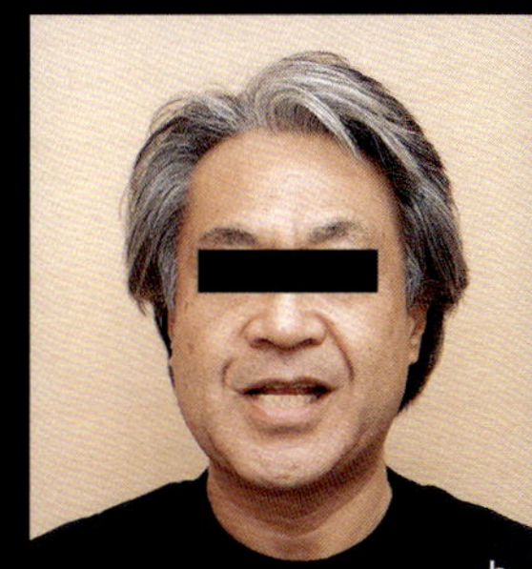

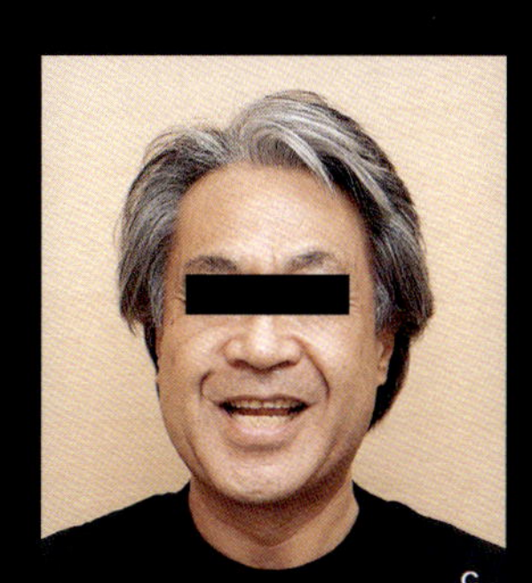

Fig 2a to c　初診時顔貌写真。主訴のとおり、年齢の割にスマイル時の歯の露出が少ないことが明らかである。

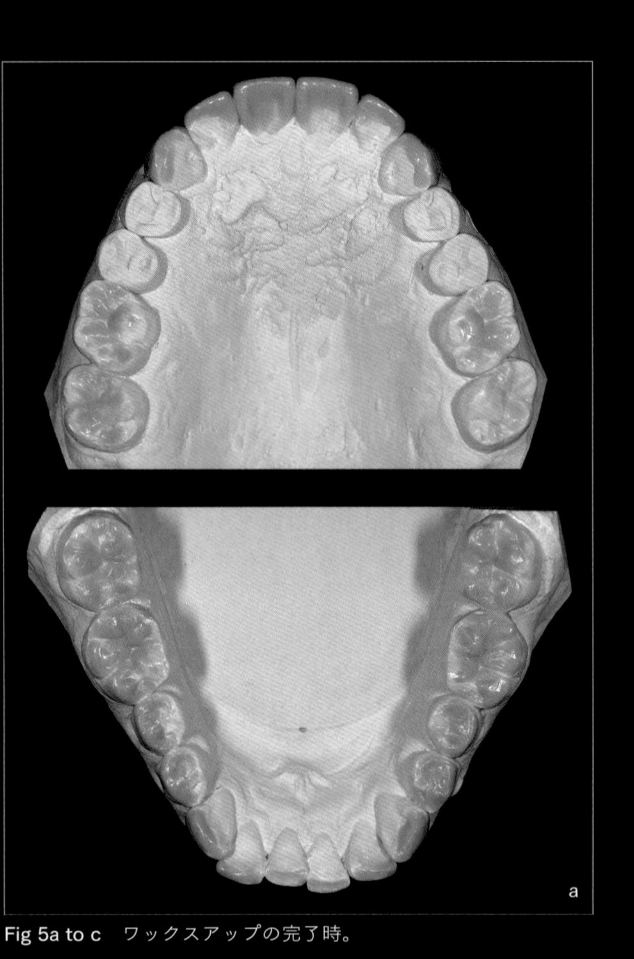
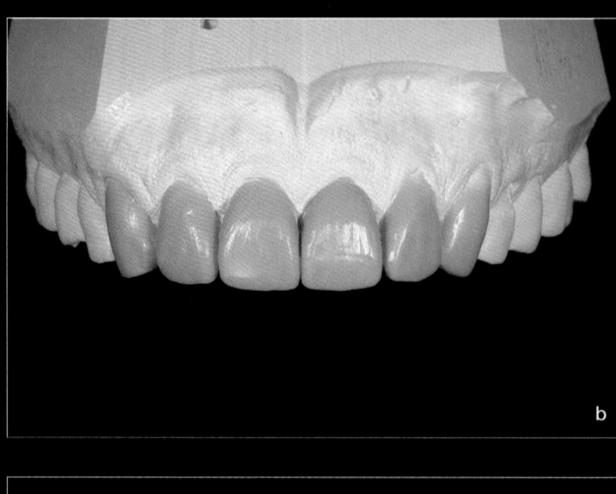
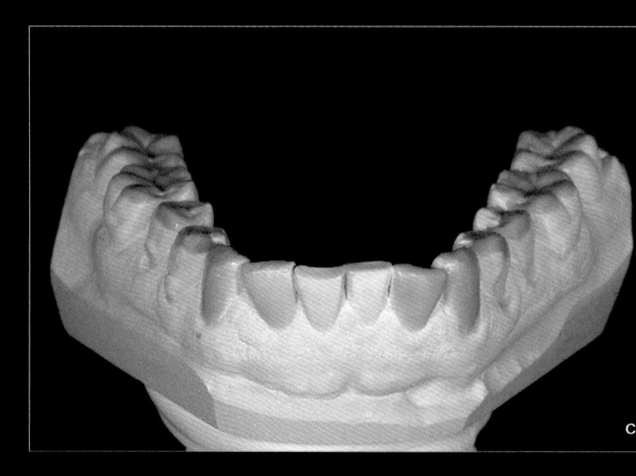

Fig 5a to c ワックスアップの完了時。

そして下顎6前歯に関してはポーセレンラミネートベニア(以下、PLV)で対応することとした。

プロビジョナルレストレーションの状況を**Fig 6**および**Fig 7**に示す。前歯部は間接法、臼歯部はシリコーンインデックスを用いて口腔内で直接賦形するダイレクトモックアップを行った。

その後プロビジョナル期間を経て、シークエンシャルな手順で最終修復物の製作・装着を進めた。まず下顎6前歯のPLVを製作・装着(**Fig 8**)し、次に下顎臼歯部のテーブルトップベニアとジャケットクラウンを製作・装着した(**Fig 9 and 10**)。これらは、すべて二ケイ酸リチウム(イニシャル LiSiプレス、ジーシー)を用いたプレステクニックによって製作されている。下顎の修復治療完了時の状態を**Fig 11**に示す。

引き続き、上顎の治療に移る。上顎6前歯に関しては各歯全周にわたって支台歯形成を行い、クラウンの製作を行った。これらに関しても二ケイ酸リチウムを用いているが、審美性向上のために唇面のカットバックを行い、別途陶材を築盛して仕上げている(**Fig 12 and 13**)。

完成したクラウンを装着した状態の口腔内写真を**Fig 14**に示す。また、顔貌および口唇との調和について**Fig 15**に示す。二ケイ酸リチウムを用いているが、先述の陶材築盛とキャラクタライズの効果により非常に高い審美性が得られている。患者にとっても装着直後からまったく違和感なく、満足して過ごしていただいている。念願であった、前歯部のアピアランスも回復された。術前と術後の比較を**Fig 16 and 17**に示す。現状、上顎6前歯の明度が臼歯部と比較して高いため、さらなる審美性を得るには臼歯部の頬側面にPLVを適応することも考えられたが、患者はそこまでの処置を希望しなかった。術後のパノラマエックス線写真を**Fig 18**に示す。現在、術後1年あまりが経過したが機能、審美的な問題点はなく、今後も経過を観察していきたい。

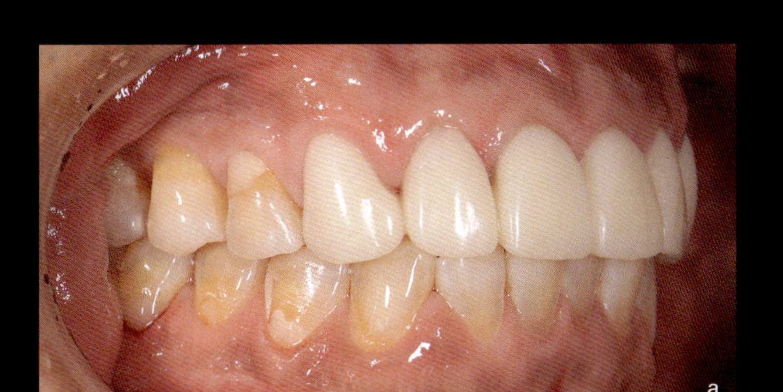
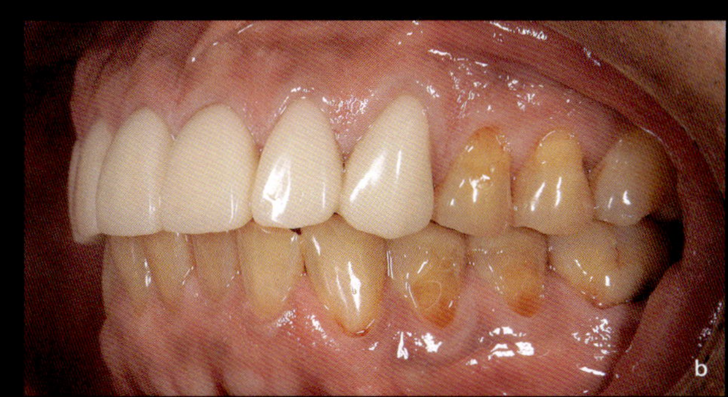

Fig 6a and b　前歯部には間接法により製作したプロビジョナルレストレーションを装着した。

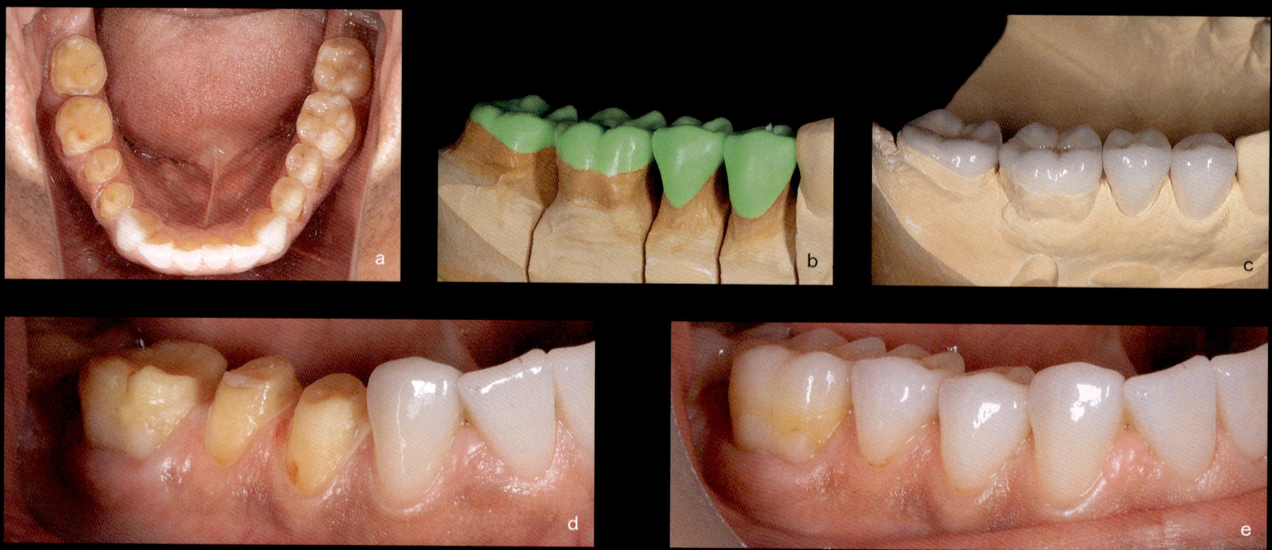

Fig 9a to e　下顎右側臼歯部のテーブルトップベニアとジャケットクラウンを製作・装着した。支台歯の状況をa and dに、ワックスアップをbに、模型上での完成時をcに、そして口腔内装着時をeに示す。

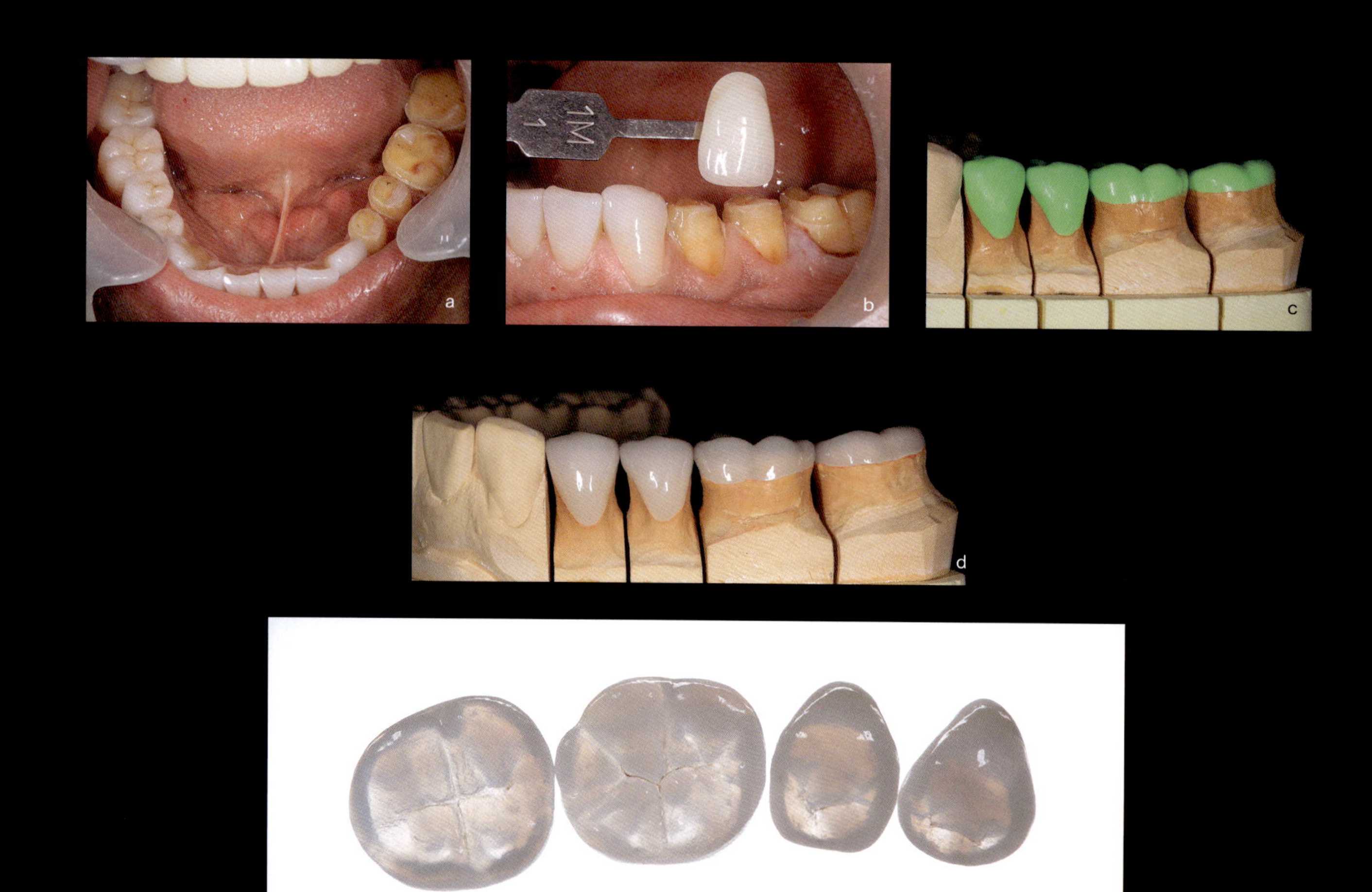

Fig 10a to e　引き続き、下顎左側臼歯部のテーブルトップベニアとジャケットクラウンを製作・装着した。

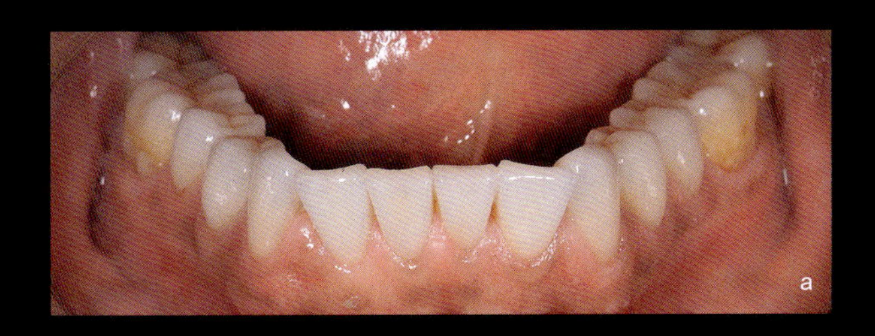

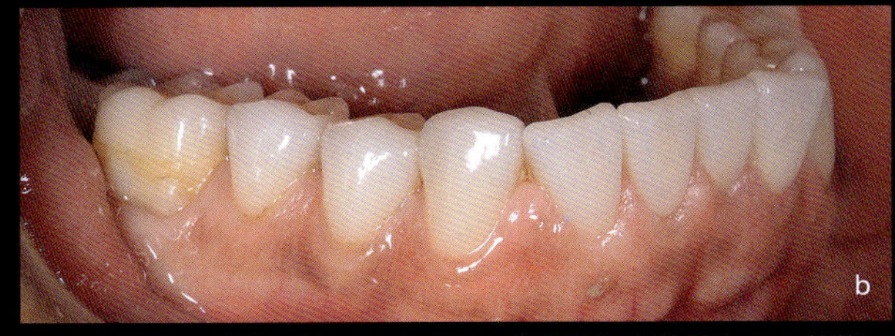

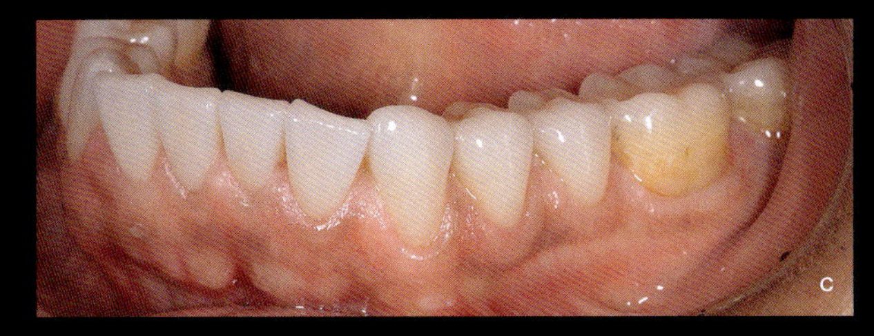

Fig 11a to c　下顎に対し、すべての修復装置が装着された状態。

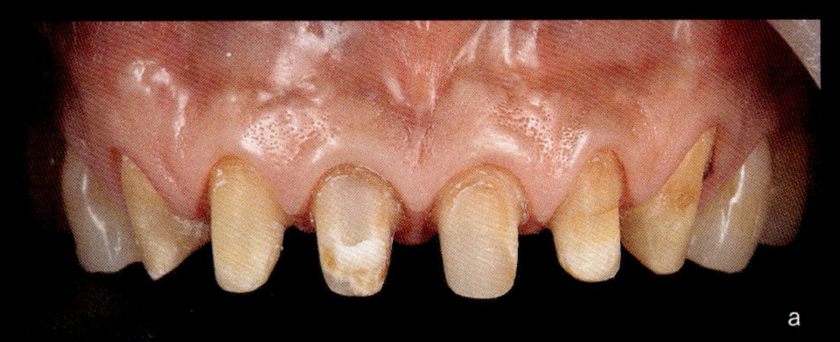

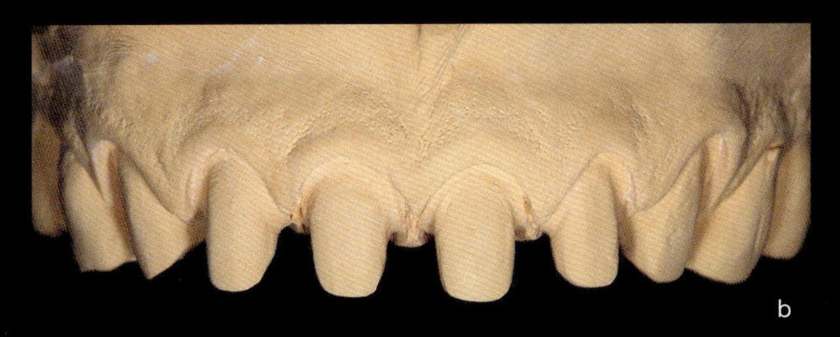

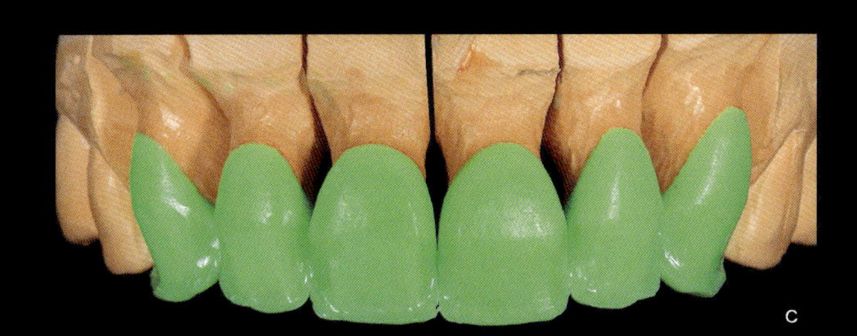

Fig 12a to c　上顎前歯部の支台歯形成(a)、スタディモデル(b)、および作業用模型上へのワックスアップを示す(c)。唇側に陶材を築盛するため、カットバックを行っている。

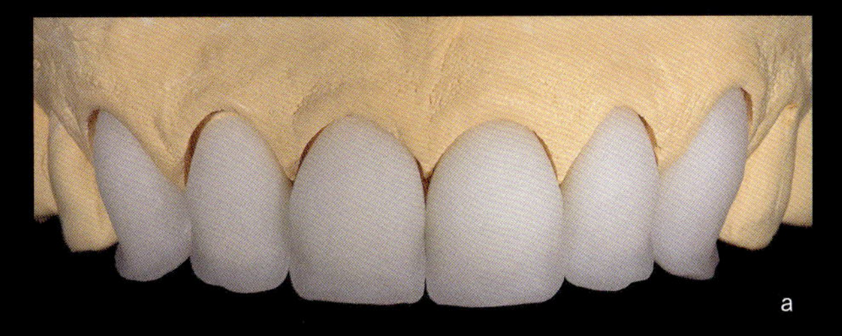

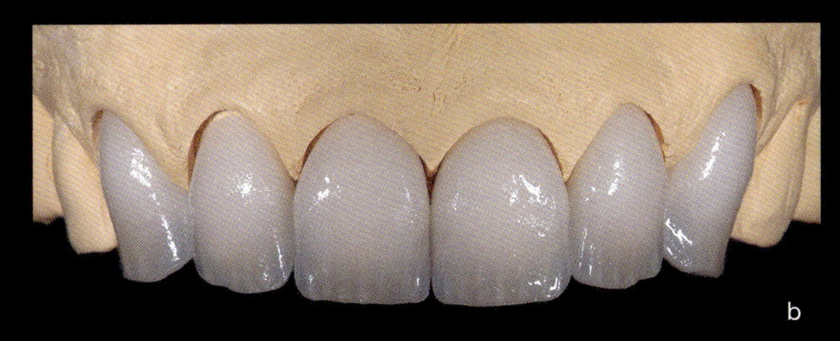

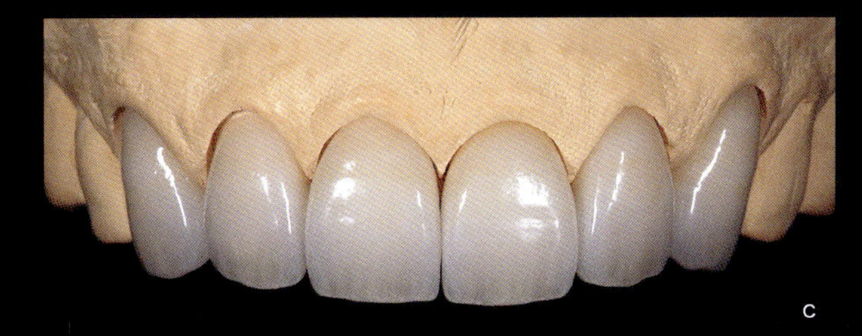

Fig 13a to c　プレスが完了した二ケイ酸リチウム製コーピング(a)とエナメル色陶材築盛中(b)、およびインターナルステインと表面グレーズが完了した状態(c)。

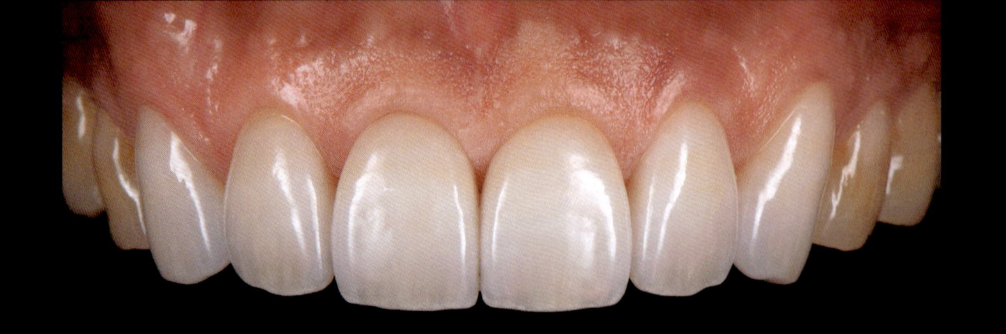

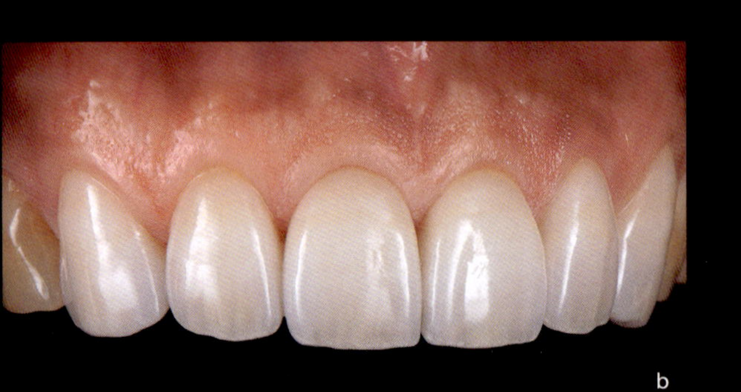

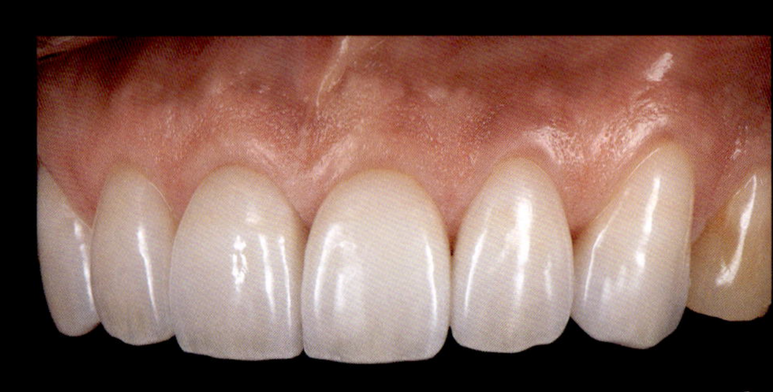

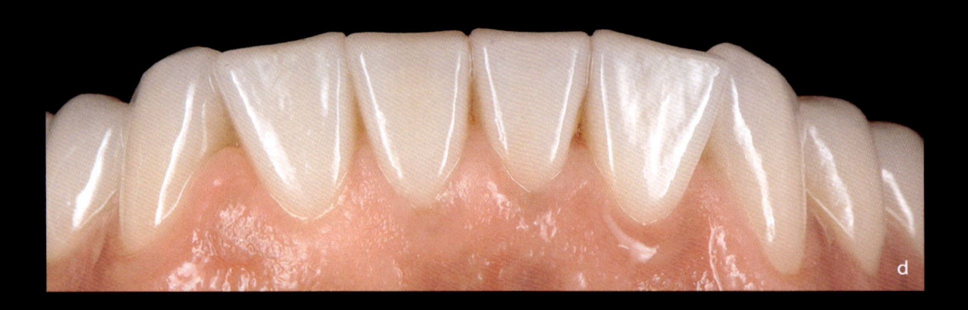

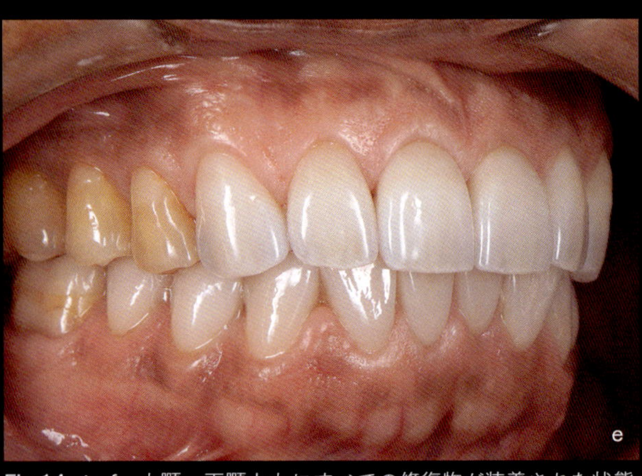

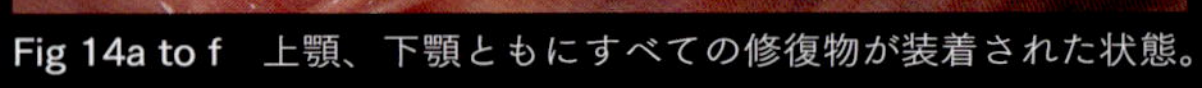

Fig 14a to f　上顎、下顎ともにすべての修復物が装着された状態。

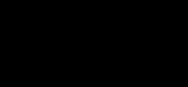

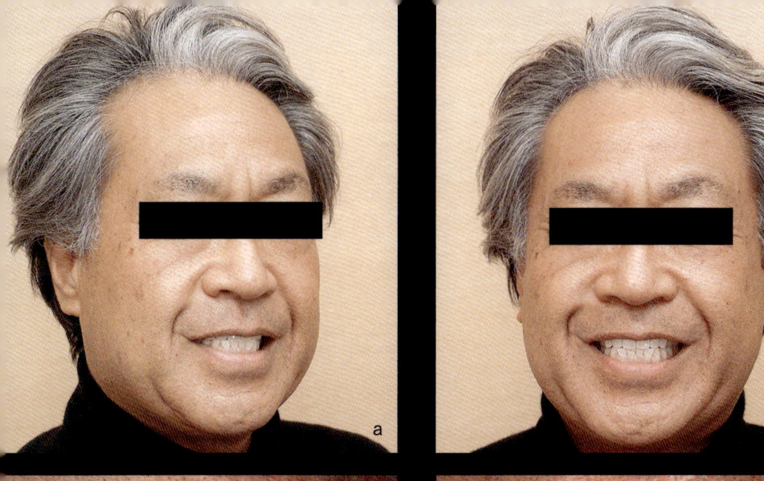
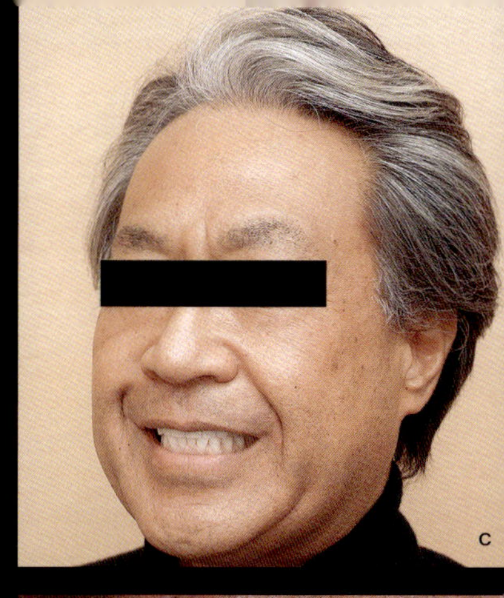
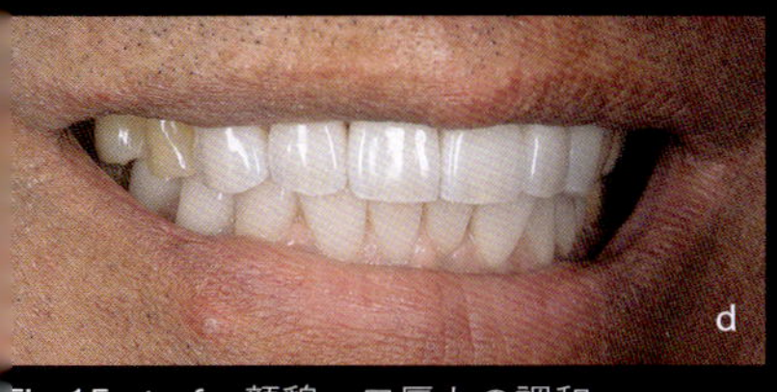
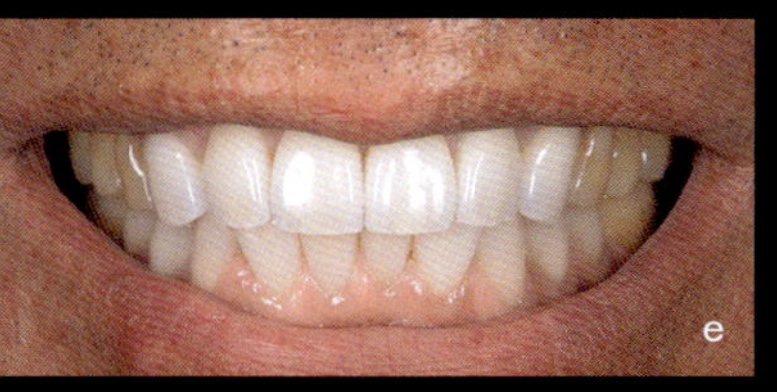
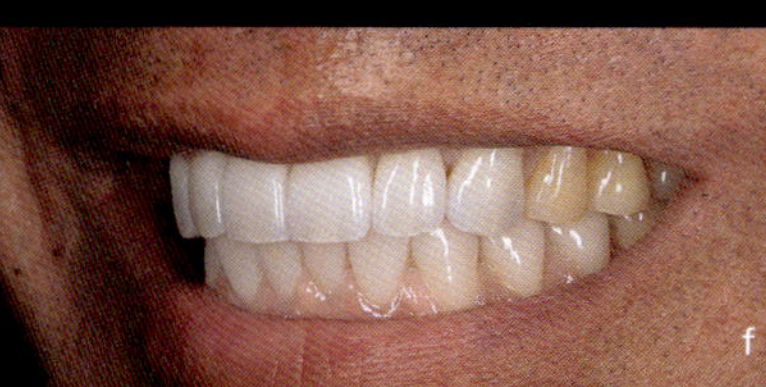

Fig 15a to f　顔貌、口唇との調和。

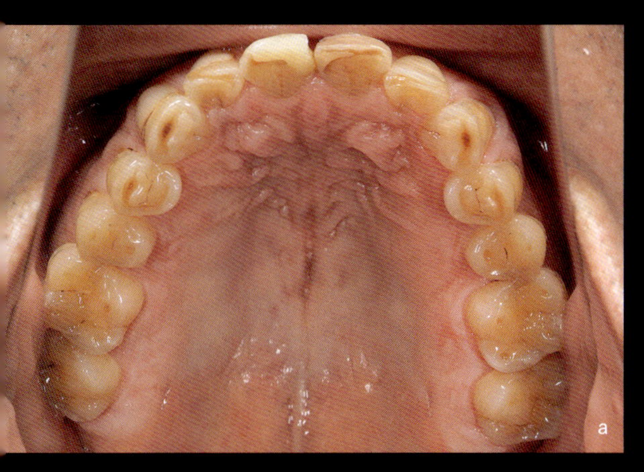
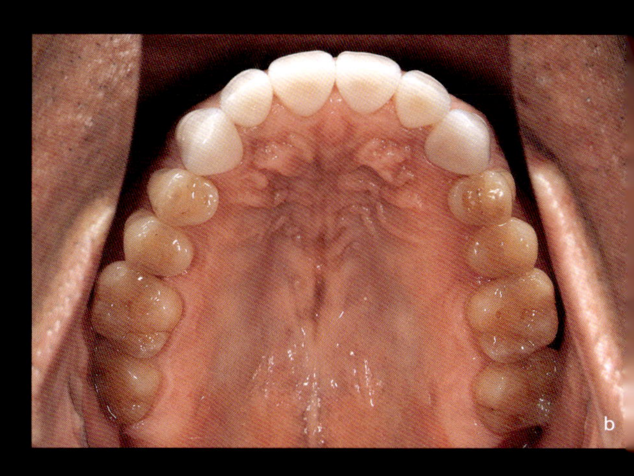
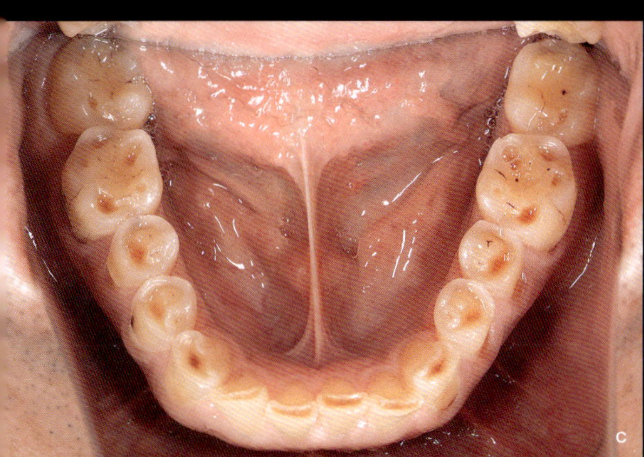
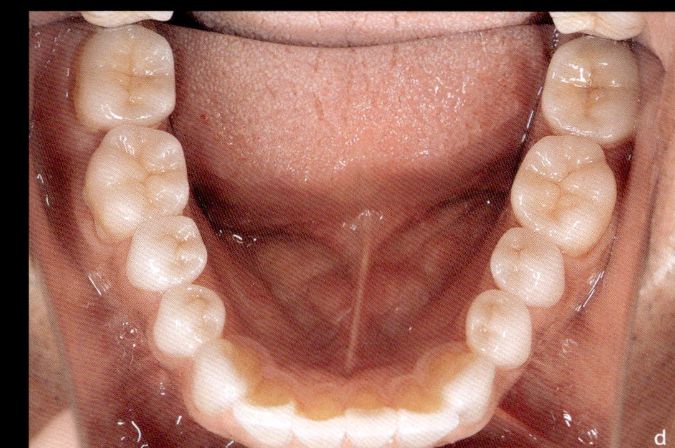

Fig 16a to d　術前の咬合面観(a and c)および術後の咬合面観(b and d)

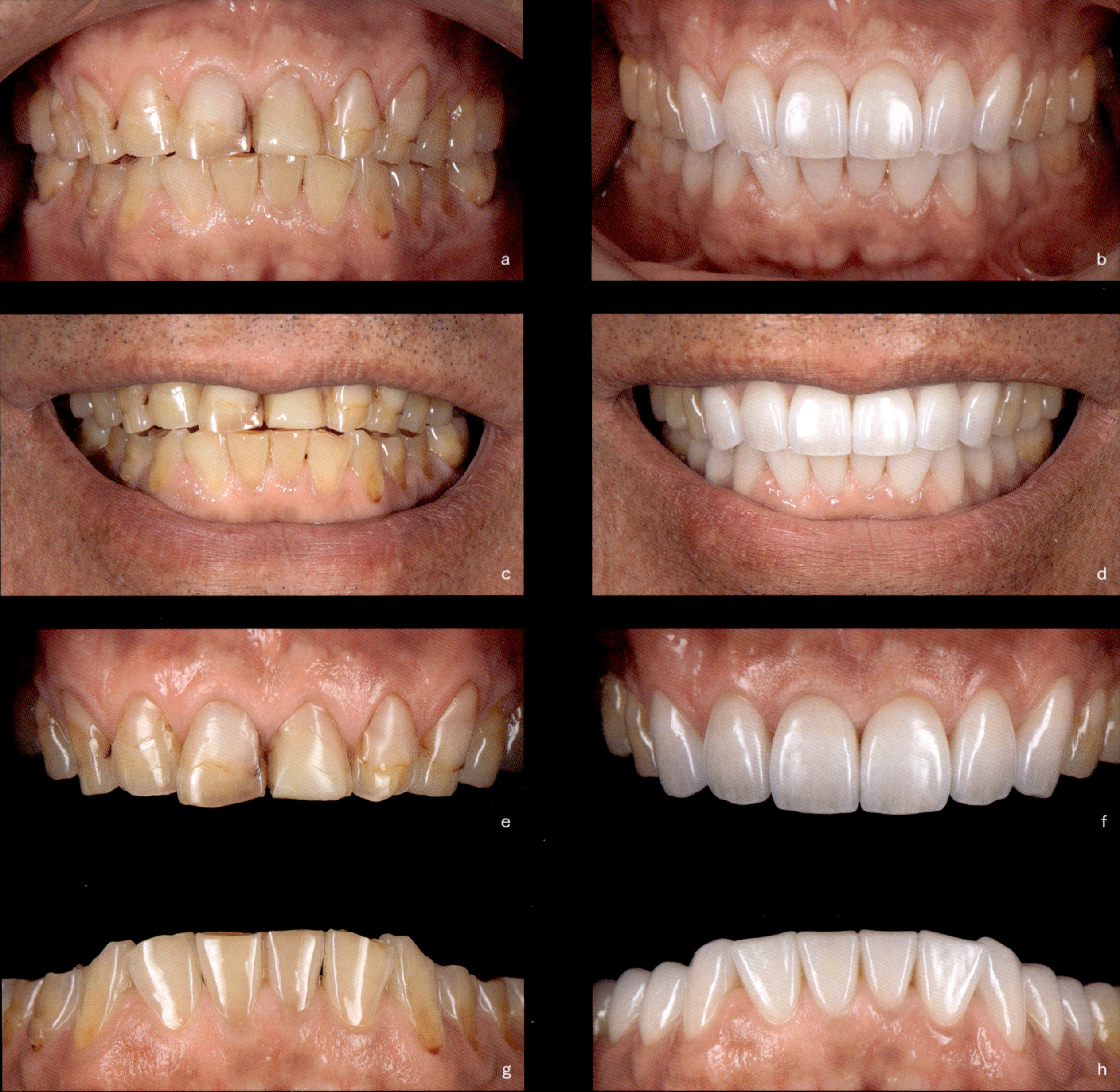

Fig 17a to h　術前の正面観(a and c and e and g)および術後の正面観(b and d and f and h)。

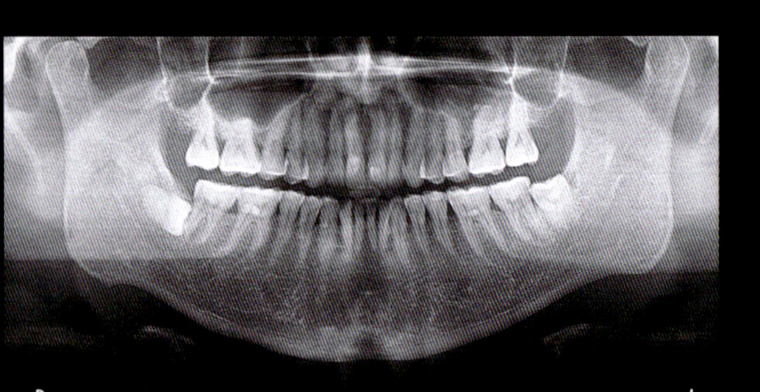

Fig 18　術後のパノラマエックス線写真。

終わりに

本症例で示したとおり、最小限の支台歯削除量にて全顎的に、同一材料による歯冠色修復物を製作・装着できることは現代歯科学の進歩の賜物であるが、その恩恵を十分に受けるためには確実な手技が必須である。支台歯形成はもとより、とくに接着操作においては歯面および修復物内面への確実な前処置を行い、メーカーが指示する条件で操作しなければ材料本来の性能を発揮することはできない。目の前の材料の性能を最大限に発揮させること、それをまず意識することが予知性あるMI審美修復への第一歩といえるかもしれない。

参考文献

1．田上順次(監修)，北迫勇一(著)．歯が溶ける！？　酸蝕歯って知っていますか？．東京：クインテッセンス出版，2009.

2．Kanzow P, Wegehaupt FJ, Attin T, Wiegand A. Etiology and pathogenesis of dental erosion. Quintessence Int 2016；47(4)：275-278.

3．山﨑長郎．エステティッククラシフィケーションズ 複雑な審美修復治療のマネージメント．東京：クインテッセンス出版，2009.

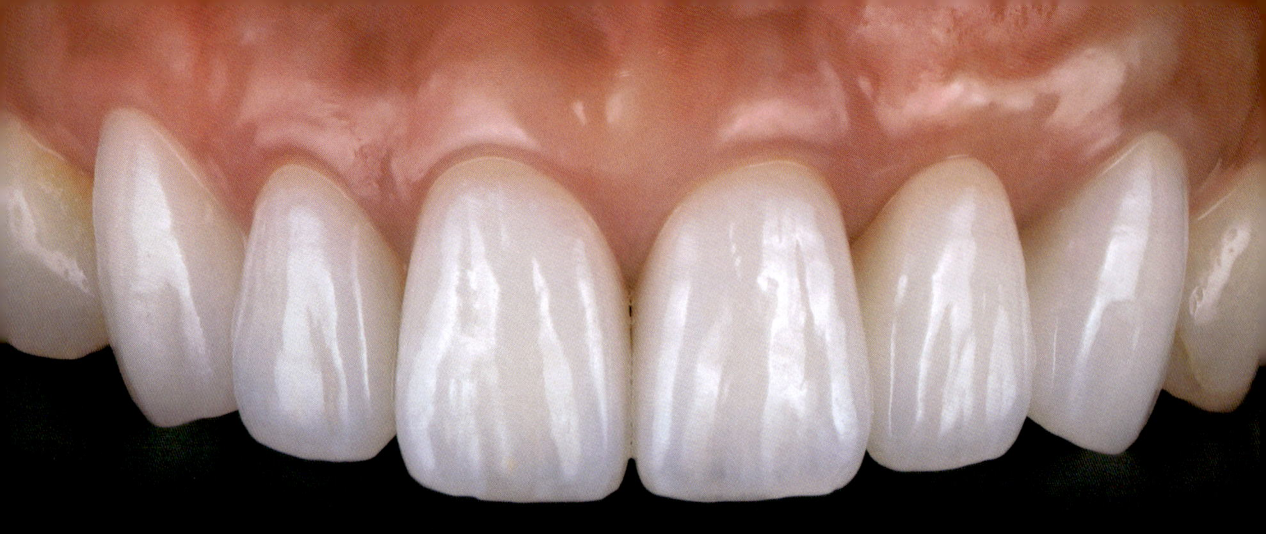

Interdisciplinary approach for improved esthetic and functional results

Tadahiko Nakano, DDS
NAKANO DENTAL

包括的歯科治療により審美的、機能的改善が認められた一症例

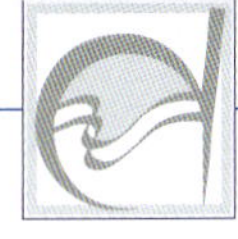

はじめに

高い審美性を求め、また複雑な治療を要する患者に対しては、まずはマクロの視点から顔貌・顎位・咬合・歯列などの診査・診断を行って問題点を明確にし、そこからどの分野の治療が必要になるかを判断しなければいけない。さらに治療結果を長期的に維持するために、最小の侵襲で最大の効果を得るMinimally Invasive Treatmentのコンセプトに沿ったミクロの視点での精密な治療手技も不可欠である。このことは歯牙(硬組織)に限らず、歯周組織(軟組織)に対しても同様なことが言える。

今回、前歯部審美障害および機能障害を有する患者に対して、矯正治療・補綴治療・歯周形成外科など包括的治療を行った結果、審美的・機能的改善が認められた症例を提示させていただく。

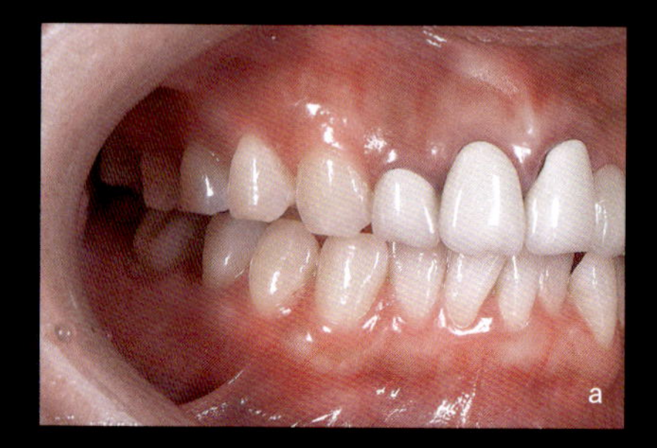

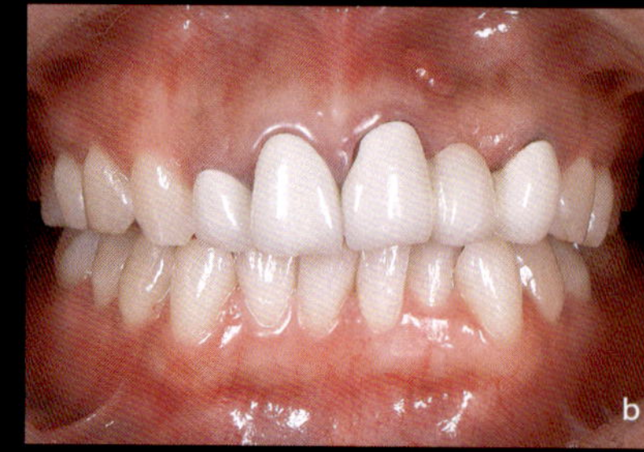

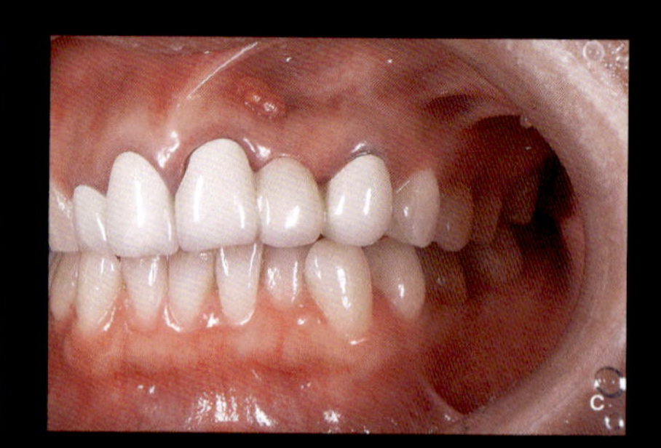

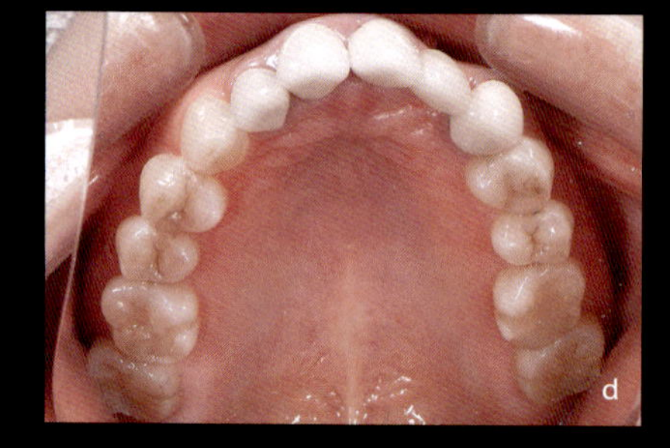

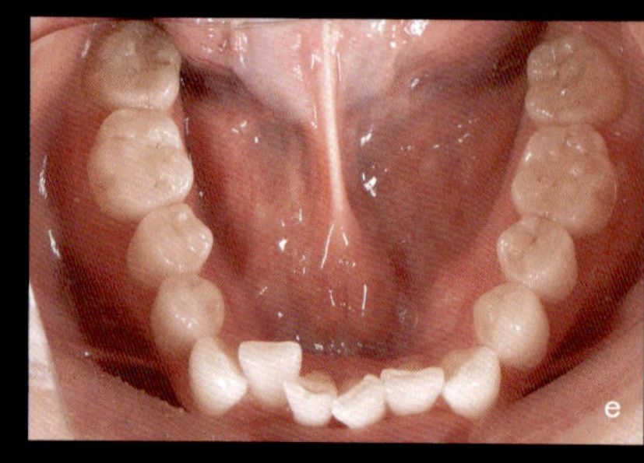

Fig 1a to e　初診時口腔内写真。

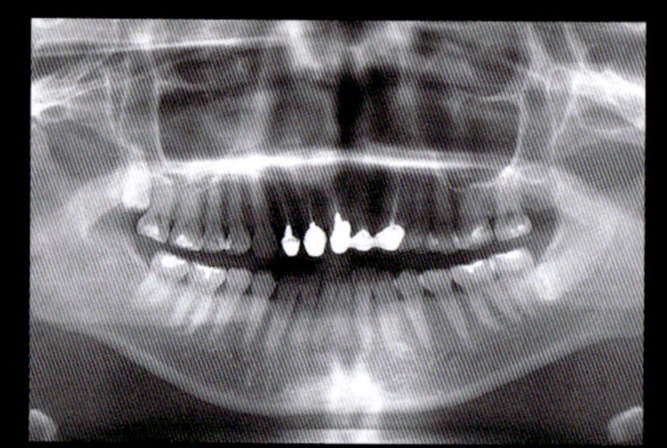

Fig 2　初診時のパノラマエックス線写真。前歯部には約20年前にクラウンとブリッジが装着されており、そのころから上顎前歯部は失活歯であった。

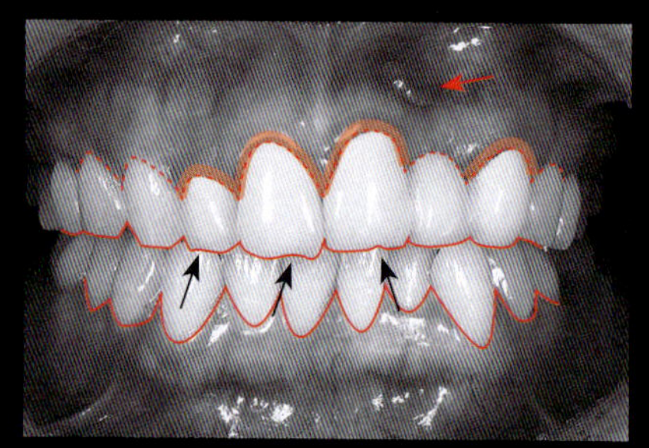

Fig 3　正面観から確認できる問題点。
①上顎前歯修復物切端部のチップ（黒矢印）
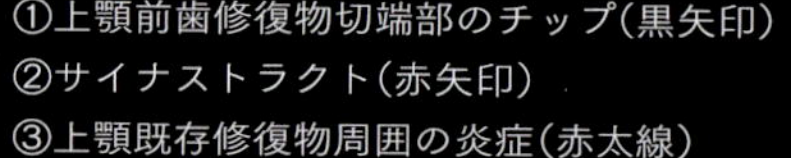
②サイナストラクト（赤矢印）
③上顎既存修復物周囲の炎症（赤太線）
④上顎歯肉レベルの不調和（赤点線）
⑤上顎歯列の咬耗
⑥下顎歯列の叢生

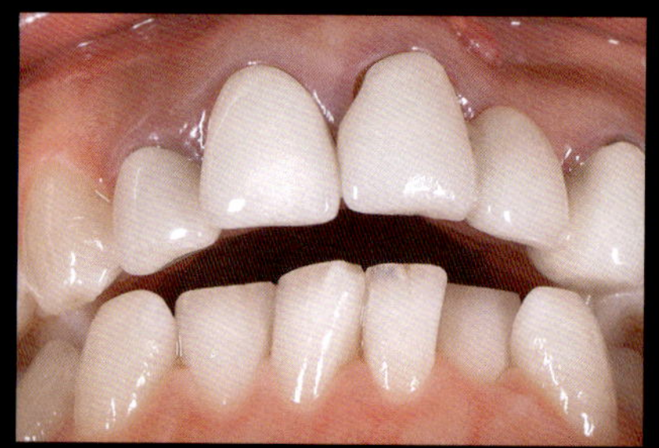

Fig 4　オーバージェットが7～8mmで、いわゆるオープンバイトの状態。

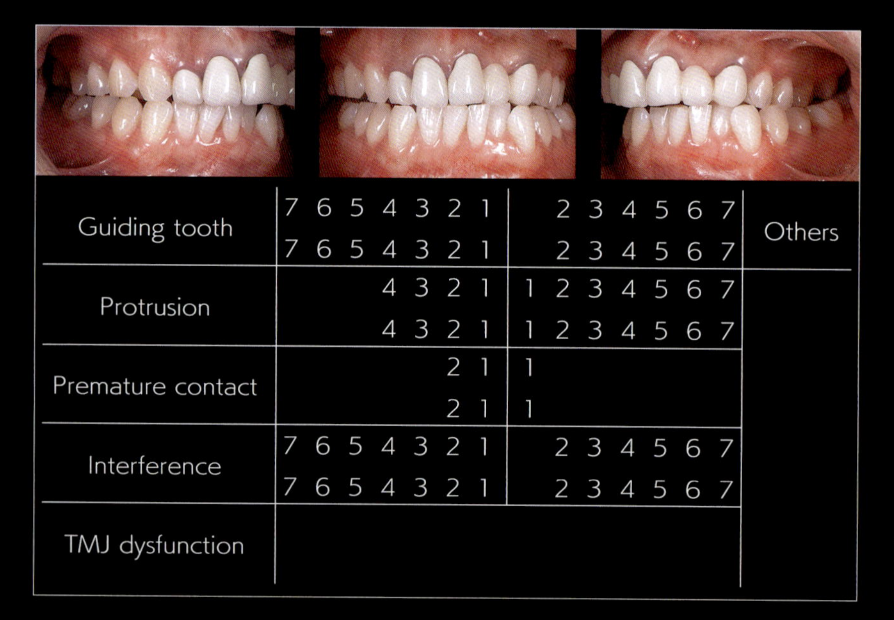

Guiding tooth	7	6	5	4	3	2	1		2	3	4	5	6	7	Others
	7	6	5	4	3	2	1		2	3	4	5	6	7	
Protrusion				4	3	2	1	1	2	3	4	5	6	7	
				4	3	2	1	1	2	3	4	5	6	7	
Premature contact						2	1	1							
						2	1	1							
Interference	7	6	5	4	3	2	1		2	3	4	5	6	7	
	7	6	5	4	3	2	1		2	3	4	5	6	7	
TMJ dysfunction															

Fig 5　オープンバイトによってアンテリアガイダンスは喪失しており、左右側方運動はほぼフルバランスドオクルージョンのような様式になっている。前方運動時は右側臼歯部以外のすべての歯が当たるようなガイドになっている。開閉口時には$\frac{21|1}{21|1}$に早期接触があり、後方にずれる。また、側方運動時は平衡側も含めてほぼすべての歯に咬頭干渉がみられる。

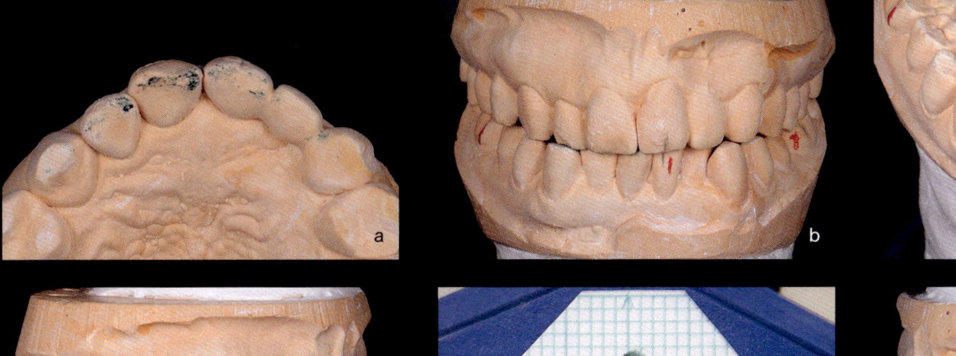

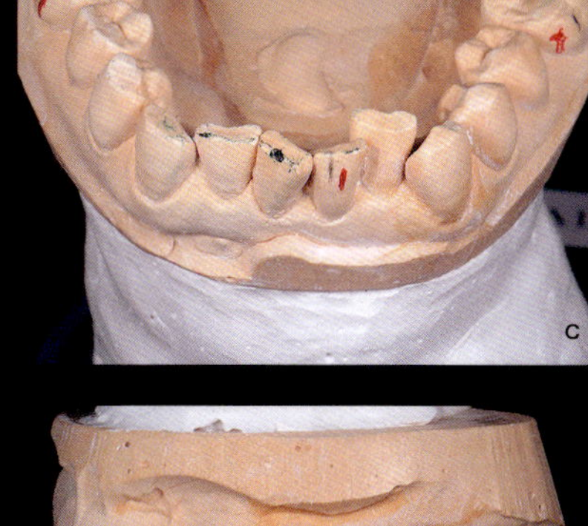

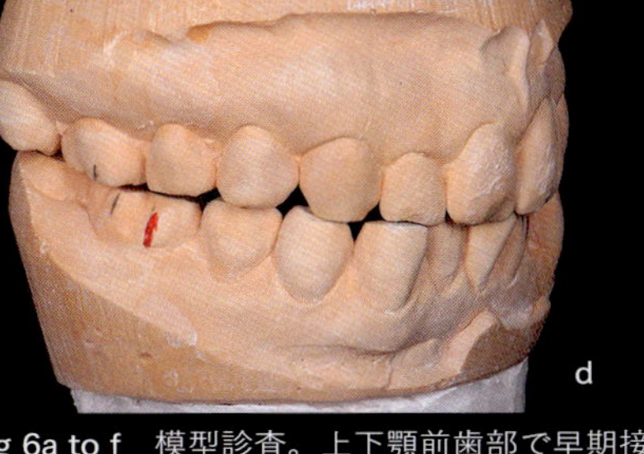

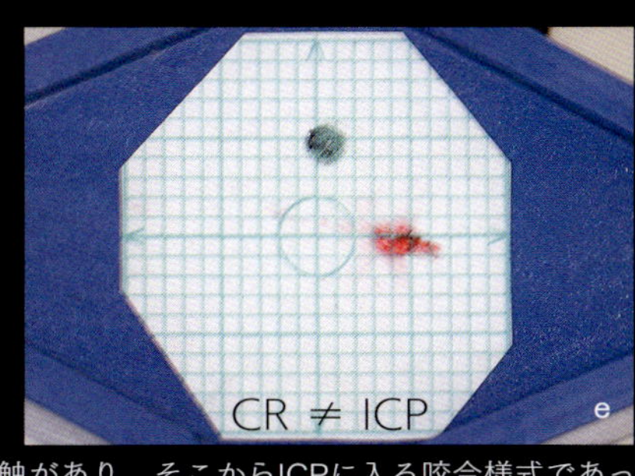

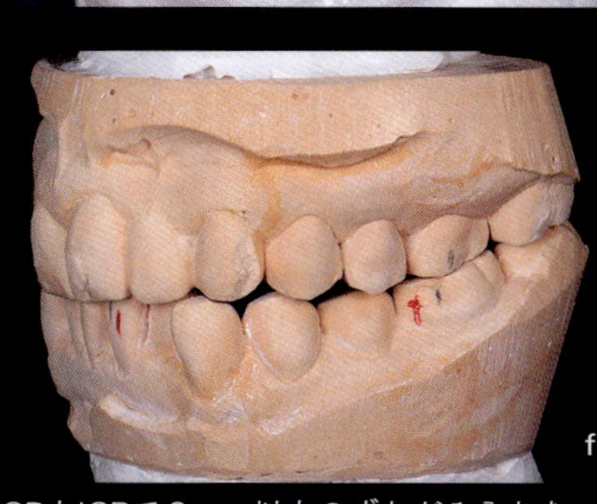

Fig 6a to f　模型診査。上下顎前歯部で早期接触があり、そこからICPに入る咬合様式であった。CRとICPで2mm以上のずれがみられた。

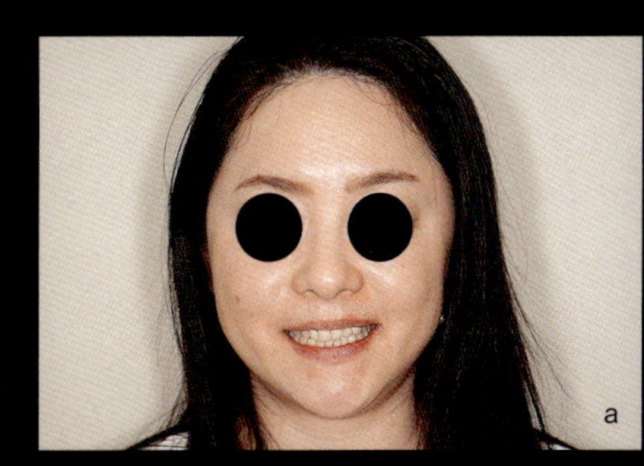

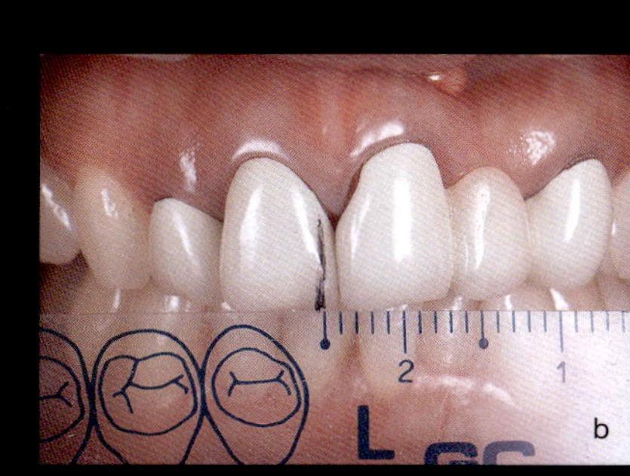

Fig 7a and b　顔貌の評価。顔面正中に対して正中は左側に偏位している。

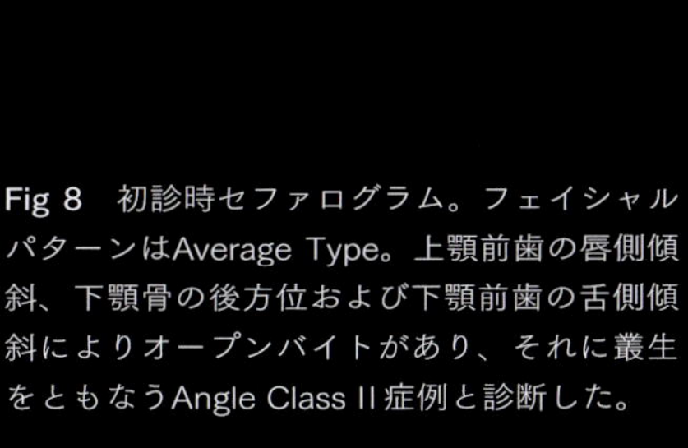

FH-MP	25.9	24
PP-MP	24.6	29
OP-MP	13.2	11
ODI	71.9	76
APDI	81.0	76
LFH	49	46
Facial Angle	84.8	89
Y-axis	65.3	60
SNA	82.3	81
SNB	78.9	76
Gonial Angle	122.2	122
Ramus Angle	2.9	7
U1 to FH	111.1	112
U1 to SN	104.5	109
L1 to Mand P	92.5	83

Class II　Average Type

Fig 8　初診時セファログラム。フェイシャルパターンはAverage Type。上顎前歯の唇側傾斜、下顎骨の後方位および下顎前歯の舌側傾斜によりオープンバイトがあり、それに叢生をともなうAngle Class II症例と診断した。

Open／Close　Phonation　CR - ICP

Fig 9　CADIAXによる顎機能検査。開閉口時・発音時ともに安定した位置に収束せず不安定であり、模型診査と同様にCR とICPにずれがみられる。

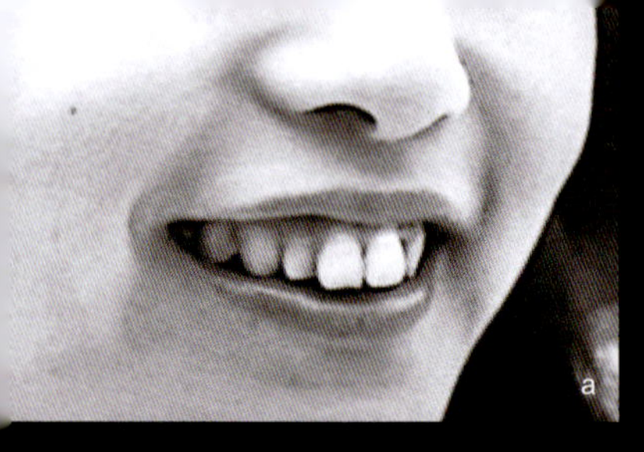

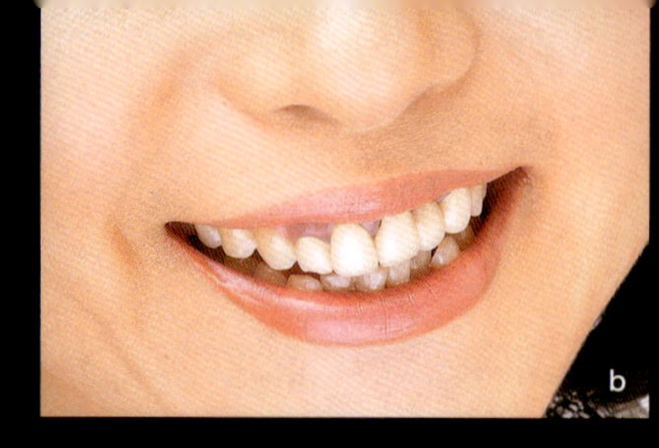

Fig 10a and b　aが20年前の口元、bが現在(来院前)の口元。患者はハイスマイルであり治療にあたっては主訴に加えてコンプレックスであった歯肉レベルの不整についても改善して欲しいという要望があった。
　また、20年前に上顎前突を主訴に他医院に来院し、21|、|1、|3を抜髄、|2を抜歯して補綴治療を行っている。これにより前突は改善されたが、①オープンバイト、②下顎歯列の叢生、③上顎前歯部歯肉レベルの不整(ハイスマイル)という3つの問題は残っている状態であった。

Key Point

1. 顎位 ⟶ 矯正+補綴
2. 正中線 ⟶ 矯正+補綴
3. Gingival Display ⟶ 歯周形成外科

Fig 11　本症例のKey Pointは3つある。
①顎位：アンテリアカップリング・アンテリアガイダンス・バーティカルストップを確立するために全顎的矯正で歯の位置を改善し、臼歯部咬合面は補綴で回復する。つまり、既存の中心咬合位でなく中心位で治療を行う。
②正中線：正中のずれには補綴的対応だけでなく矯正治療も併用して対応する。
③ジンジバルディスプレイ：歯肉レベルの不整に関しては矯正終了後に総合的に判断して歯周形成外科にて対応する。

Treatment Planning

7	6	5	4	3	2	1	1	2	3	4	5	6	7
7	6	5	4	3	2	1	1	2	3	4	5	6	7

矯正治療　歯周形成外科
△ PLV　□ Ceramic Crown

Fig 12　治療計画および補綴設計。まず全顎的矯正治療を行い、矯正後に上顎前歯部に関しては歯周形成外科を行う。補綴設計はMI(Minimally Invasive Treatment)のコンセプトをもとに極力歯質を残すよう心掛ける。大臼歯咬耗部にはオクルーザルベニア、上顎前歯部に関しては3|摩耗部にはPLV、既存補綴物のやりかえ部にはジルコニアをフレームに用いたクラウン・ブリッジで対応する。

Treatment planning

1st Stage	Initial treatment	初期治療
2nd Stage	Definitive treatment	確定的治療
3rd Stage	Final Restoration	最終補綴
4th Stage	Maintenance	メインテナンス

Fig 13　シークエンシャルトリートメントプラン。

　実際の治療に移るが、ここからはシークエンシャルトリートメントプラン(Fig 13)に沿って説明していきたい。1st Stage(初期治療)では、まず8|、|8を抜歯した。また上顎前歯部の既存補綴物を除去し、根管治療を行った(Fig 14)。根管治療後にプロビジョナルレストレーションを装着し、矯正治療前に中心位でバイトを採得してオクルーザルスプリントを製作(Fig 15)。オクルーザルスプリントを3ヵ月ほど装着してもらって筋の緊張を取り除き、顎位の安定する位置で

Fig 14a to c　上顎前歯部の既存補綴物を除去し、根管治療を行う。

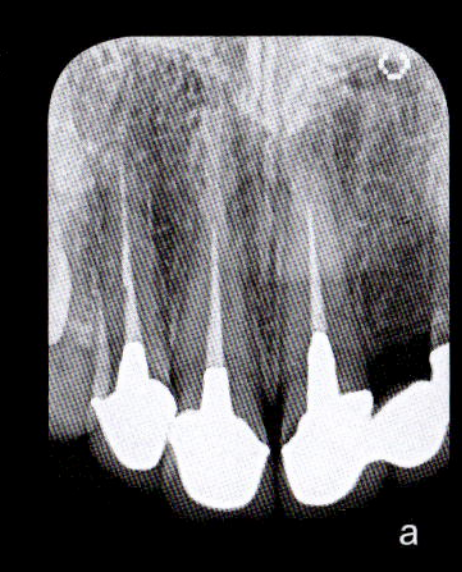

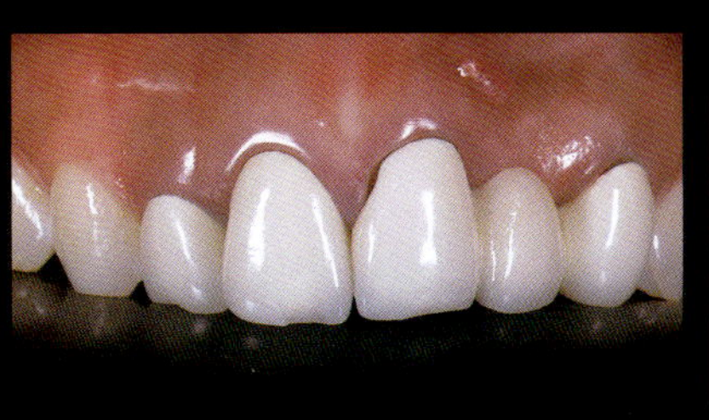

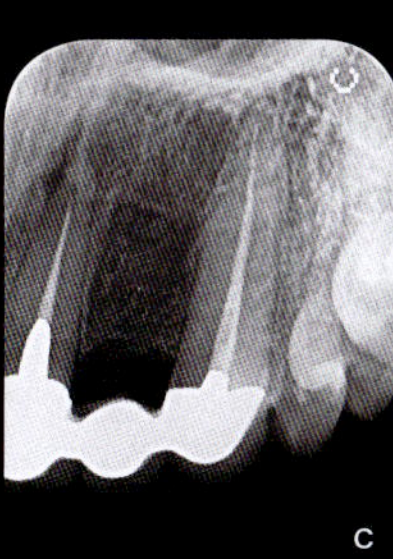

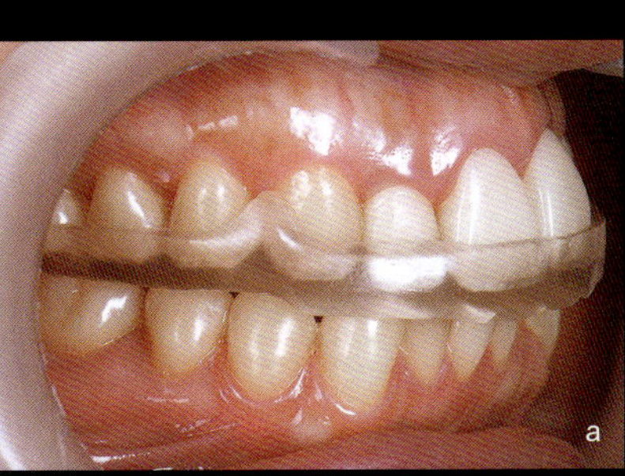

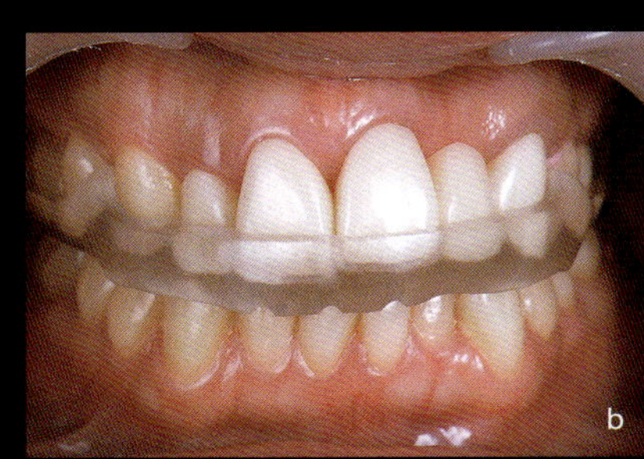

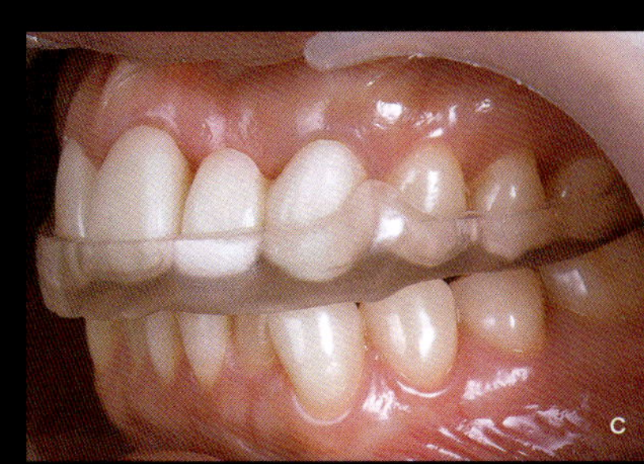

Fig 15a to c　根管治療後にプロビジョナルレストレーションを装着し、矯正治療前に中心位でバイトを採得してオクルーザルスプリントを製作。オクルーザルスプリントを３ヵ月ほど装着してもらう。

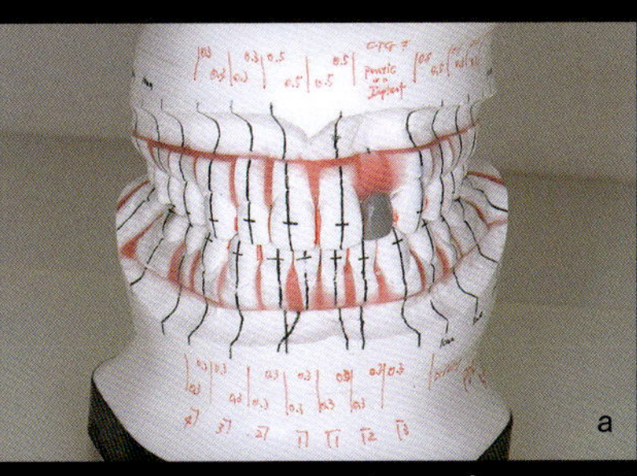

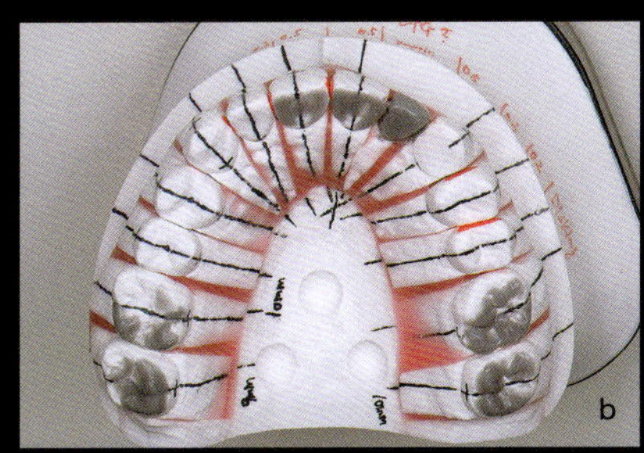

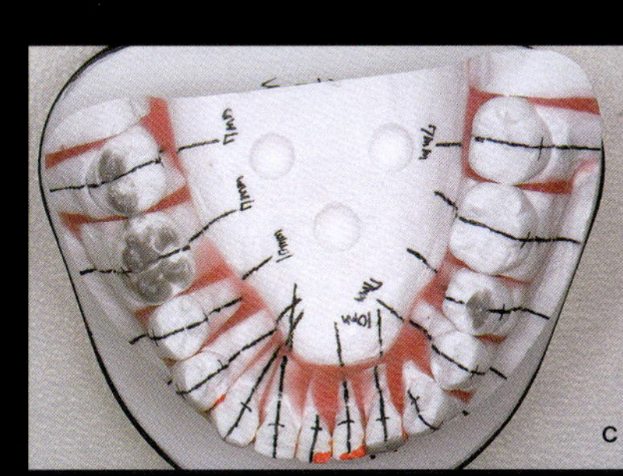

Fig 16a to c　オクルーザルスプリントを装着してもらうことによって筋の緊張を取り除き、顎位の安定する位置でセットアップモデルを製作する。

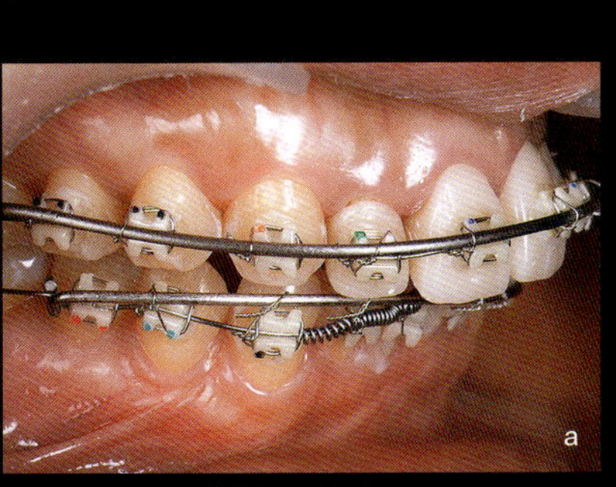

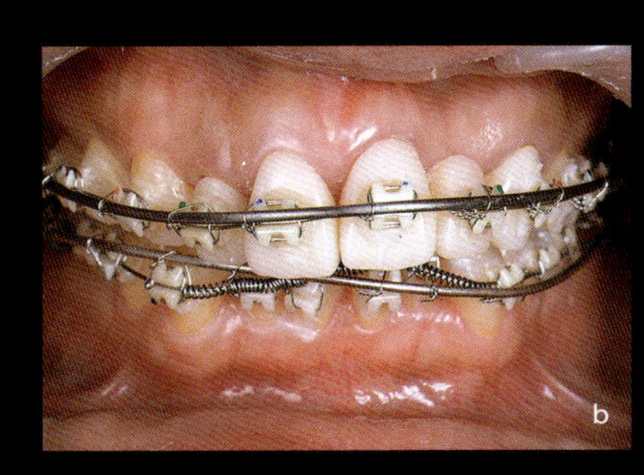

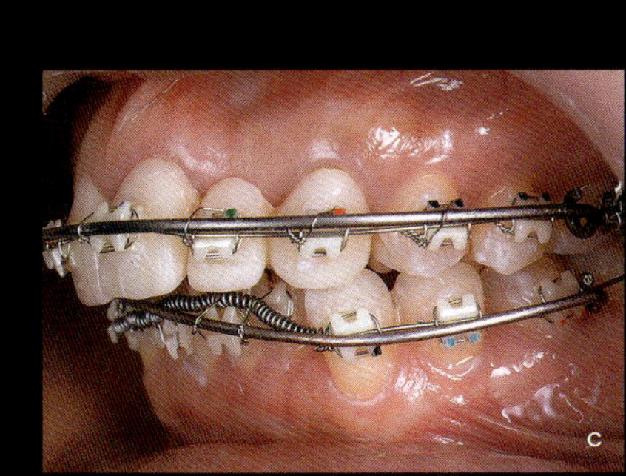

Fig 17a to c　動的矯正治療。

セットアップモデルを製作した（Fig 16）。その後、矯正治療に移行（Fig 17）。Fig 18は矯正治療前後。矯正治療を終えた段階で機能的改善はほぼ達成された。

次に2nd stage（確定的外科処置）で、審美的改善を目的として上顎前歯部の歯周形成外科（歯冠長延長術・歯槽堤増大術・根面被覆術）を施術（Fig 19）。患者は歯肉レベルの高さを|123に合わせるように希望され、エックス線写真で歯冠-歯根比を確認したうえで321|の歯冠長延長術を行っ

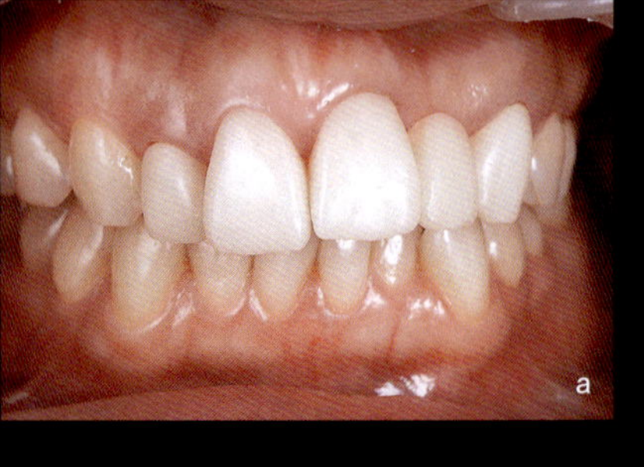

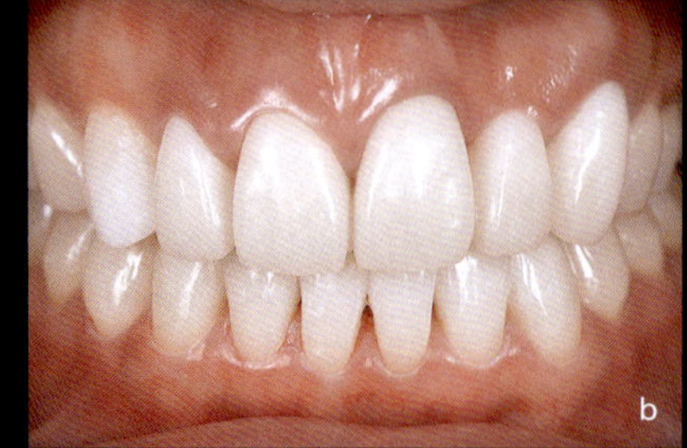

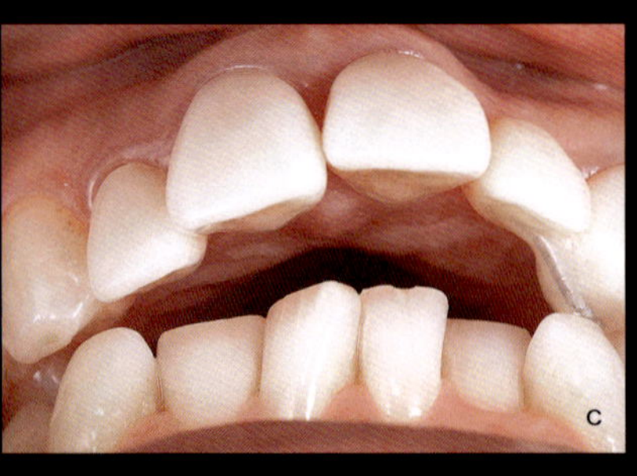

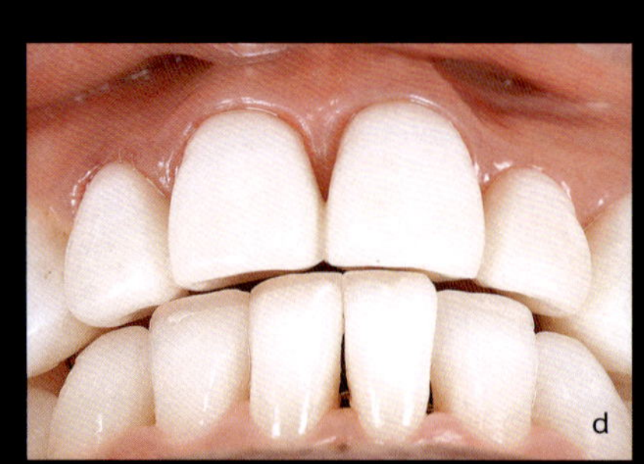

Fig 18a to d　矯正治療の術前(a and c)と1年後の術後(b and d)。アンテリアカップリングも得られ、この時点で機能的改善はほぼ達成された。

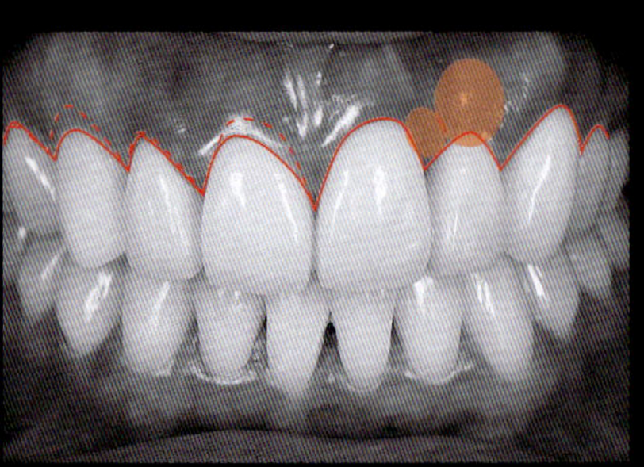

Fig 19　サージカルプランニング。患者は歯肉レベルを|1 2 3に合わせるように希望され、エックス線写真で歯冠-歯根比を確認したうえで3 2 1|の歯冠長延長術を行った。また、|2の欠損部に対しては、歯槽堤増大術および|1遠心側への根面被覆術を行った。右側には切除療法、左側には移植手術とコンセプトが異なるため2回に分けて行った。

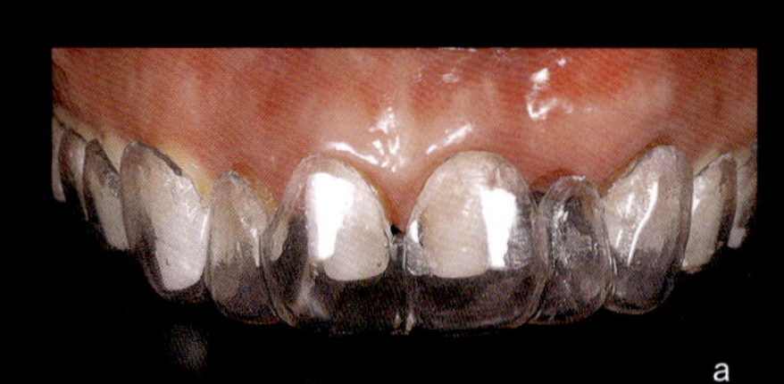

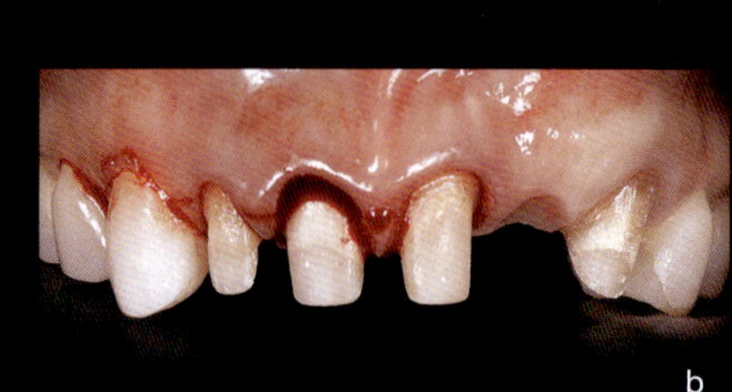

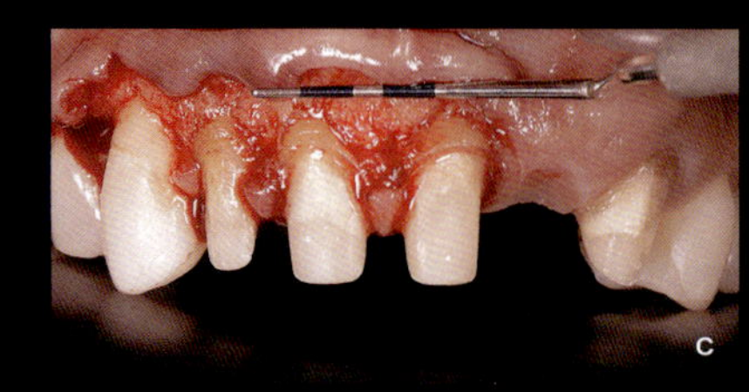

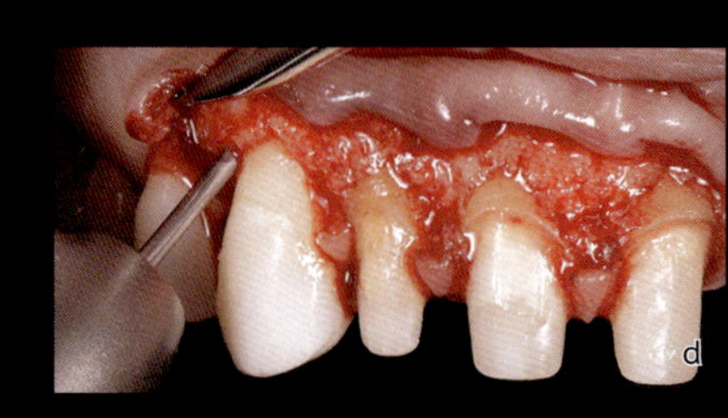

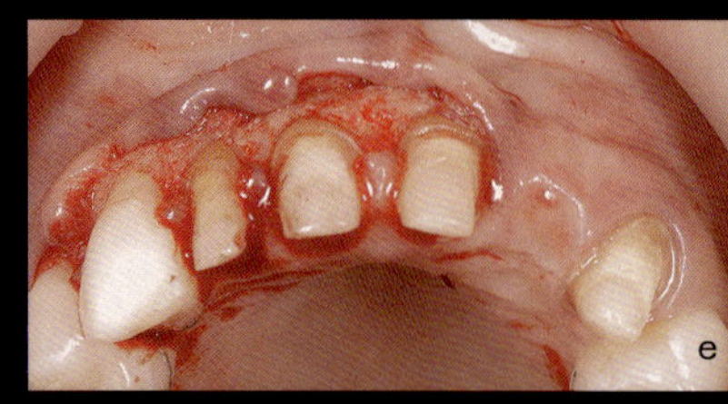

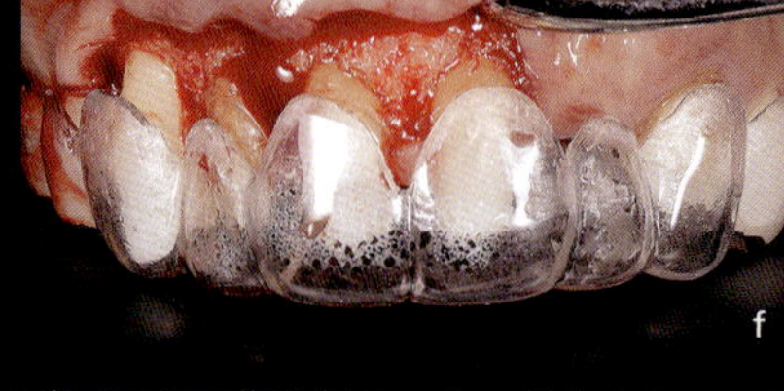

Fig 20a to f　生物学的幅径を考慮して1|、3|の歯冠長延長術を行う。サージカルステントを装着し、角化歯肉は十分にあることから最終的なフィニッシュラインをイメージして歯肉切除を行う。歯間乳頭部は保存し、骨削除を行う部位は全層弁で、行わない部位は部分層弁で剥離した。

歯冠長延長術後に歯肉が後戻りしてしまう要素としては2つの要因が挙げられる。1つは最終歯肉辺縁から歯槽骨頂までの距離が3mm以内の時、もう1つは歯肉が厚い場合である。本患者は厚い歯肉のタイプであるため、歯肉が後戻りしないようにステントで確認しながらしっかりと三次元的に骨整形する必要がある。

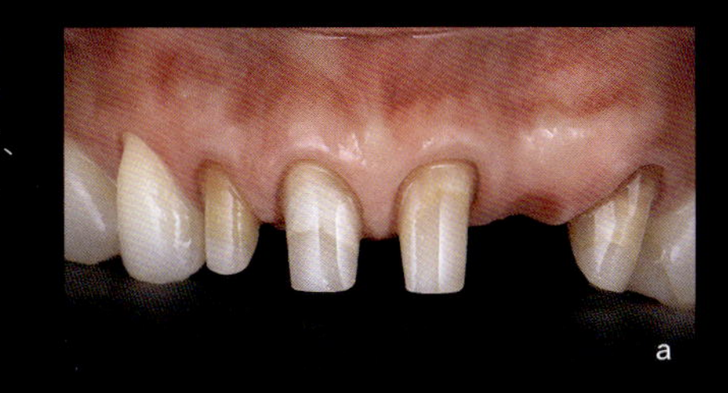
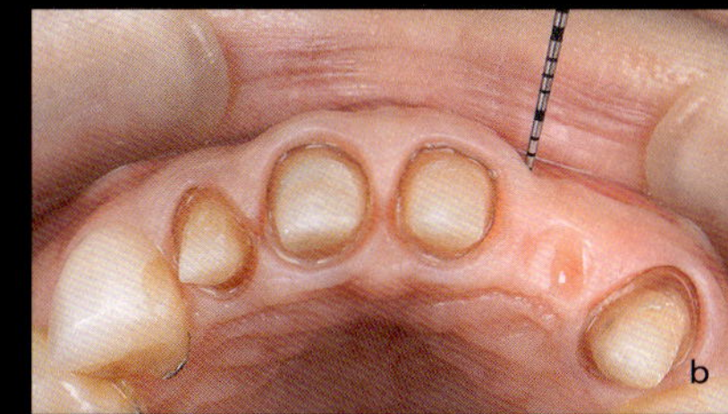

Fig 21a and b　歯冠長延長術の術後３ヵ月の状態。歯肉レベルは整ったため、続いて欠損している|2の不十分な歯肉に対して、今度は2|に合わせるように歯槽堤増大術を行う。

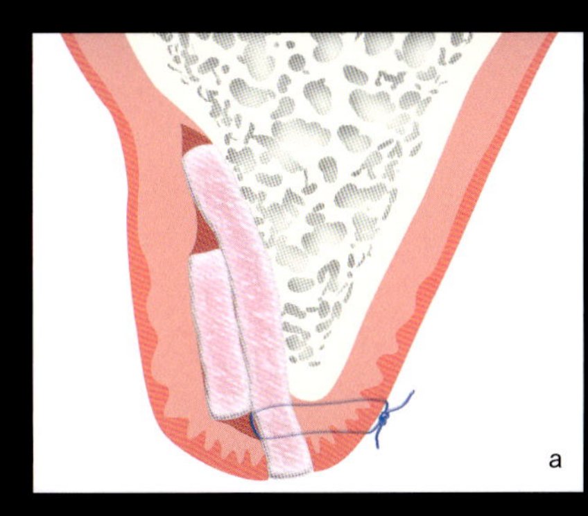
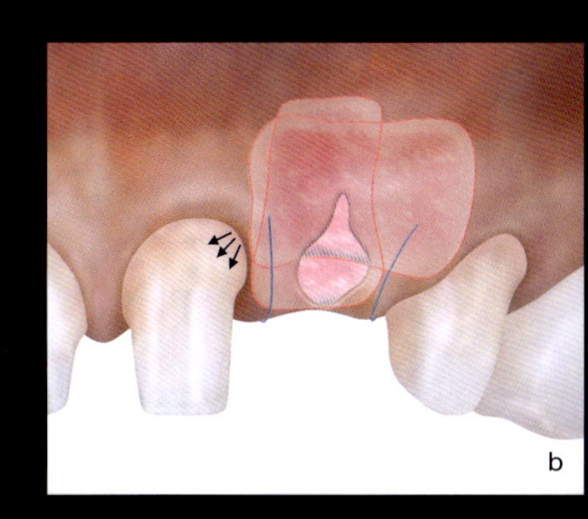

Fig 22a and b　|2の欠損部に対する歯槽堤増大術と同時に、|1に対しても根面被覆術を行っている。この理由として、|1は遠心側が若干唇側にローテーションしており、このような場合、歯肉が薄いと最終補綴物装着後に歯頚ラインが下がることが日常臨床でみられるからである。よって、欠損部には歯槽堤増大術を行い、それに加えて隣在歯にも補綴前処置として歯肉の厚みを与えるために根面被覆術を行っている。

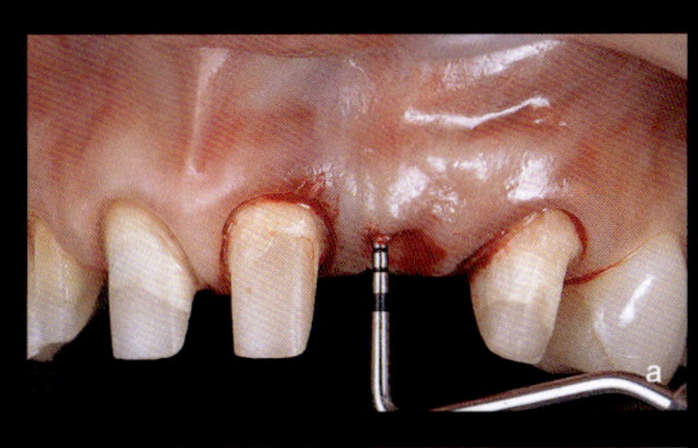
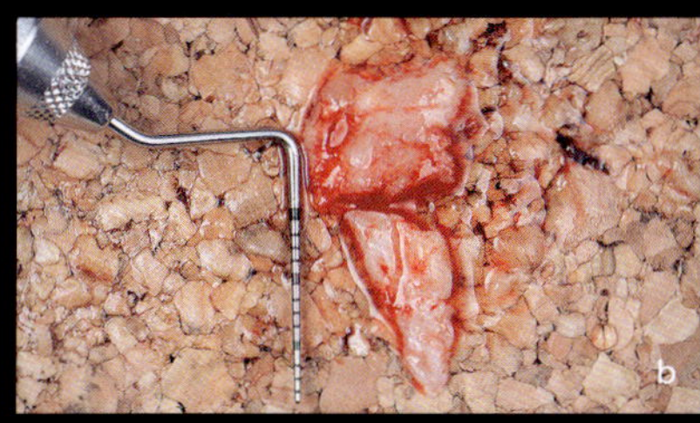
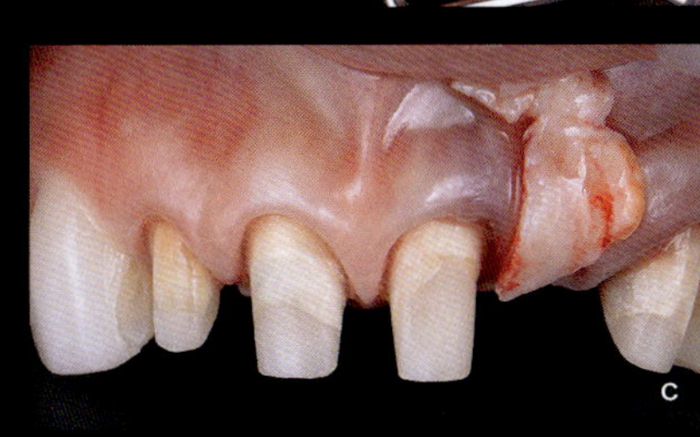
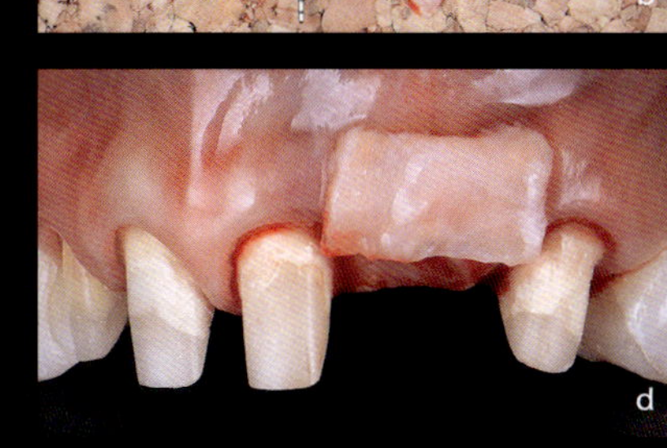

Fig 23a to d　歯槽堤増大術および根面被覆術の実際の手技。まずは欠損部に袋状のエンベロープフラップを形成する。そこに口蓋側から採取した結合組織を、１枚目は欠損部に縦に、２枚目は両隣在歯にかかるように移植する。

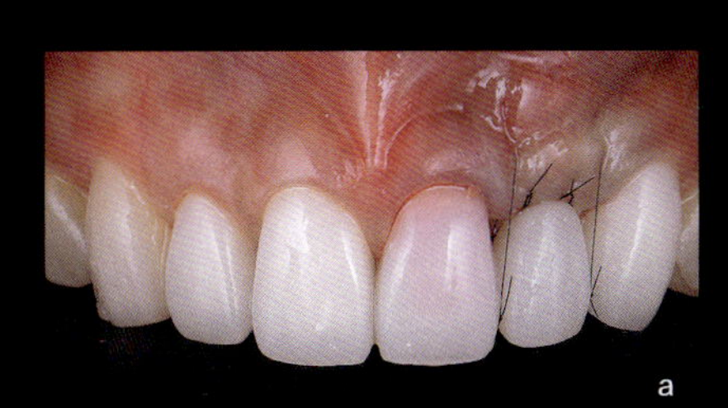
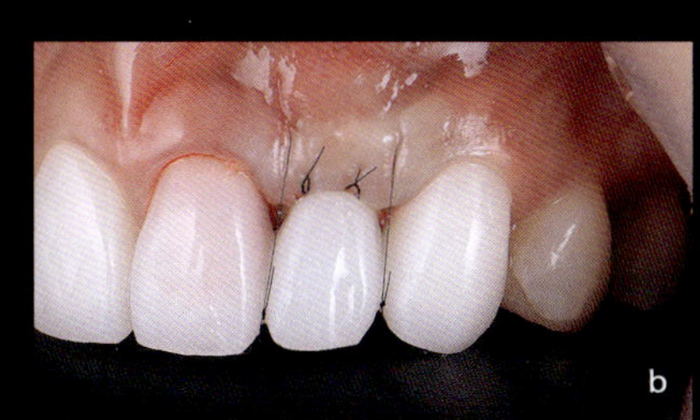

Fig 24a and b　術直後の状態。反対側に比べて約１mm歯冠側に基底面が位置している。ここからプロビジョナルレストレーションで調整していく。

た(Fig 20 and 21)。また、|2の欠損部に対しては、歯槽堤増大術および|1遠心側への根面被覆術を行った。この理由として、|1は遠心側が若干唇側にローテーションしており、このような場合、歯肉が薄いと最終補綴物装着後に欠損部の歯頚ラインが下がることが日常臨床でみられるからである。よって、欠損部には歯槽堤増大術を行い、それに加えて隣在歯にも補綴前処置として歯肉の厚みを与えるために根面被覆術を行った(Fig 22 to 24)。右側には切除療法、左側には移植手術とコンセプトが異なるため２回に分けて施術した。

歯肉の安定を待って3rd Stage(最終補綴)に移行する

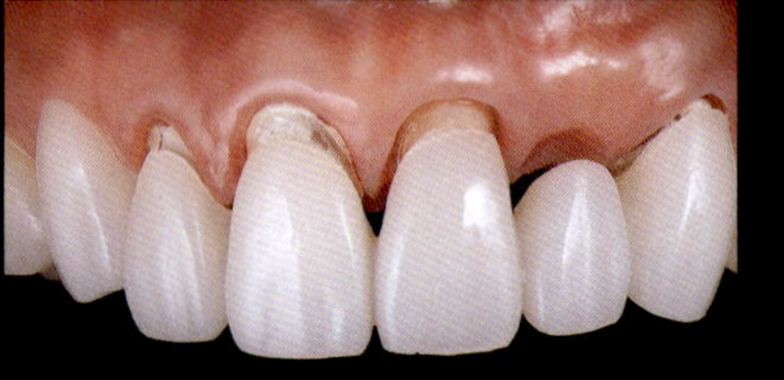

Fig 25　術後３ヵ月の状態。炎症がなく、歯肉の形態が落ち着いたのを確認して最終補綴に移行する。

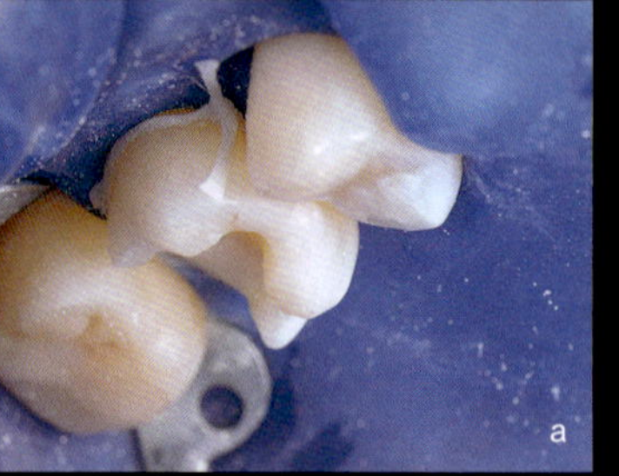

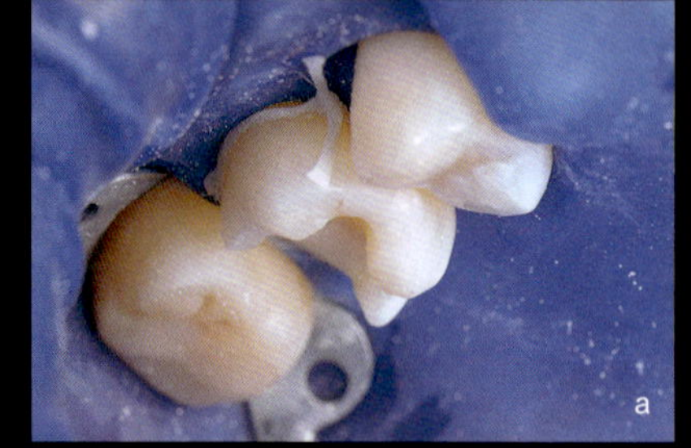

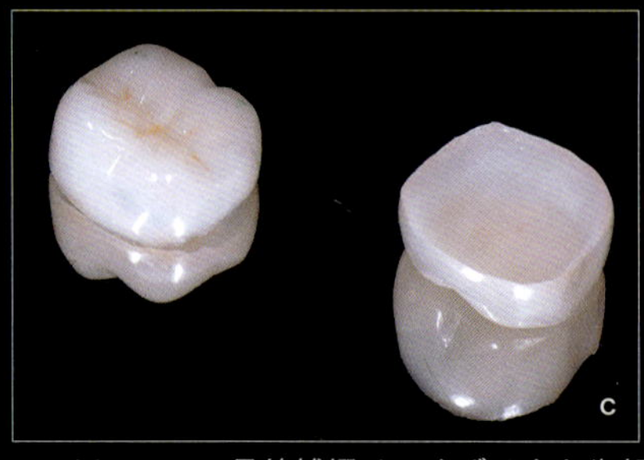

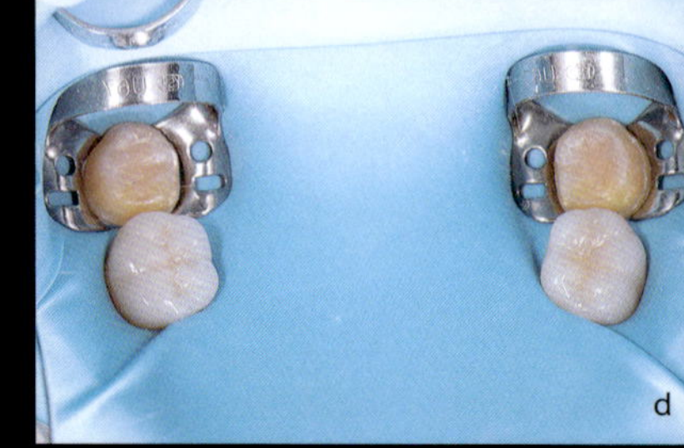

Fig 26a to d　最終補綴は、まずは大臼歯部咬合面のオクルーザルベニアから行う。矯正期間中はコンポジットレジンで咬合支持を得ていたため、コンポジットレジンを除去して顎位を保持しながら第一大臼歯、第二大臼歯と順番にオクルーザルベニアに置き換えていく。

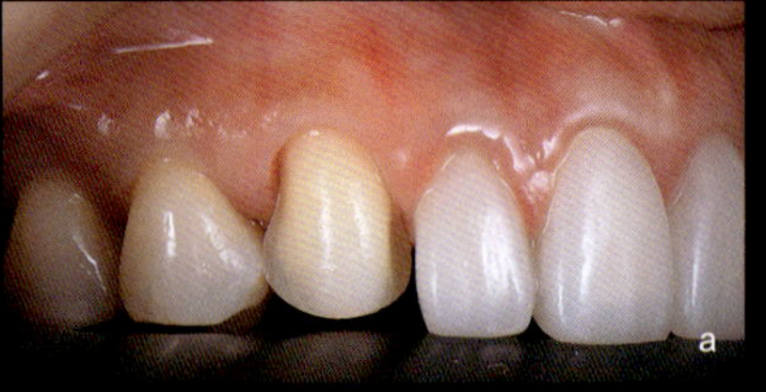

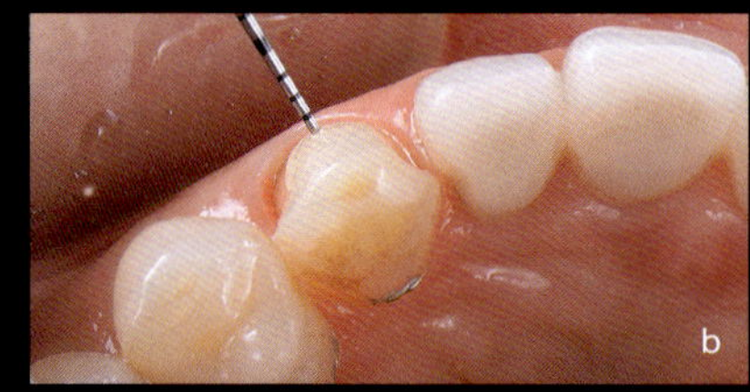

Fig 27a and b　続いて前歯部の最終補綴を行う。まず矯正期間中にモックアップが装着されていた3|をPLVに置き換える。エナメル質を最大限残すために、モックアップ上から形成した。

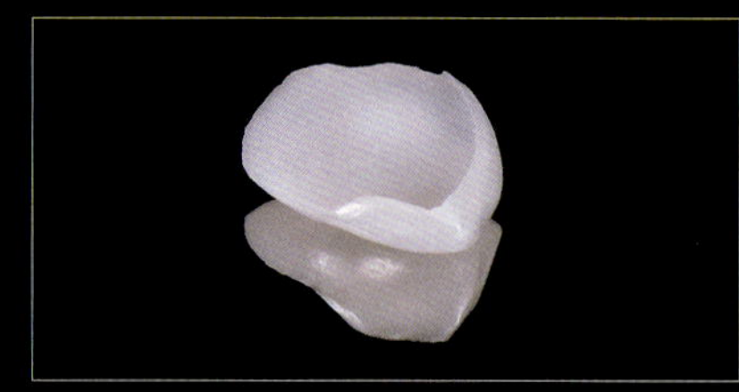

Fig 28　耐火模型法で製作したPLV。

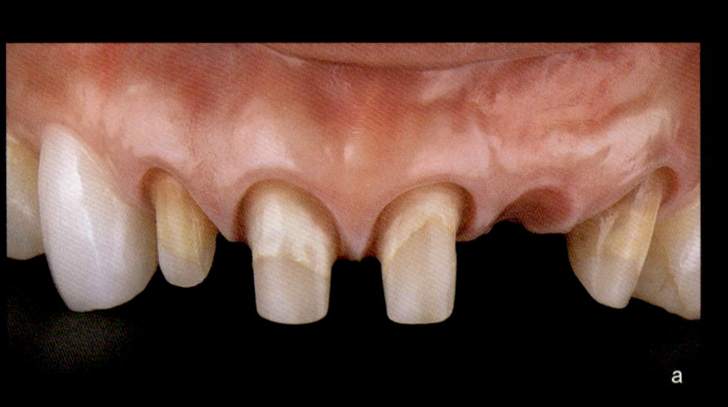

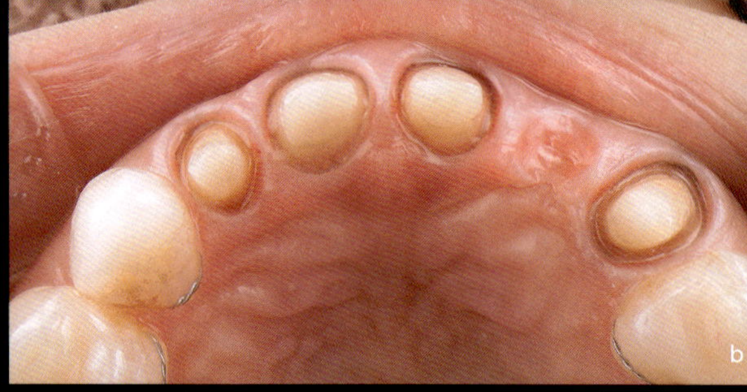

Fig 29a and b　製作したPLVを3|に装着する。この後、接着したPLVのセメントの色調が安定した後にクラウン・ブリッジの補綴に移行する

(Fig 25)。矯正期間中、大臼歯部はコンポジットレジンで咬合支持を得ていたため、その咬合関係を変えないよう順番に最終補綴物に置き換えていった(Fig 26)。大臼歯部にすべてのオクルーザルベニアを装着後は前歯部の最終補綴に移行する(Fig 27 to 34)。最終補綴物製作時はクロスマウントを行うことでプロビジョナルレストレーションと同様、前方運動・側方運動時に適正なディスクルージョンが得られ、ミューチュアリープロテクティッドオクルージョンが確立できた(Fig 35)。

術後の評価として、歯周組織は安定しており、セファロ分

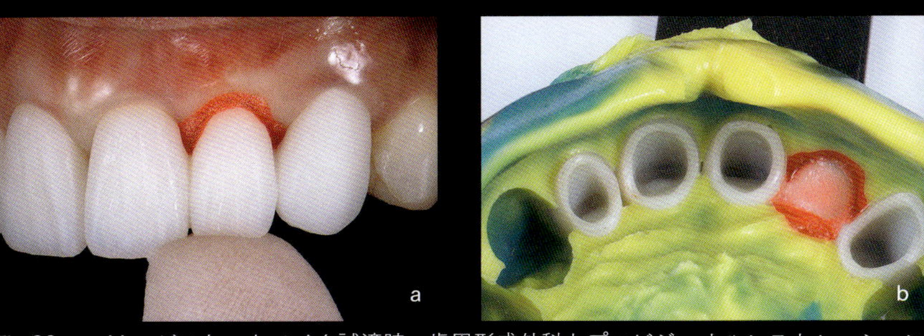

Fig 30a and b　ビスケットベイク試適時、歯周形成外科とプロビジョナルレストレーションで整えられた歯肉形態を最終補綴物にトランスファーするため、パターンレジンにて印記してピックアップ印象を行う。

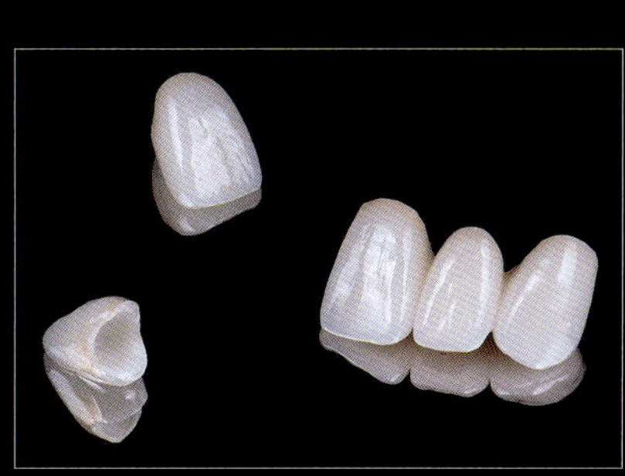

Fig 31　前歯部最終補綴物完成。

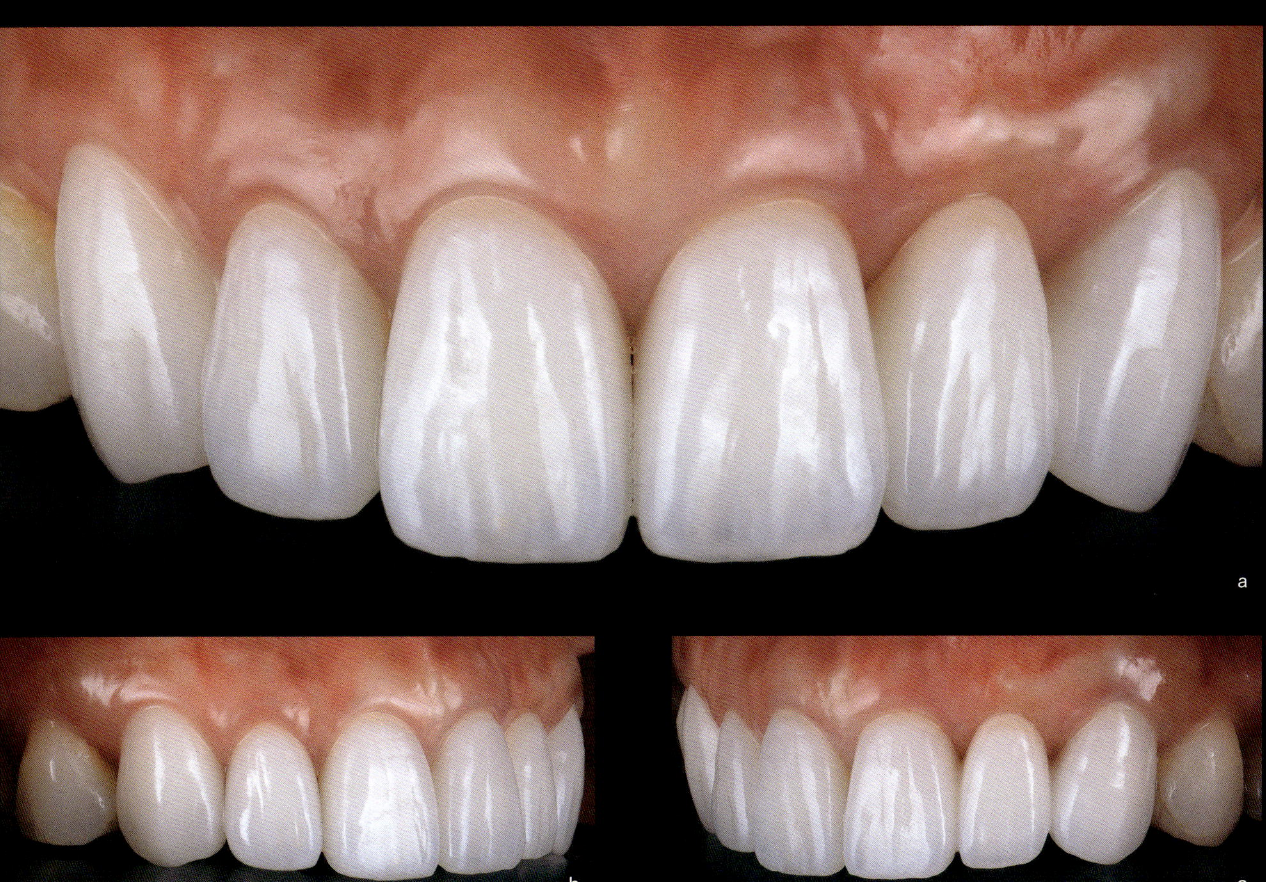

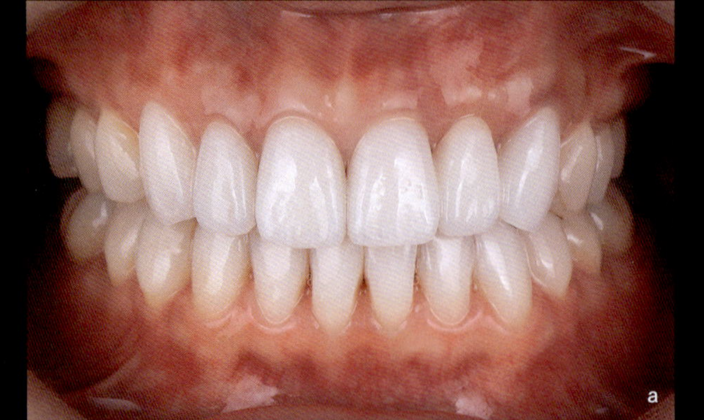

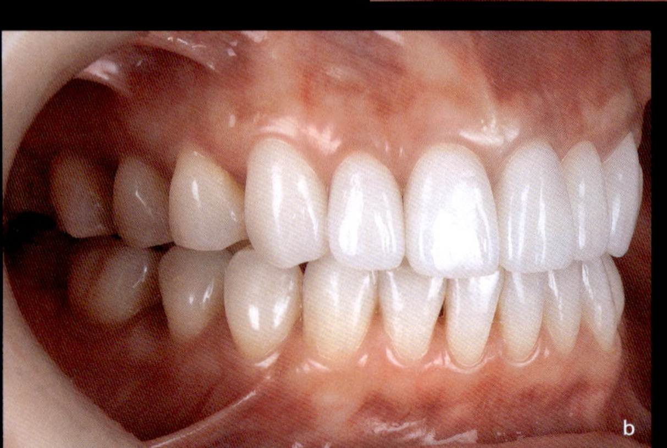

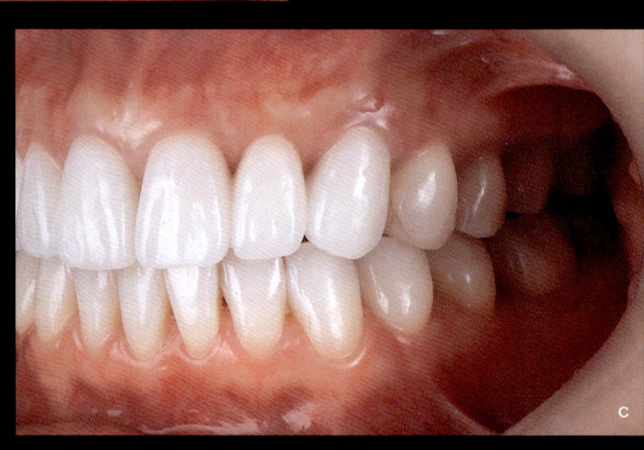

Fig 33a〜c　最終補綴物装着から１年後。

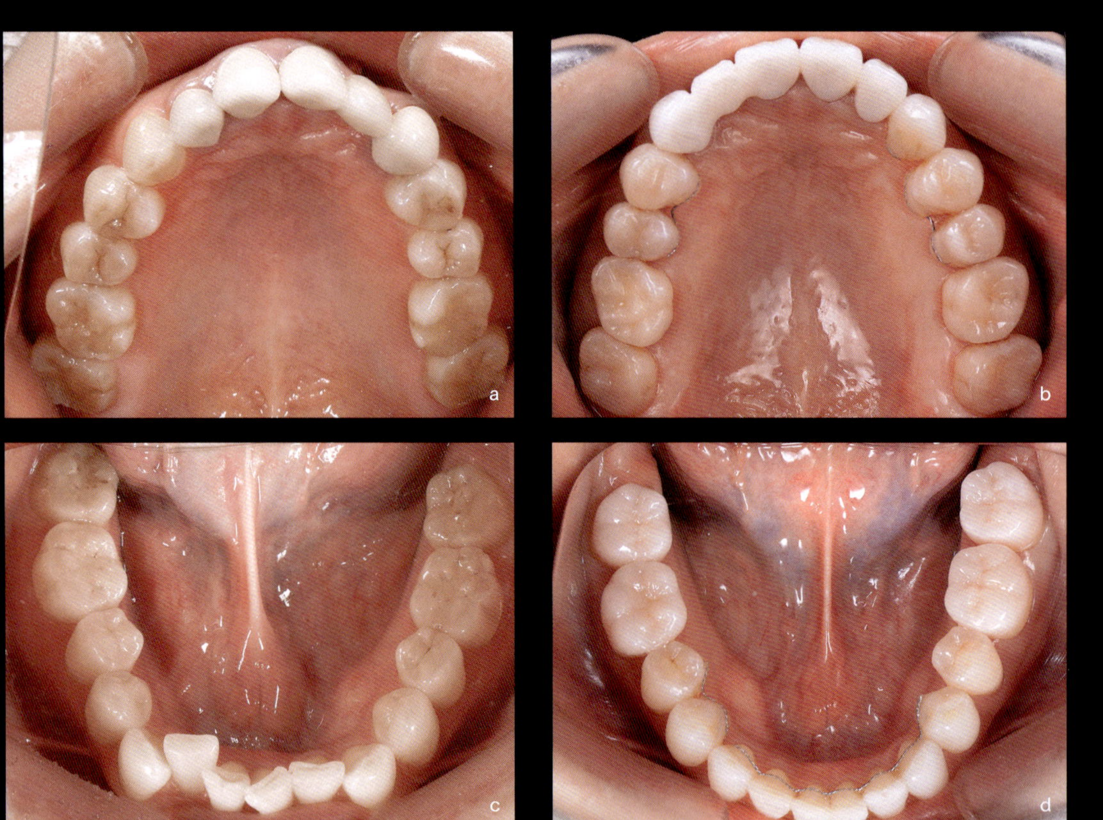

Fig 34a to d　術前(a and c)・術後(b and d)の咬合面観。

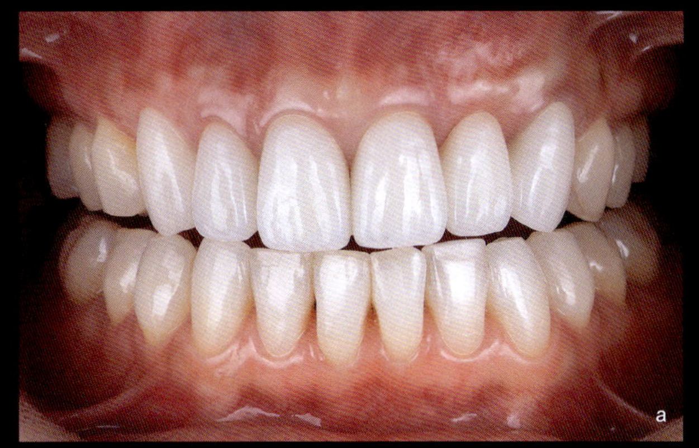

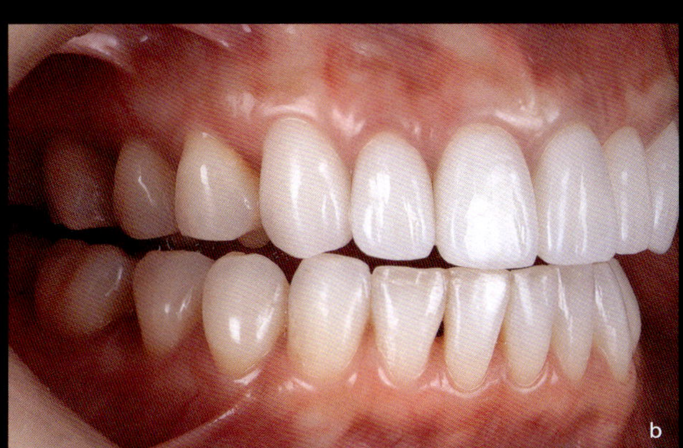

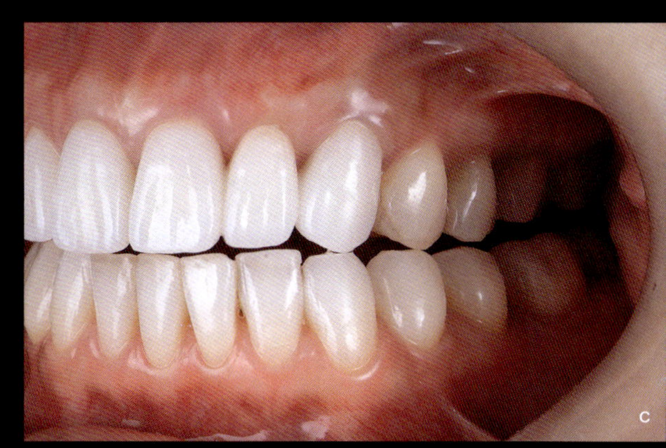

Fig 35a to c　最終補綴物製作時はクロスマウントを行うことでプロビジョナルレストレーションと同様に前方運動・側方運動時に適正なディスクルージョンが得られ、ミューチュアリープロテクティッドオクルージョンが確立できた。

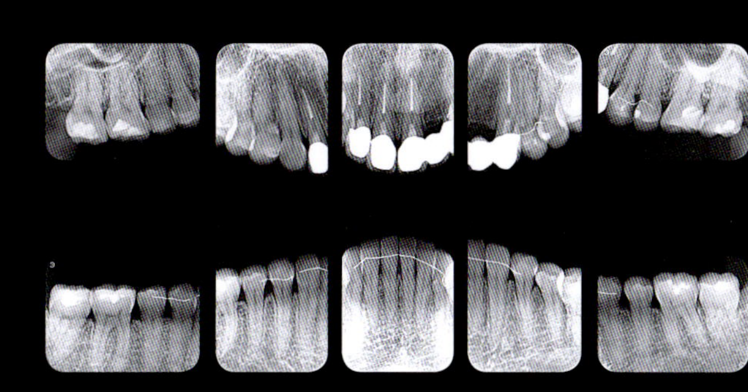

Fig 36　術後の10枚法デンタルエックス線画像。

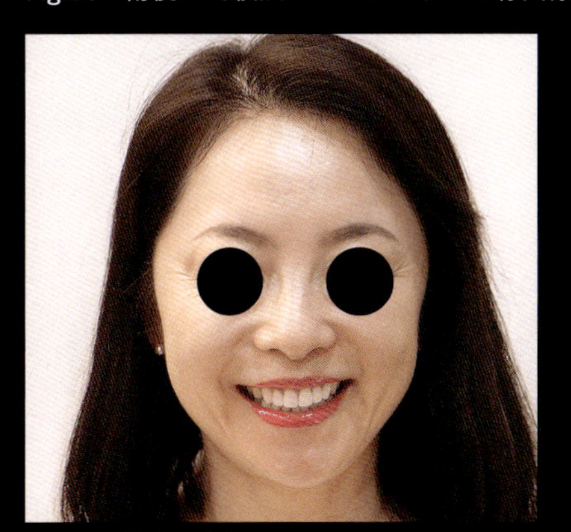

Fig 37　術後の顔貌。

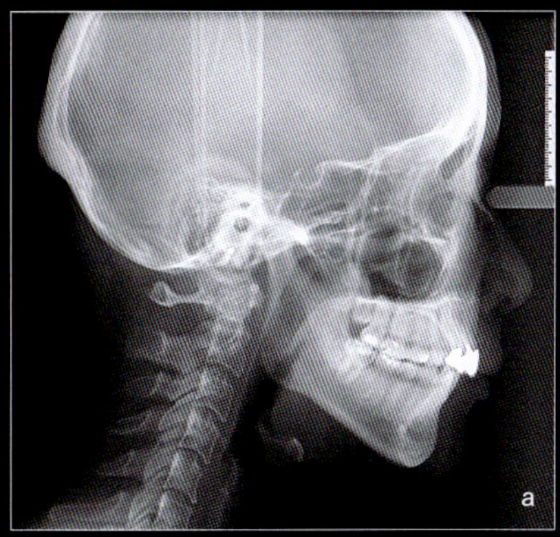

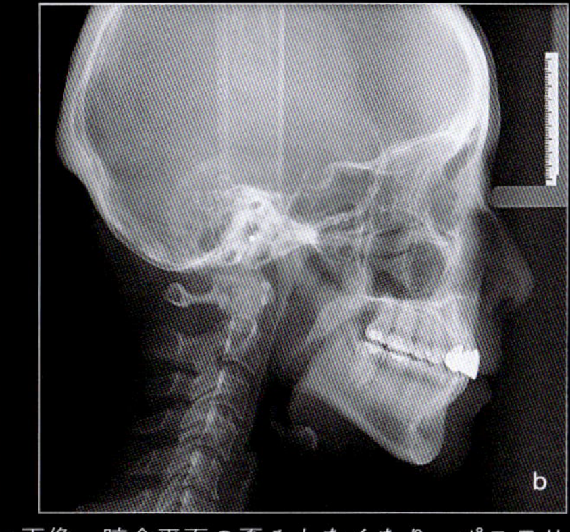

Fig 38a and b　術前(a)・術後(b)のセファロ画像。咬合平面の歪みもなくなり、ポステリアオクルーザルプレーンもフラットに近づいた。何より患者はオーバージェットが改善した

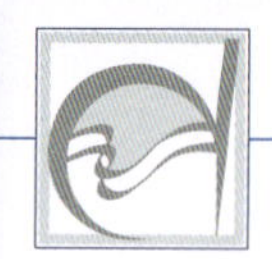

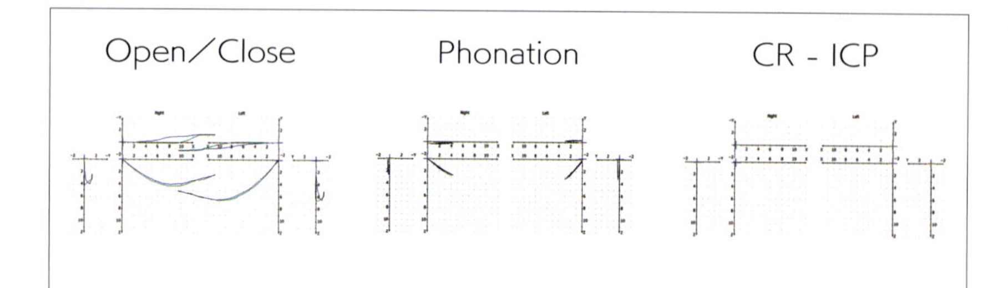

Fig 39 開閉口時、青がOpen、緑がClose。動的な状態でも顆頭が安定した位置に戻るようになり、発音時にも後方への移動が抑えられ、正常な顎運動になった。また、CRとICPも一致している。

終わりに

複雑な問題を抱える患者に対して、審美的・機能的改善を目指すにはインターディシプリナリーアプローチによる包括的治療が不可欠である。また、マイクロスコープ下での歯周形成外科手術は組織に対して低侵襲であるために血液供給が優れ、治癒も早期に達成されるため術後のトラブルを最小限に抑えることができる。また、マイクロスコープを用いることで、支台歯形成においても正確に必要最小限の削除量を視覚的に確認しながら行うことができる。以上はとくに審美領域の治療において優位に働き、治療そのものの予知性を高めてくれると言えるだろう。なお、本症例の矯正治療は構 義徳先生（東京都開業）が、歯科技工は高橋 健氏（Smile Exchange）が担当している。

最後に、今回このような機会を与えていただいた山﨑長郎先生（東京都開業）、日頃からご指導いただいている鈴木真名先生（東京都開業）、小濱忠一先生（福島県開業）に深く感謝申し上げます。

参考文献

1．山﨑長郎．エステティック クラシフィケーションズ 複雑な審美修復治療のマネージメント．東京：クインテッセンス出版，2009.

2．鈴木真名．イラストレイテッド　ペリオドンタル・マイクロサージェリー　アドバンステクニック―審美性を獲得するソフトティッシュマネジメント―．東京：クインテッセンス出版，2010.

3．小濱忠一．前歯部審美修復　天然歯編　難易度鑑別診断とその治療戦略．東京：クインテッセンス出版，2007.

4．Papapanou PN, Sanz M, Buduneli N, Dietrich T, Feres M, Fine DH, Flemmig TF, Garcia R, Giannobile WV, Graziani F, Greenwell H, Herrera D, Kao RT, Kebschull M, Kinane DF, Kirkwood KL, Kocher T, Kornman KS, Kumar PS, Loos BG, Machtei E, Meng H, Mombelli A, Needleman I, Offenbacher S, Seymour GJ, Teles R, Tonetti M. Periodontitis: Consensus report of workgroup 2 of the 2017 World Workshop on the Classification of Periodontal and Peri-Implant Diseases and Conditions. J Periodontol 2018；89 Suppl 1：S173-S182.

5．Arora R, Narula SC, Sharma RK, Tewari S. Evaluation of supracrestal gingival tissue after surgical crown lengthening: a 6-month clinical study. J Periodontol. 2013；84(7)：934-940.

6．Marzadori M, Stefanini M, Sangiorgi M, Mounssif I, Monaco C, Zucchelli G. Crown lengthening and restorative procedures in the esthetic zone. Periodontol 2000 2018；77(1)：84-92.

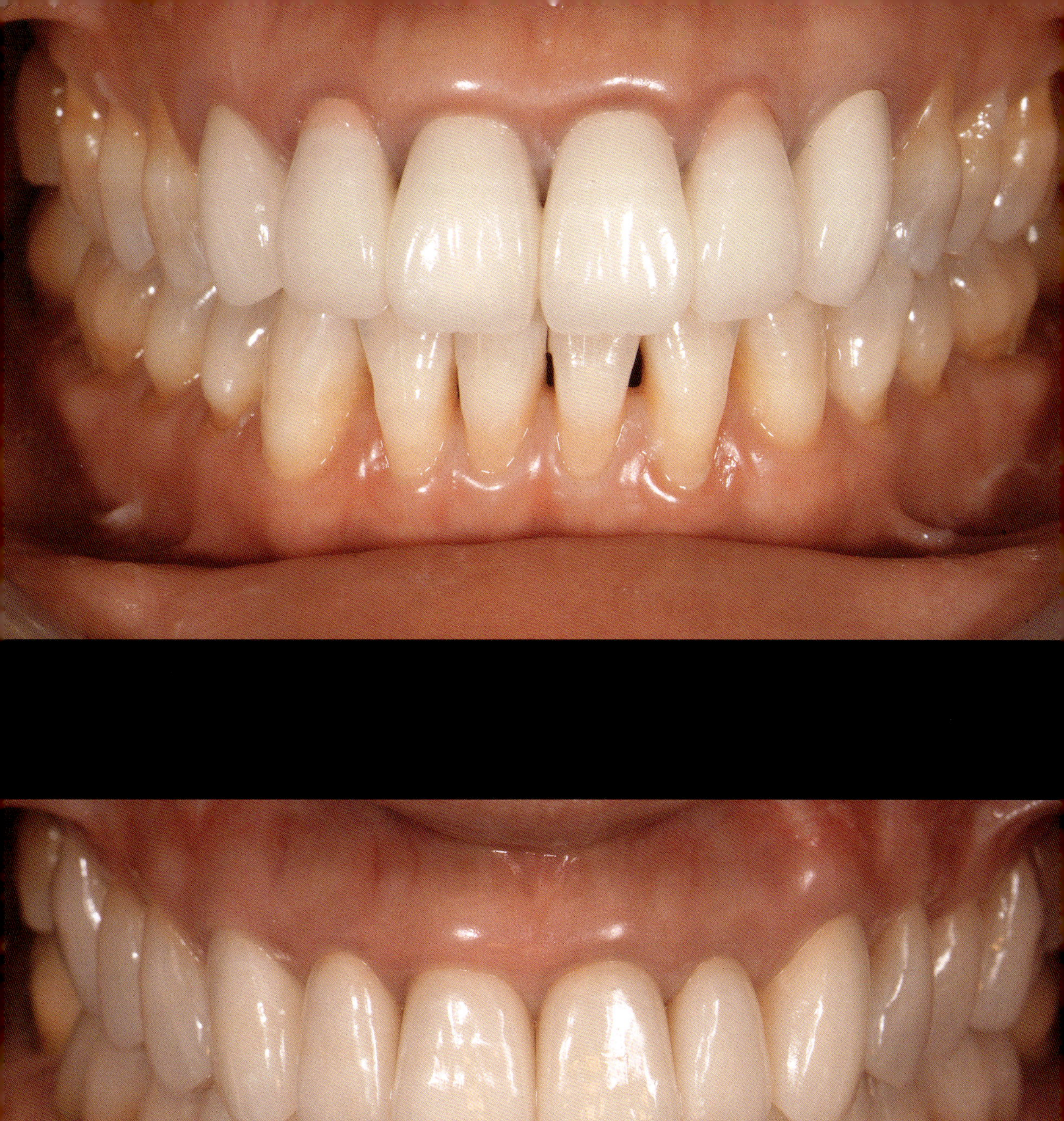
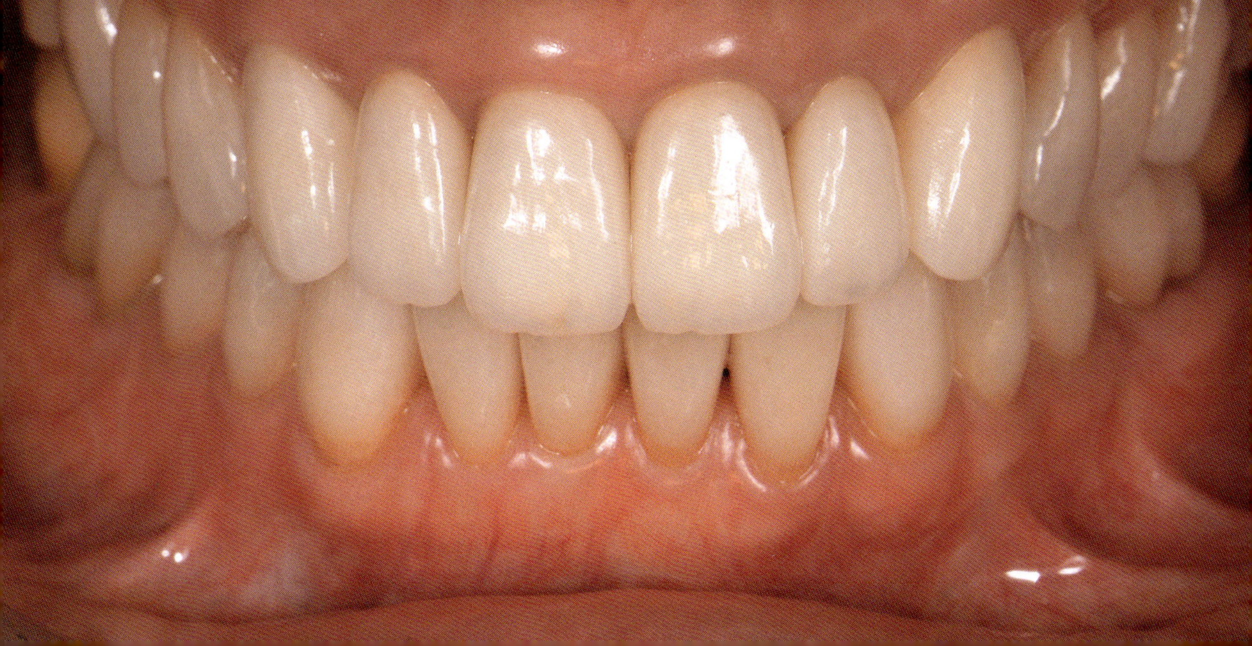

Full-mouth reconstruction for esthetic in consideration of harmony with function and periodontal tissue

機能と歯周組織への調和を考慮した全顎的な審美修復

Shigeru Nakamura, DDS
Dental Clinic AL'AISE Ginza

中村茂人
デンタルクリニックアレーズ銀座
東京都中央区銀座5-5-16
銀座テーラービルディング7F

Ken Takahashi, RDT
Dental Laboratory Smile Exchange

高橋 健
Dental Laboratory Smile Exchange
神奈川県川崎市多摩区菅4-3-32 ベルヴィル302

はじめに

近年、患者の要求水準が高まり、細かな点まで求められるようになったことは否めない。一方で、接着の進化から低侵襲なセラミック修復が可能となり、できる限り削ることなく、透明感のある歯を再現することが可能となった。しかし、この術式はMI（Minimally invasive）とはいえ削ることに変わりはなく、後戻りできないことを認識する必要がある。つまり、下顎位や咬合といった機能的な側面や顔貌との調和、歯周組織への配慮などの包括的な診査のうえで行わねばならないことに変わりはないといえる。さらに審美的要求の強い患者は、細部にわたっての要求度が高いため、少しの失敗が致命傷となる。歯周外科を行う必要があった場合にも、より安全な術式を選択し、より繊細な施術でなければ対応できないともいえるだろう。

今回、審美的要求の強い患者に対し、診査・診断から「できること」「できないこと」「失敗のリスク」などのディスカッションを行い、ステップごとの再評価を重ね、顎位や咬合、歯周組織の環境を整えて審美的改善を図ったことで、結果的に患者満足を得られた症例を、実際の術式などを含め報告する。

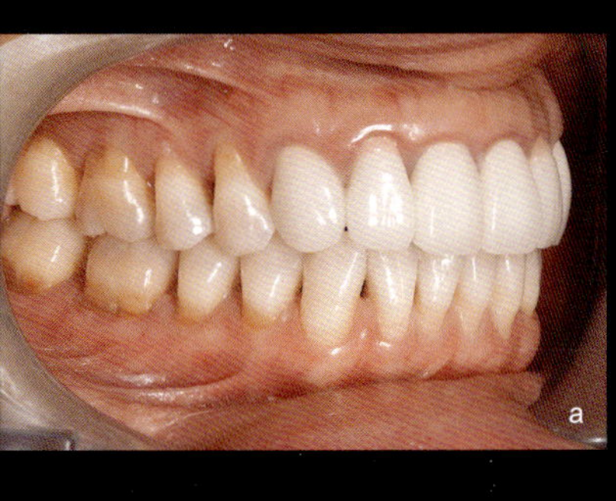
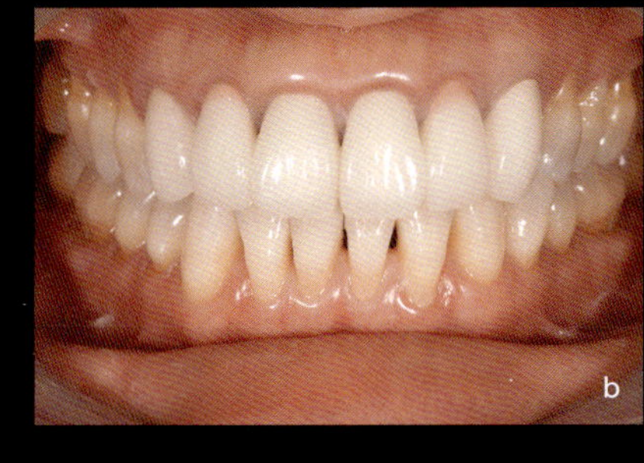
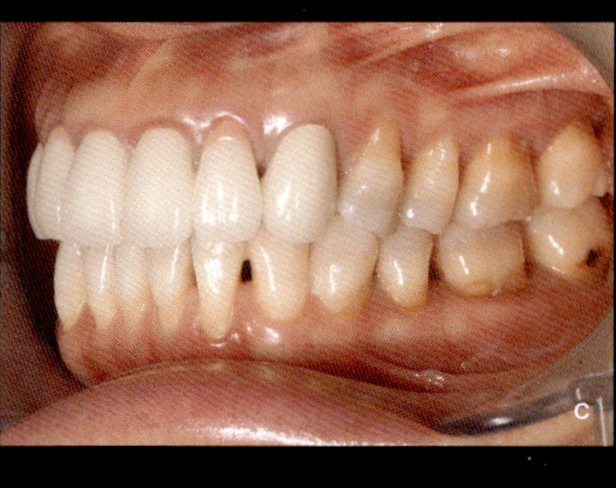
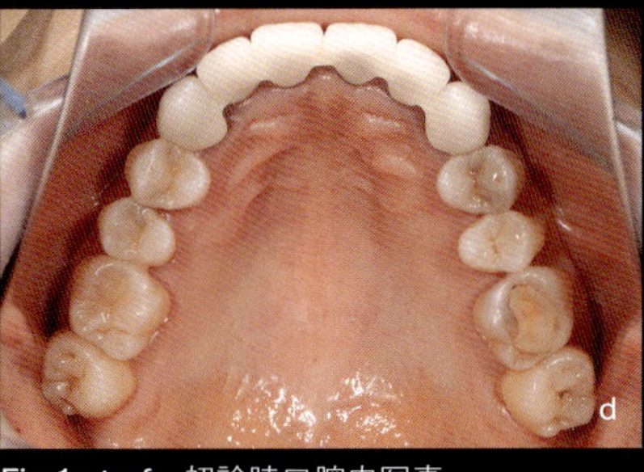
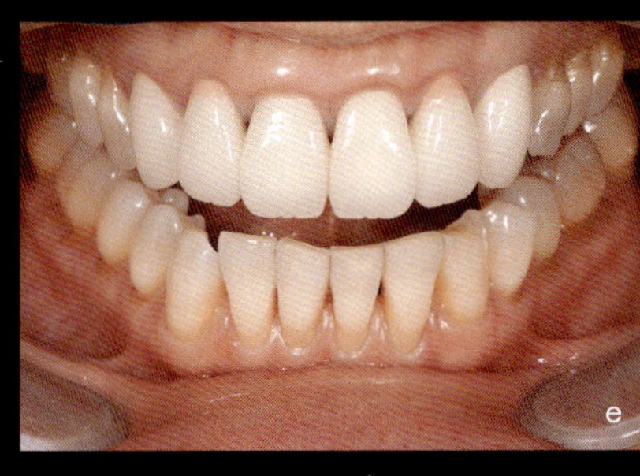
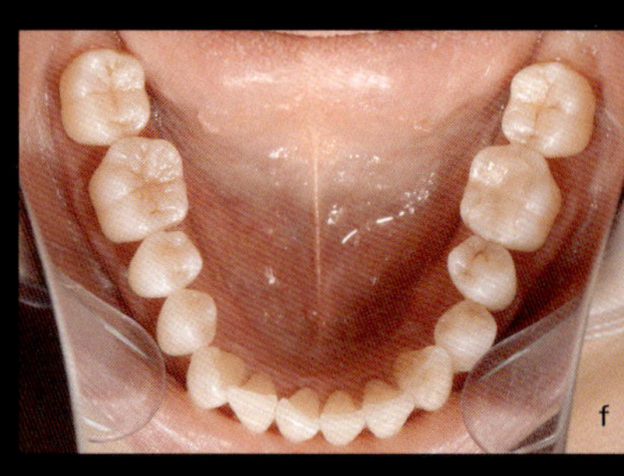

Fig 1a to f　初診時口腔内写真。

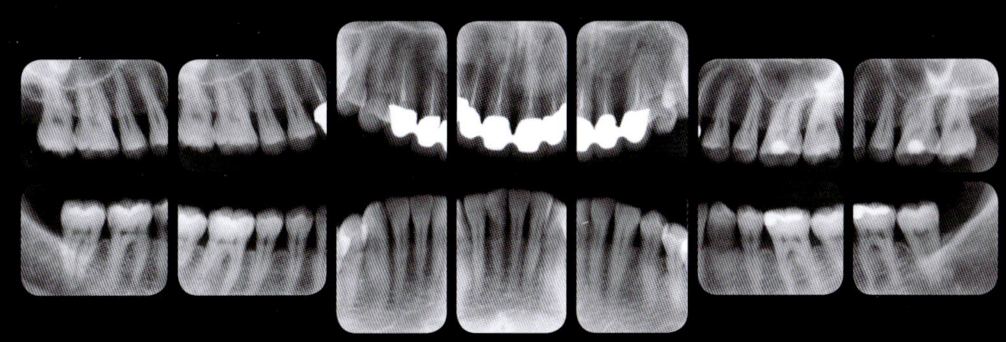

Fig 2　初診時エックス線写真。

ケースプレゼンテーション

患者は50歳女性。審美的不満にて来院。審美性に対する要求度が非常に高く、3+3前歯部補綴物の形態への不満、全顎的な歯肉退縮、歯列の連続性の不調和などを気にされていた。2|、|2は、ピンクポーセレンにて歯頚ラインをごまかしている状態であった（**Fig 1a to c and e**）。また患者は、スマイル時に奥歯がないように見えると述べており、これは3+3の補綴物の色が臼歯群に比べてわずかに明るいことと、歯列弓がわずかに鞍状を呈し、臼歯部が内側に傾斜しているため陰になり（**Fig 1d**）、そのように見えてしまうと判断した。

口腔内を観察すると、|3部にはファセットが認められ、臼歯群歯頚部にはアブフラクションや初期う蝕が認められた。このことは、近年歯頚部のアブフラクションやう蝕の原因として、メカニカルストレスによって歯頚部エナメル質にマイクロクラックが生じ、そこにプラークが付着したりブラッシングでこすり取ったりすることで生じると示唆されており、ブラキシズムやクレンチングなどの存在が疑われる。また、筆者は数百症例に及ぶ検査にて、顎位（筋肉位）とパラファンクションとの関連性が非常に強いという臨床実感があり、適正な診察・検査・診断が必要であると感じた。

3+3はすでに抜髄され、美容目的のクラウンが装着されていた。歯周ポケットはほとんどの歯が3mm以内で歯周

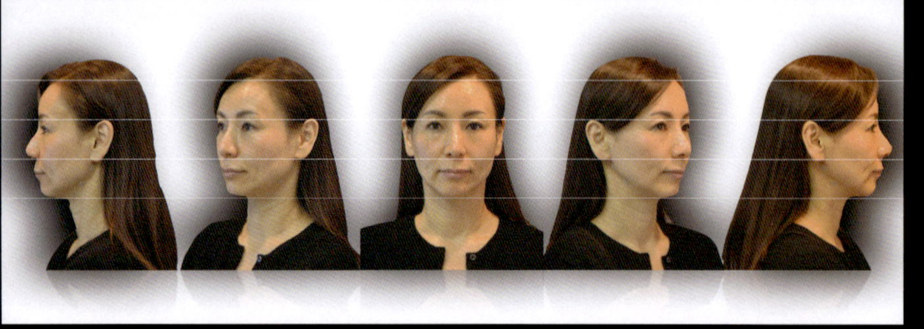

Fig 3　顔貌の評価。大きな問題は見られない[1]。

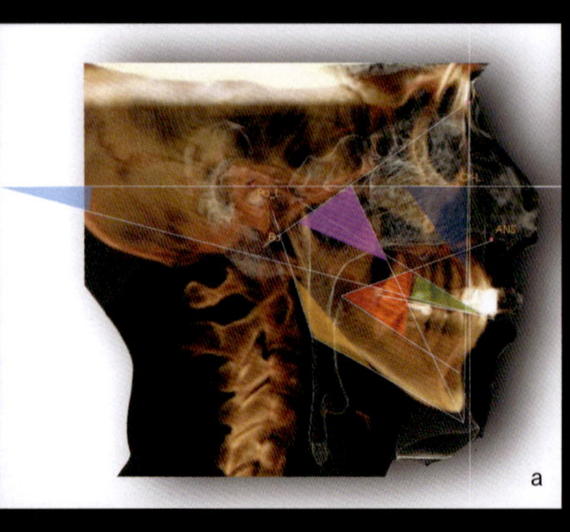

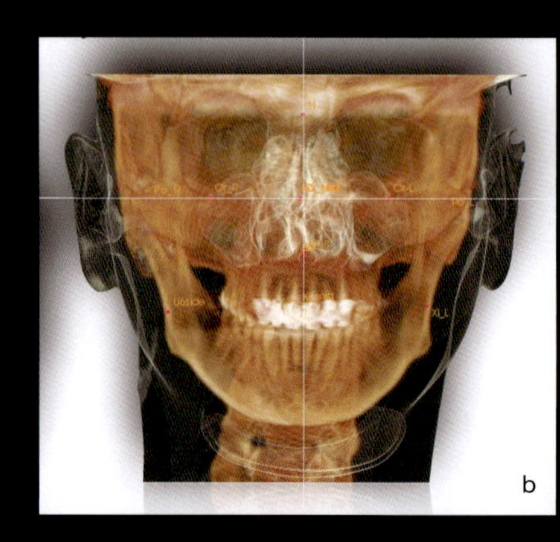

Fig 4a and b　セファロ分析。ドリコ傾向のメジオフェイシャルパターンである。鼻中隔の湾曲が確認できる。

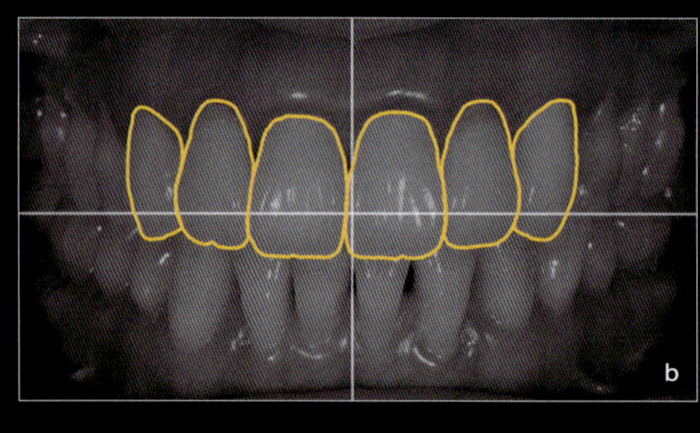

Fig 5a　顔貌の正面観。正中に対する歯軸の傾きや形態の不具合を観察。
Fig 5b　前歯の歯軸は右側に傾き、両側側切歯の歯肉退縮が顕著であった。

病のリスクは低いものの、下顎大臼歯部には歯根膜腔の拡大が認められた。このことは、口腔内の所見にてう蝕が生じている部位と一致するため、臼歯群にメカニカルストレスの影響が強いことが示唆された（Fig 2）。

顔貌の評価

　顔貌については、中顔面と下顔面はほぼ一致、下口唇はEライン上にあることなどから[1]、大きな問題はないように感じた（Fig 3）。

セファロ分析

　セファロ分析は本来、顎骨の成長を予測するものではあるが、現在の問題点を細かく確認するのに役だつ。本症例は、リケッツの分析法においてのICPでの評価はドリコ傾向のメジオフェイシャルパターンであった。そしてこの患者の顎位に影響を受けないゴニアルアングルもドリコ傾向のメジオフェイシャルパターンのため、大きな狂いはないように感じられた（Fig 4a）。

　正貌からは鼻中隔が湾曲しているのが確認できた

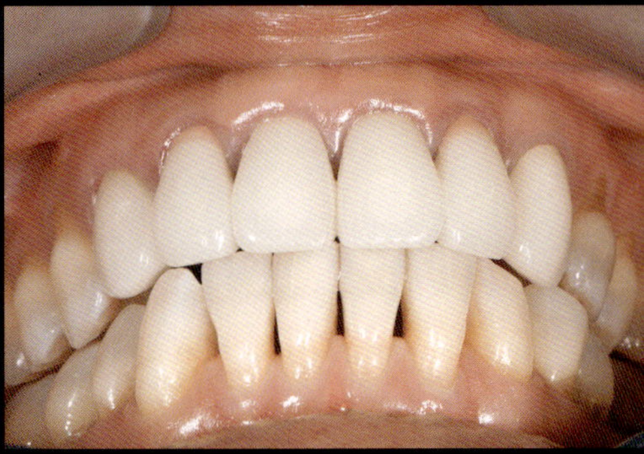

Fig 6a　中心位の確認。

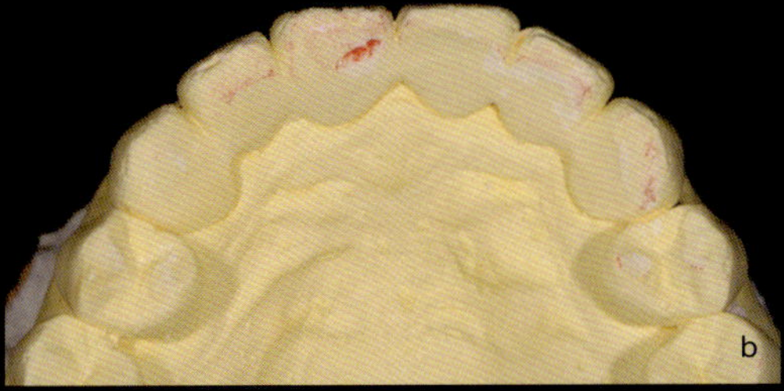

Fig 6b and c　前歯部に早期接触が認められる。

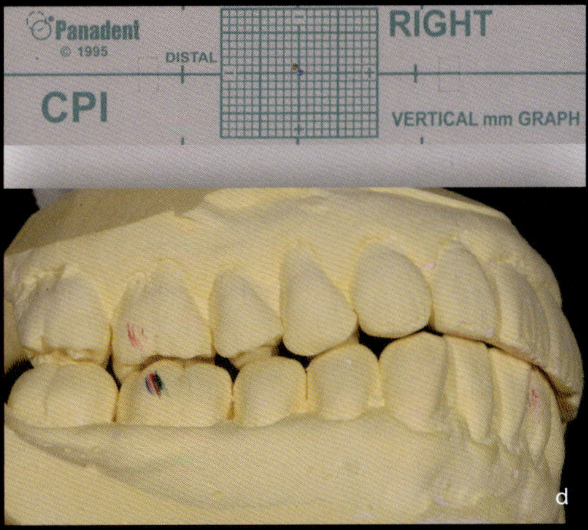

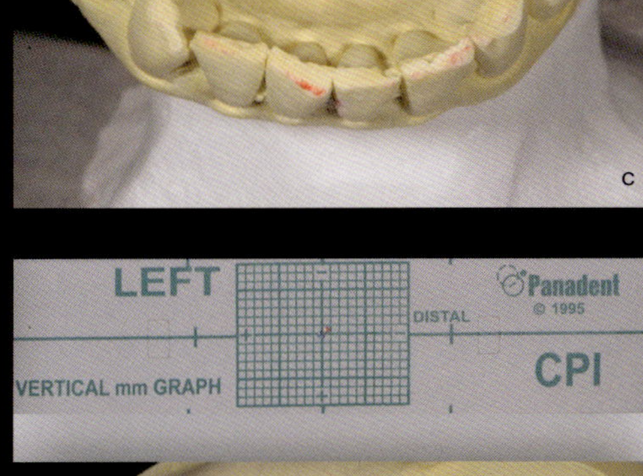

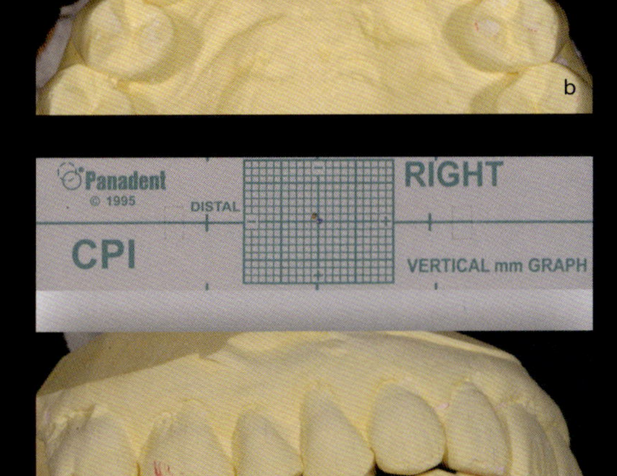

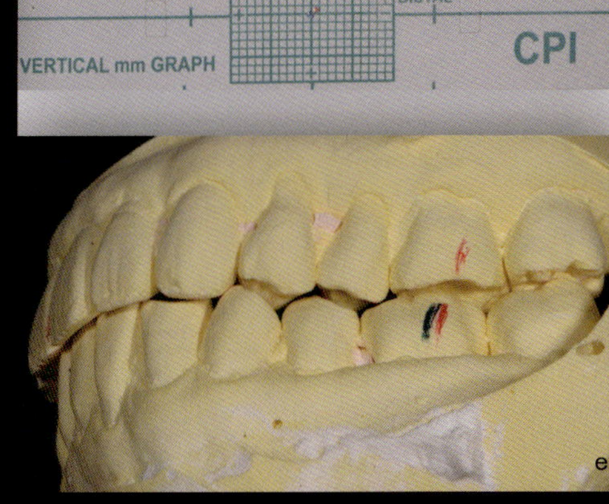

Fig 6d and e　咬みこむ際の下顎頭の変化を確認すると、ICPの位置では、CRよりもわずかに下顎頭が後上方へと偏位した。

(Fig 4b)。セファロ画像より、鼻中隔が湾曲していることをふまえ前歯部の形態を観察すると、正中に対して歯軸の傾きや形態の不具合が浮かび上がる(Fig 5a)。切縁の位置はほぼ適正で、歯軸は右側に傾き、両側側切歯の歯肉退縮が顕著であった(Fig 5b)。

咀嚼筋群のDeprogramingを十分に行い[2、3]、中心位(以下CR)を確認すると、わずかに前方にシフトし、前歯部が早期接触となった(Fig 6a to c)。この位置で付着された模型上では、CRの位置から中心咬頭嵌合位(以下ICP)に咬みこむ際の三次元的な評価が確認できた。この際に、CPI

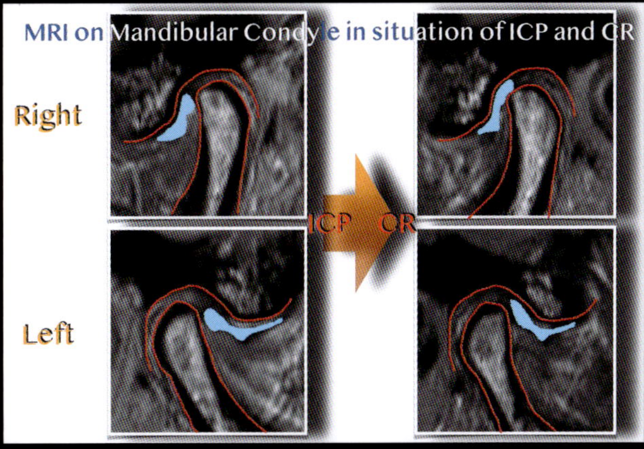

Fig 6f　MRIもCPIのデータと一致している。

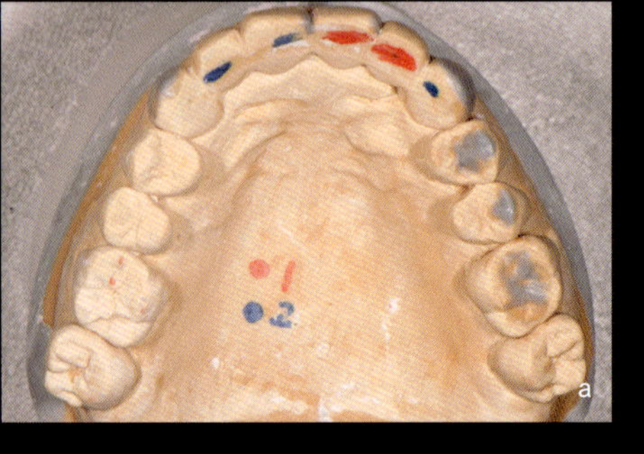

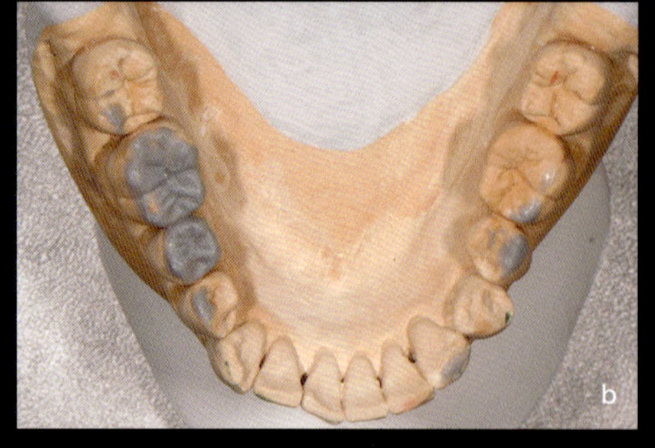

Fig 7a and b　ワックスアップ。

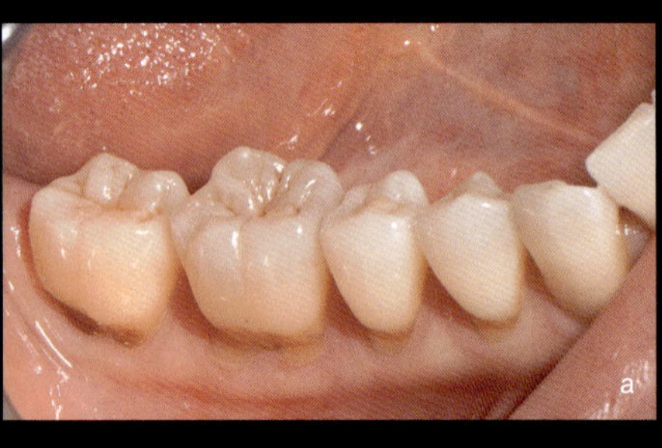

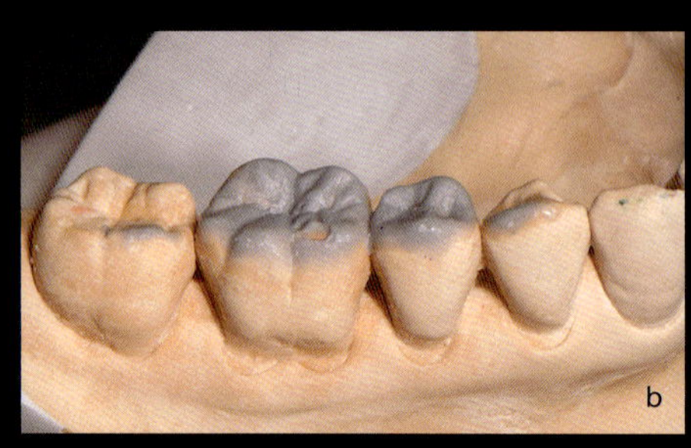

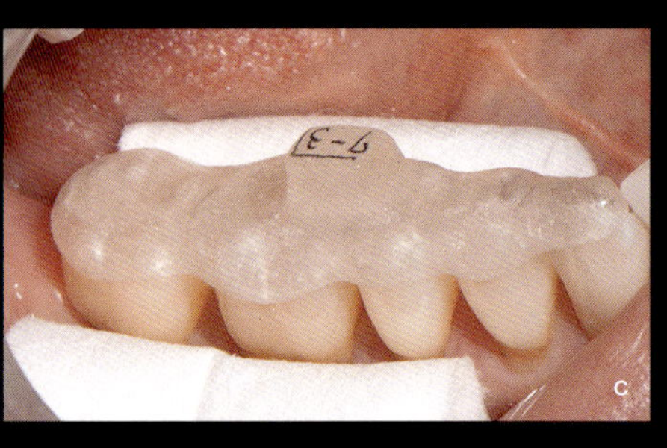

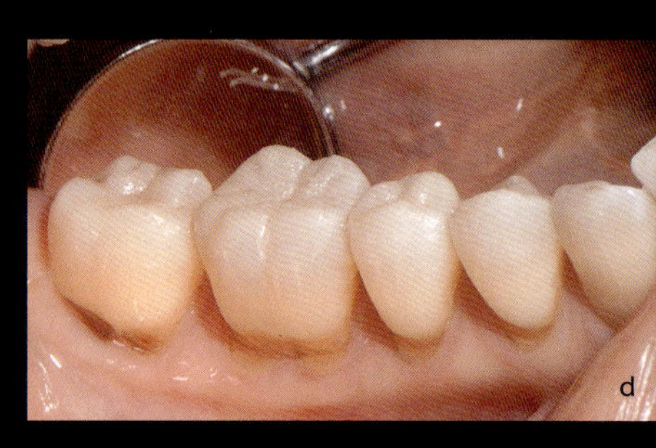

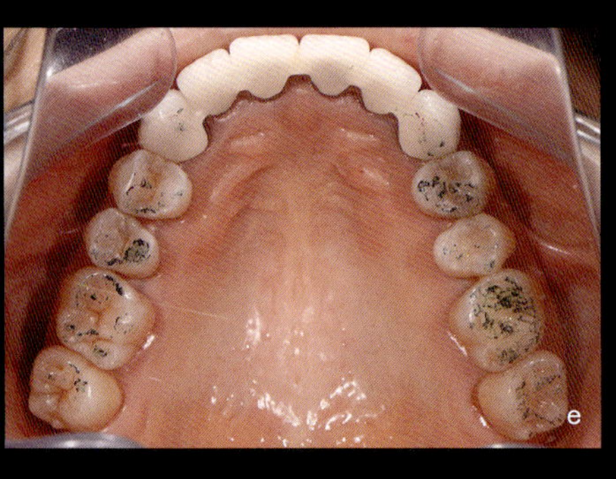

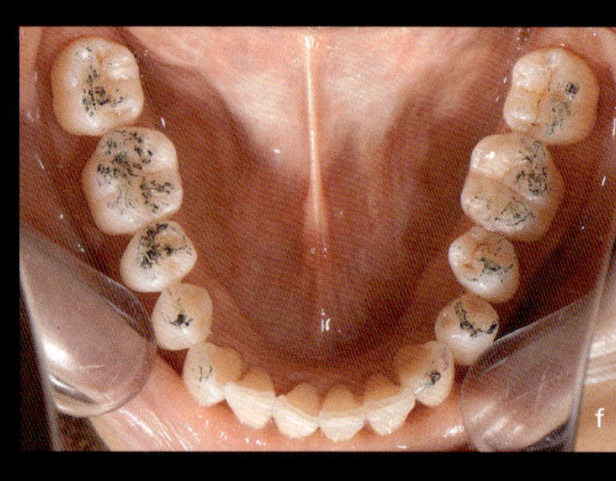

Fig 8a to f　ワックスアップを口腔内にて確認。コンポジットレジンビルドアップ様のキャップにフロアブルレジンを流し込み、口腔内にデュプリケートした後、削合調整した。

(condyle position indicator，パナデント，松風) で下顎頭の変化を確認すると、ICPの位置では、CRよりもわずかに下顎頭が後上方へと偏位する(**Fig 6d and e**)。これは、ICPの位置とCRのジグを装着した位置でのMRIにて関節円板前方転位のままであるものの、よく観察するとポステリアバンドでわずかに復位し後部組織にゆとりが出ており、CPIのデータと一致する(**Fig 6f**)。

治療計画の相談

ここまでの資料を基に、患者に以下の3つの治療パターンを提示し、治療計画の相談を行った。

①矯正を行い臼歯部の鞍状歯列を改善し、全顎的な歯周形成外科、ラミネートベニアを用いて審美性と歯肉退縮の調和を獲得する。

②ラミネートベニア、アンレーベニアやアディショナルなベ

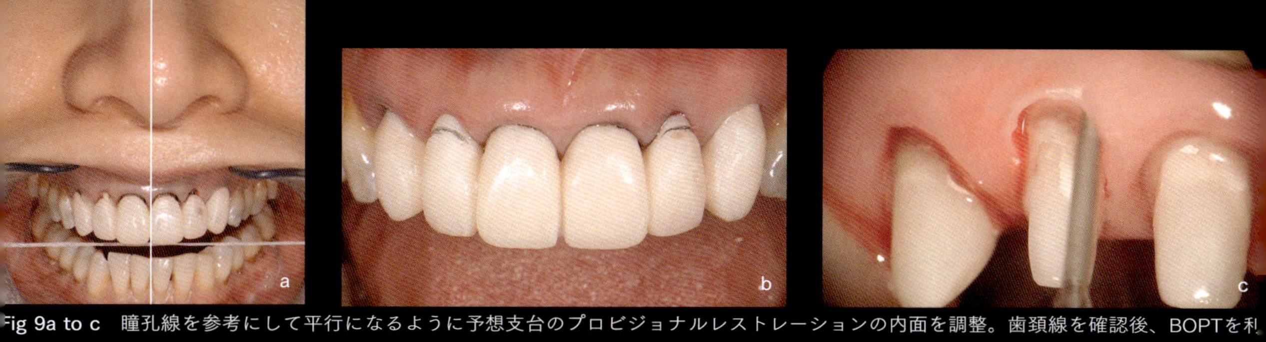

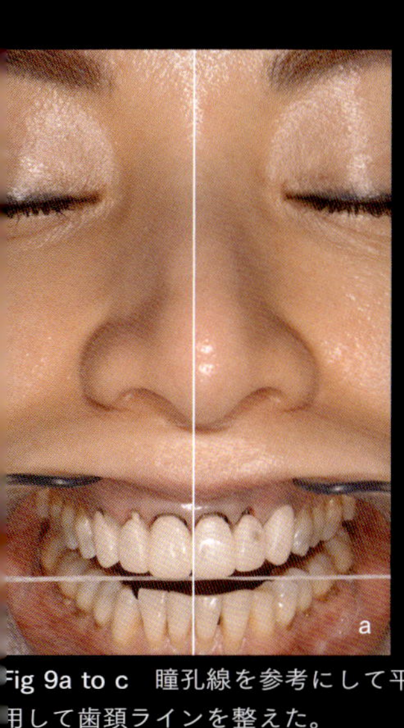

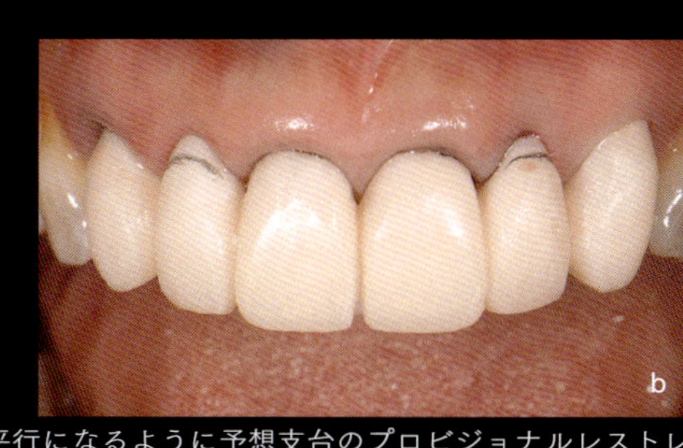

Fig 9a to c　瞳孔線を参考にして平行になるように予想支台のプロビジョナルレストレーションの内面を調整。歯頚線を確認後、BOPTを利用して歯頚ラインを整えた。

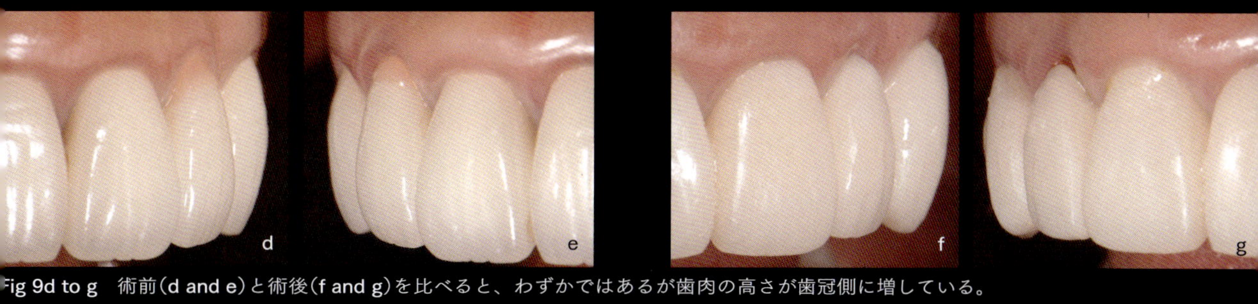

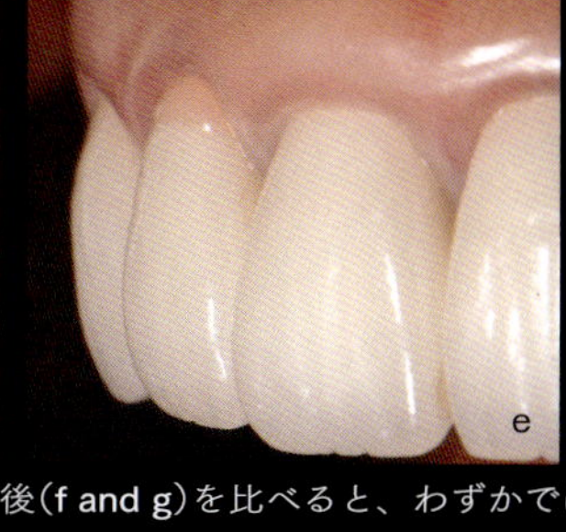

Fig 9d to g　術前(d and e)と術後(f and g)を比べると、わずかではあるが歯肉の高さが歯冠側に増している。

ニアなど修復的に歯列のアーチを改善し、歯周形成外科も含めて機能性・審美性の回復を行う。

③前歯部４本のみの再補綴を行い、前歯のみ形態の改善を行う。

以上のプランにおけるリスクやメリット・デメリットを伝えたうえで、患者は②の治療法を選択され、まずは機能的な回復から進めることとなった。

機能性の回復

本症例ではラミネートベニアを用いた全顎的な審美性の回復を希望されており、セラミックスの破折リスクを考慮すると、安定した下顎位にて再構成を行いたい。まずは機能性の回復を確認すべく、CRで模型を付着した咬合器上でインサイザルテーブルにピンが落ちるところまで早期接触を削合し、足りない咬合面にAdd-onした状態で、正面からの審美性を考慮したワックスアップを製作した(Fig 7)。この状態を口腔内にて確認するために、コンポジットレジンビルドアップ様のキャップを製作してもらい、ワセリンを塗布後、フロアブルレジンを流し込み、口腔内にデュプリケートした後、早期接触部を削合し全体が均一な咬合接触点になるように調整した(Fig 8)。

歯周組織の再生

機能性に問題がないことを確認した後に、湾曲した鼻中隔ではなく瞳孔線を参考にして平行になるように予想支台のプロビジョナルレストレーションの内面を調整した。そこから歯頚線を確認後、両側左右側切歯部にBOPT[4]を用いて歯頚ラインを整えた(Fig 9a to c)。術前と比べると、わずかではあるが歯肉の高さが歯冠側に増しているのがわかる(Fig 9d to g)。

患者は歯肉退縮部の結合組織移植を希望されたが、歯肉のバイオタイプは非常に薄く、歯肉溝内に骨膜を残した部分層

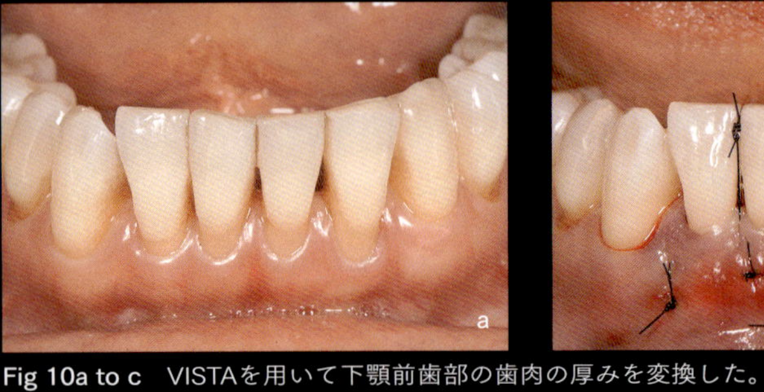
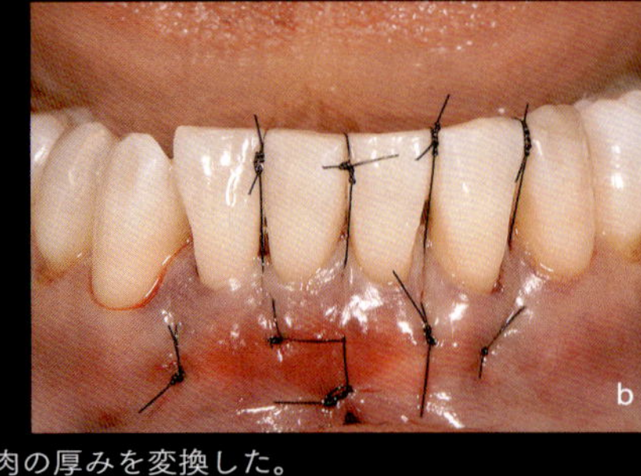
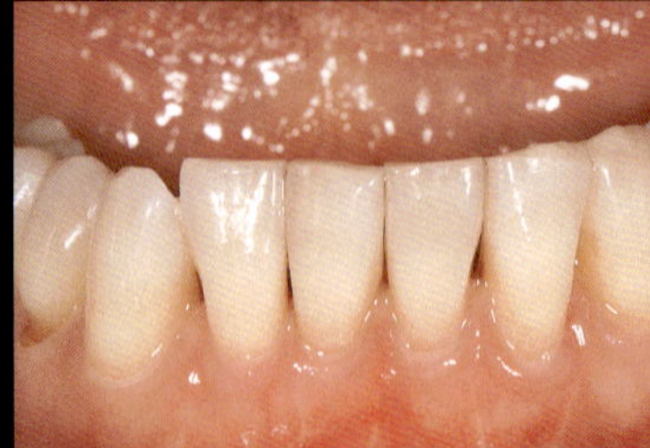
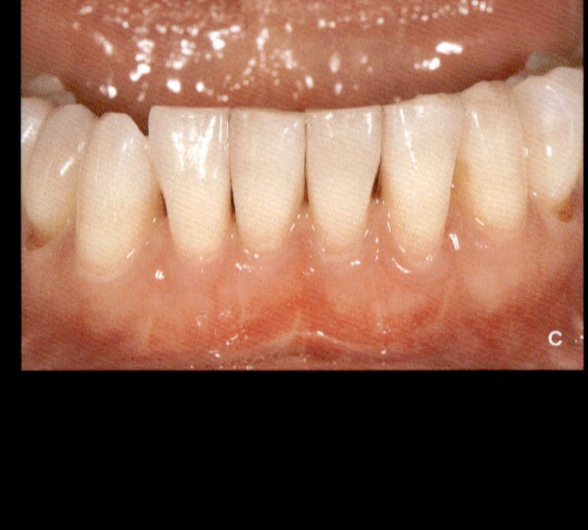

Fig 10a to c　VISTAを用いて下顎前歯部の歯肉の厚みを変換した。

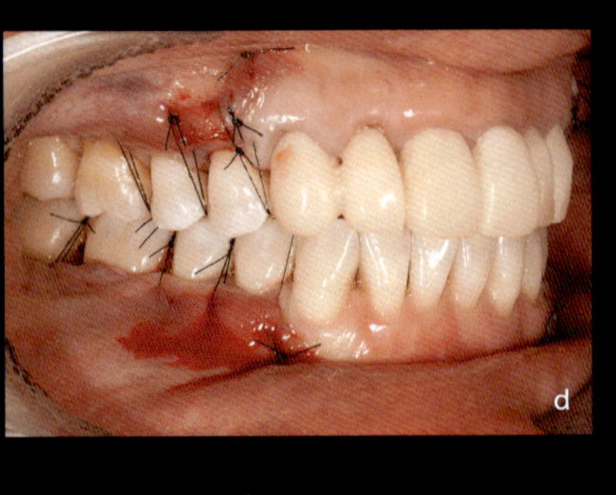
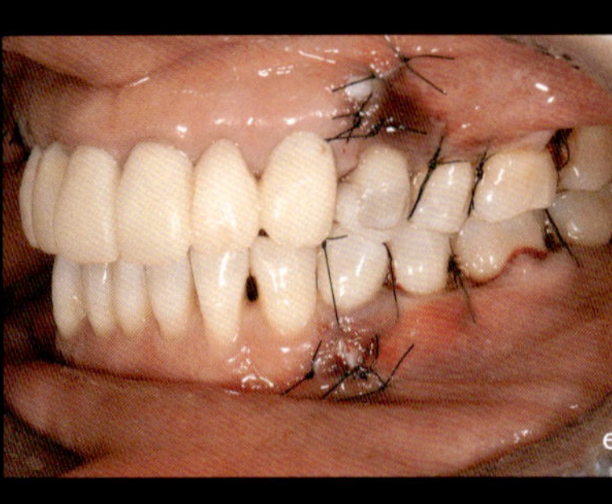
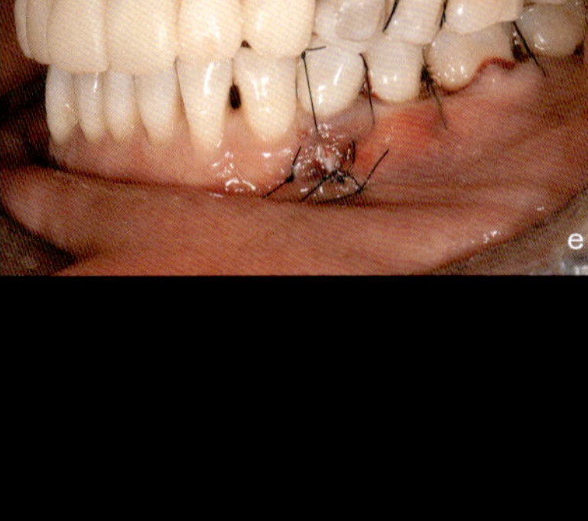

Fig 10d and e　上下左右小臼歯部にも下顎前歯部と同様の処置を施した。

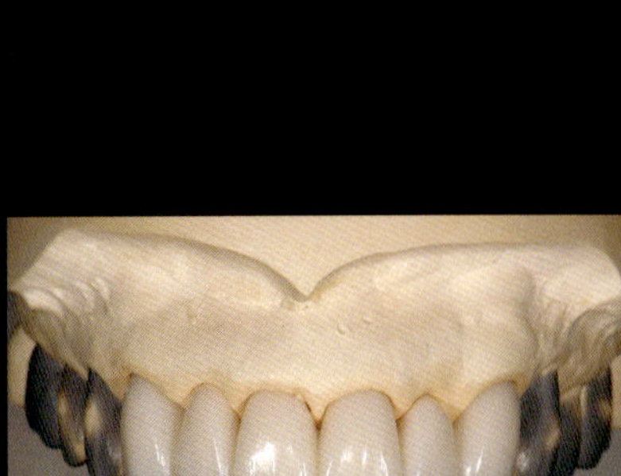
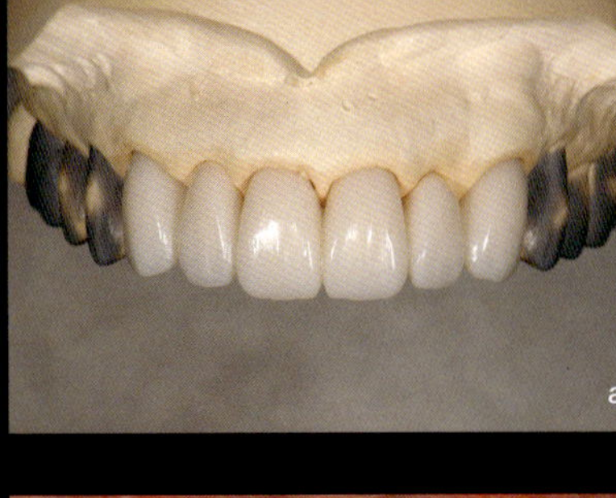
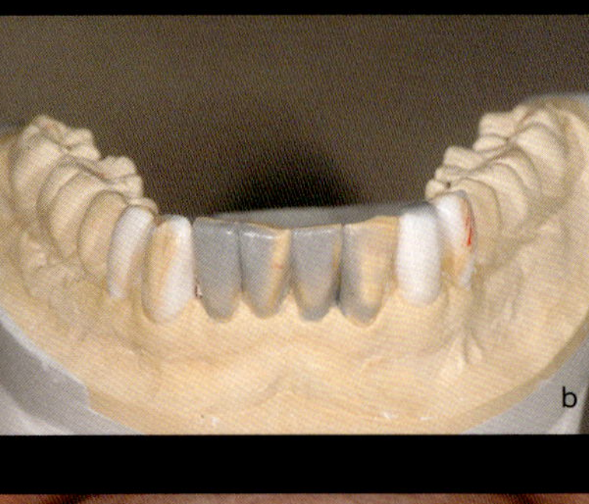

Fig 11a and b　審美性を考慮するためのワックスアップ。

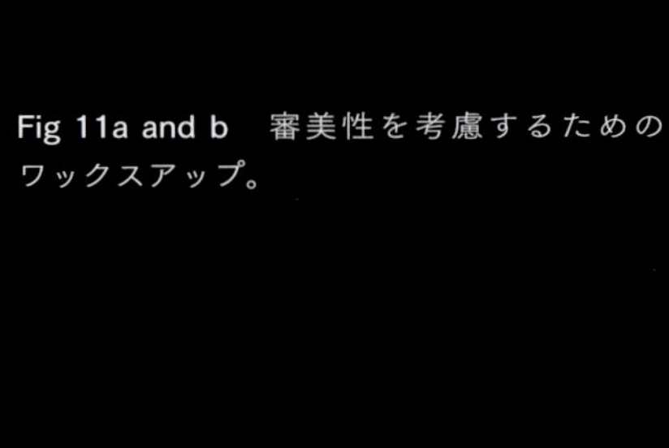
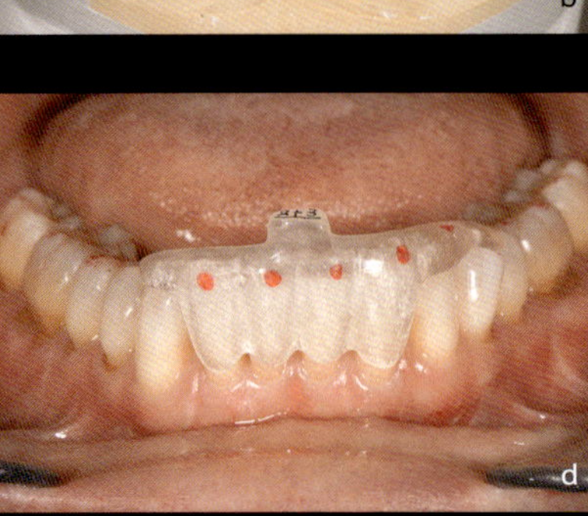

Fig 11c to g　ワックスアップの形態をデュプリケートするためレジンキャップとフロアブルレジンを用いて口腔内に接着し、最終的な審美・機能の評価を行う。

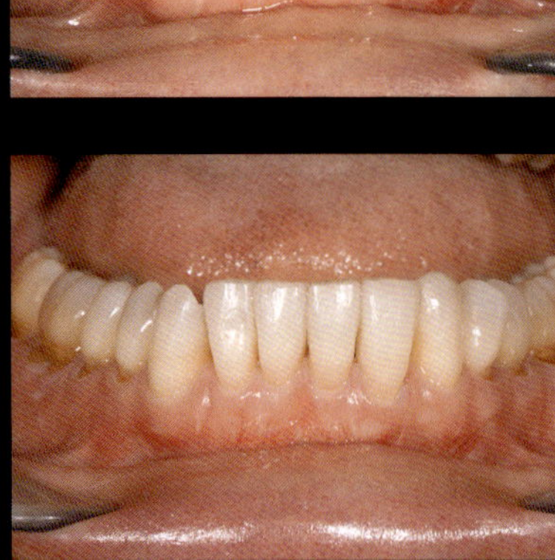
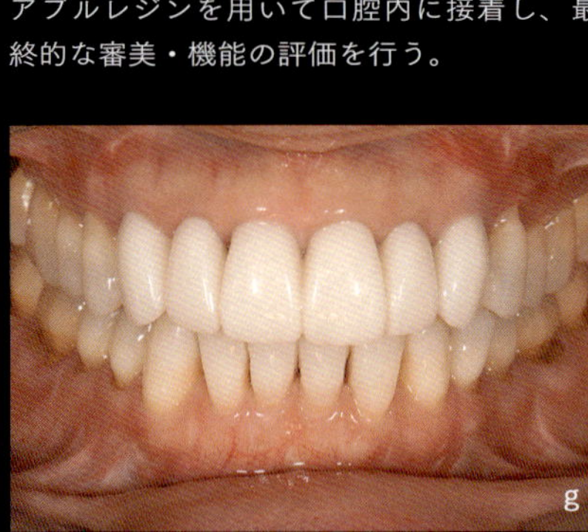

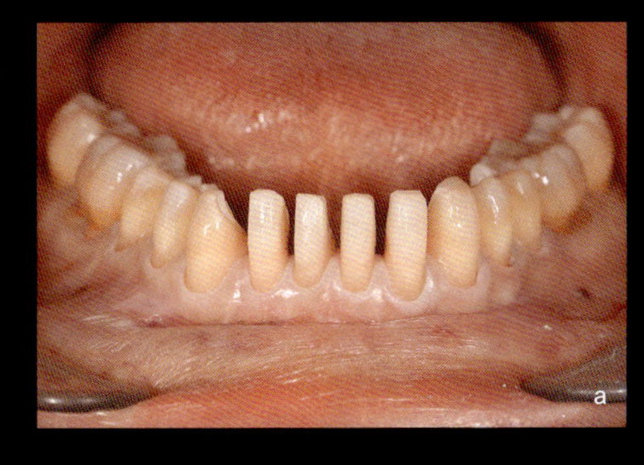
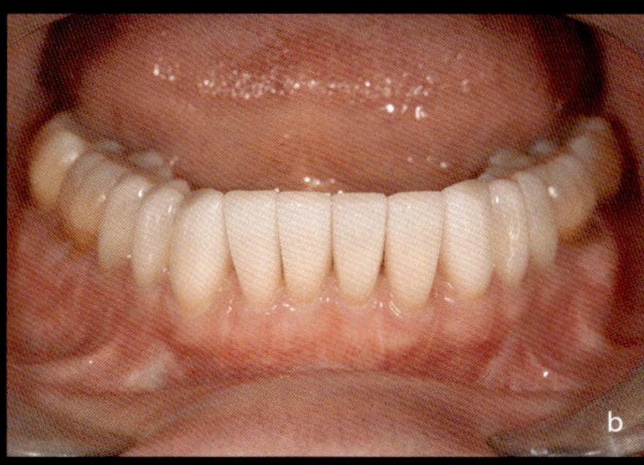

Fig 12a and b　下顎前歯部は可能なかぎりブラックトライアングルの閉鎖を希望されていたため、コンタクトはくり抜く形態とした。

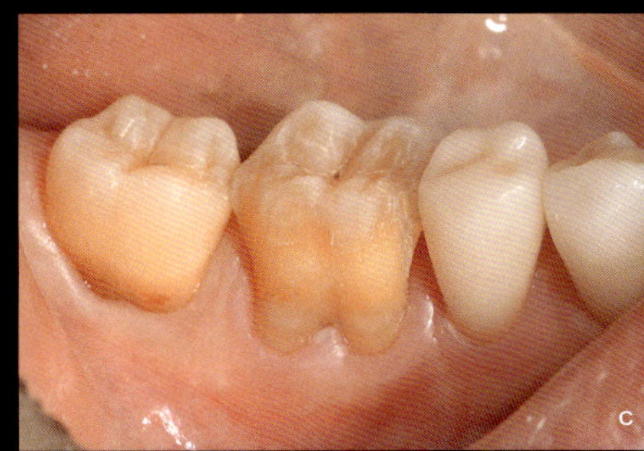
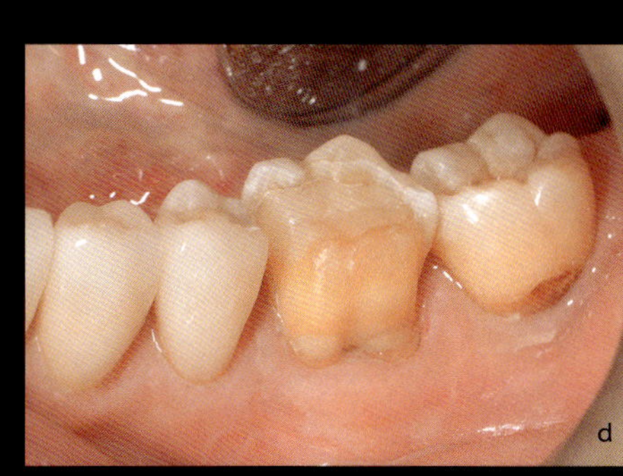

Fig 12c and d　機能性と審美性の回復が必要な歯はアンレーベニアとした。

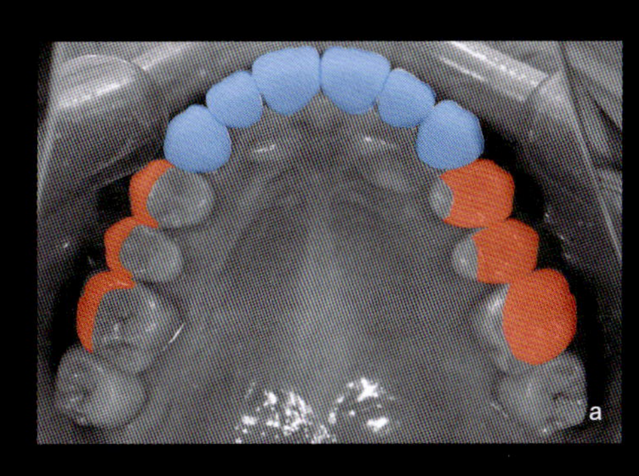
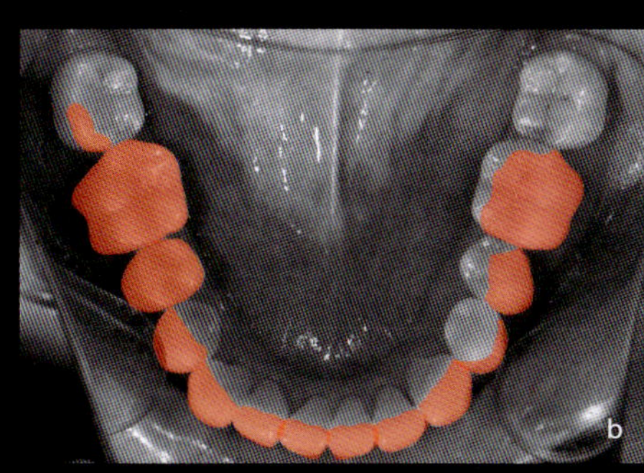
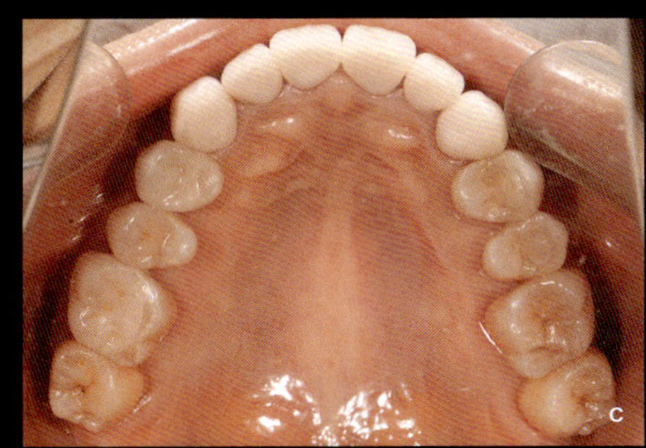
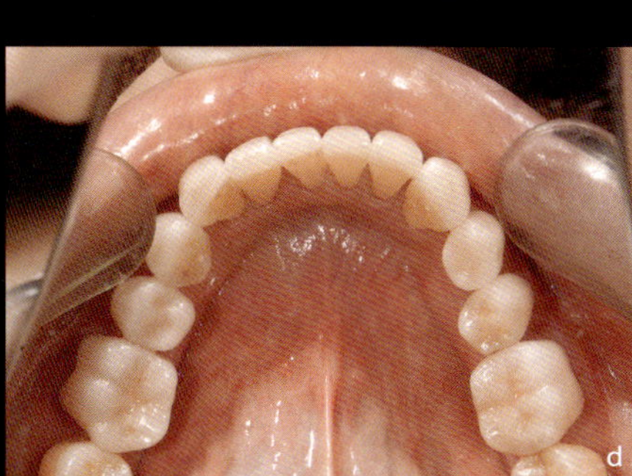

Fig 13a to d　青い箇所はオールセラミックス、赤い箇所は唇側ベニアまたはアンレーベニア。

弁やエンベロープの形成は不可能と考えて、VISTA[5]を用いて歯肉の厚みを変換した(**Fig 10a to c**)。

下顎前歯部に非常に満足され、上下左右小臼歯部にも同様の処置を施したが、これらはあくまでも歯肉をクリーピングさせるものではなく、これ以上退縮しづらい環境を整えるためと説明のうえで行っている(**Fig 10d and e**)。

機能・審美の最終評価

その後、審美性を考慮するためのワックスアップを行い、この形態を口腔内にデュプリケートするためのレジンキャップを製作してもらい、フロアブルレジンを用いて口腔内に接着し、最終的な審美性と機能性の評価を行っている(**Fig 11**)。

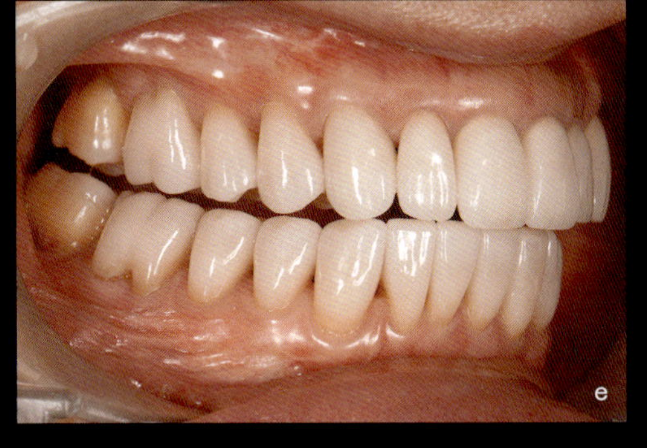

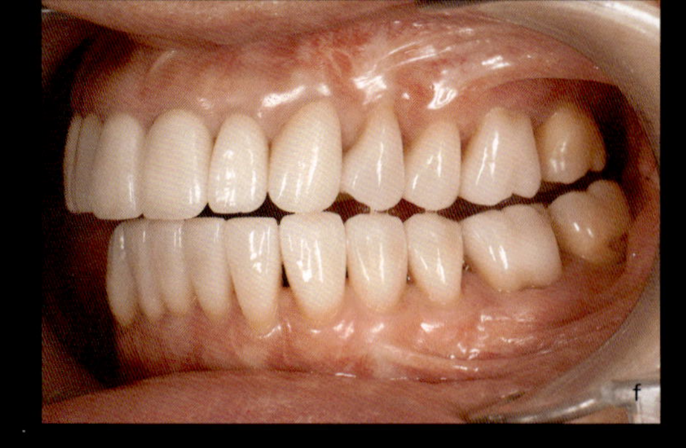

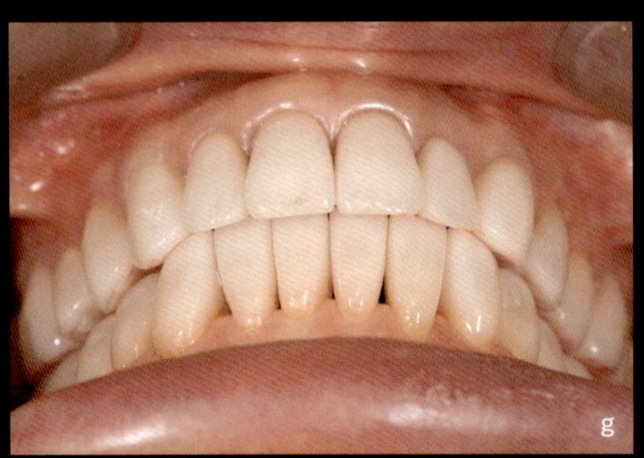

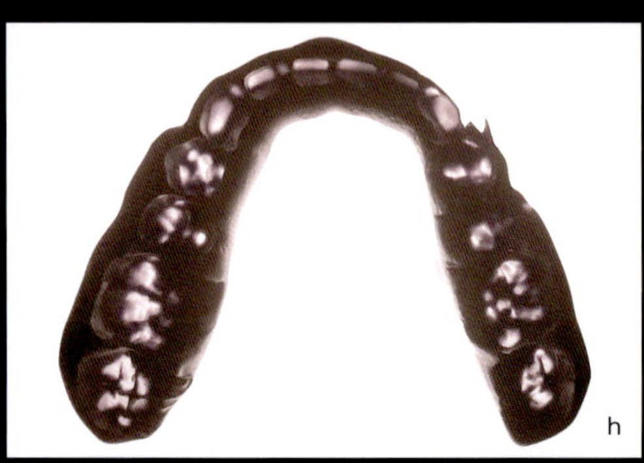

Fig 13e to h　最終補綴物には精密な咬合接触点を与えている。前歯部ではライトコンタクトとし、臼歯部もシリコーンバイトを用いて微調整を行った。

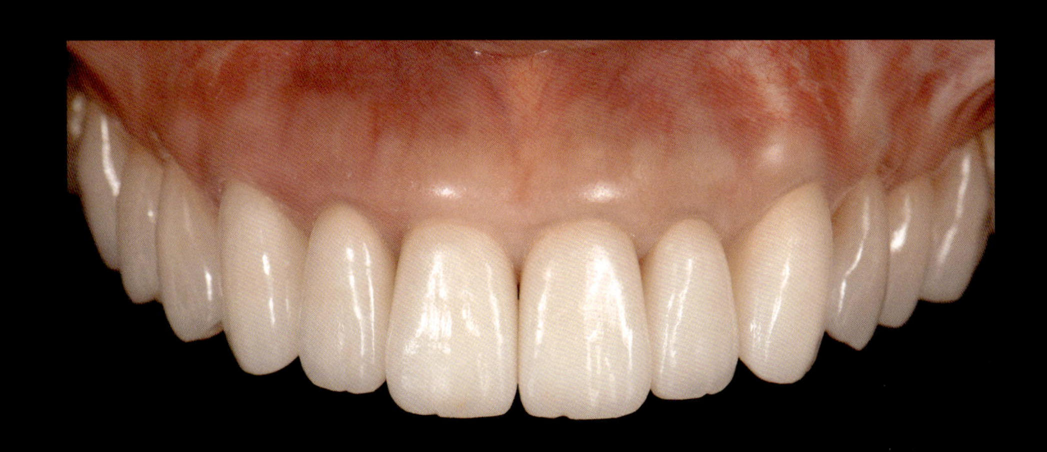

診断用ワックスアップの状態を、的確に口腔内にコンポジットレジンを用いて再現することにより機能性・審美性・快適性の評価を行ったのちに、患者の了解が得られたので、その形態から必要最小限のセラミックスの厚み分を確保するように支台歯形成を行った。特に下顎前歯部は可能なかぎりブラックトライアングルの閉鎖を希望されていたため、コンタクトはくり抜く形態とさせてもらった（Fig 12a and b）。また、機能性と審美性の回復が必要な歯はアンレーベニアとしている（Fig 12c and d）。最終補綴物装着時（Fig 13）と術後２年経過時（Fig 14）を示す。

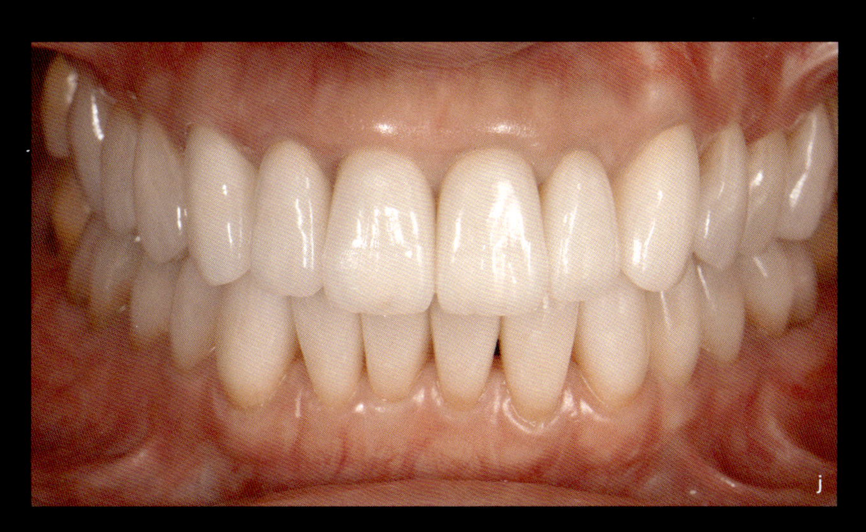

Fig 13i to n　最終補綴物装着時の口腔内および口唇や顔貌との調和。

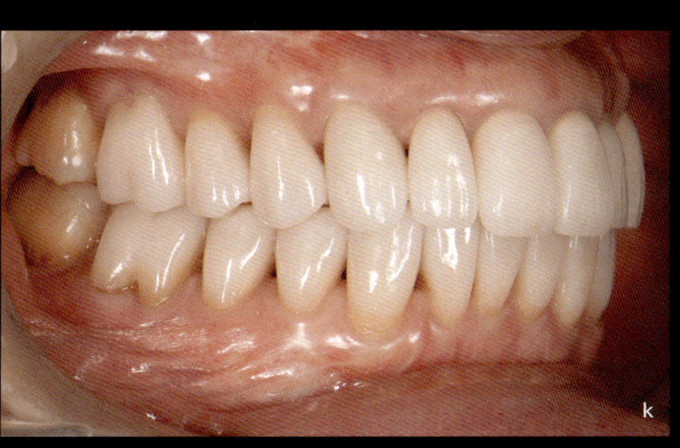

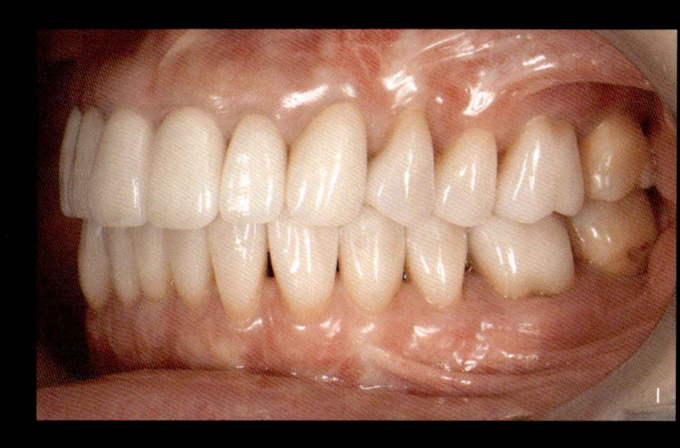

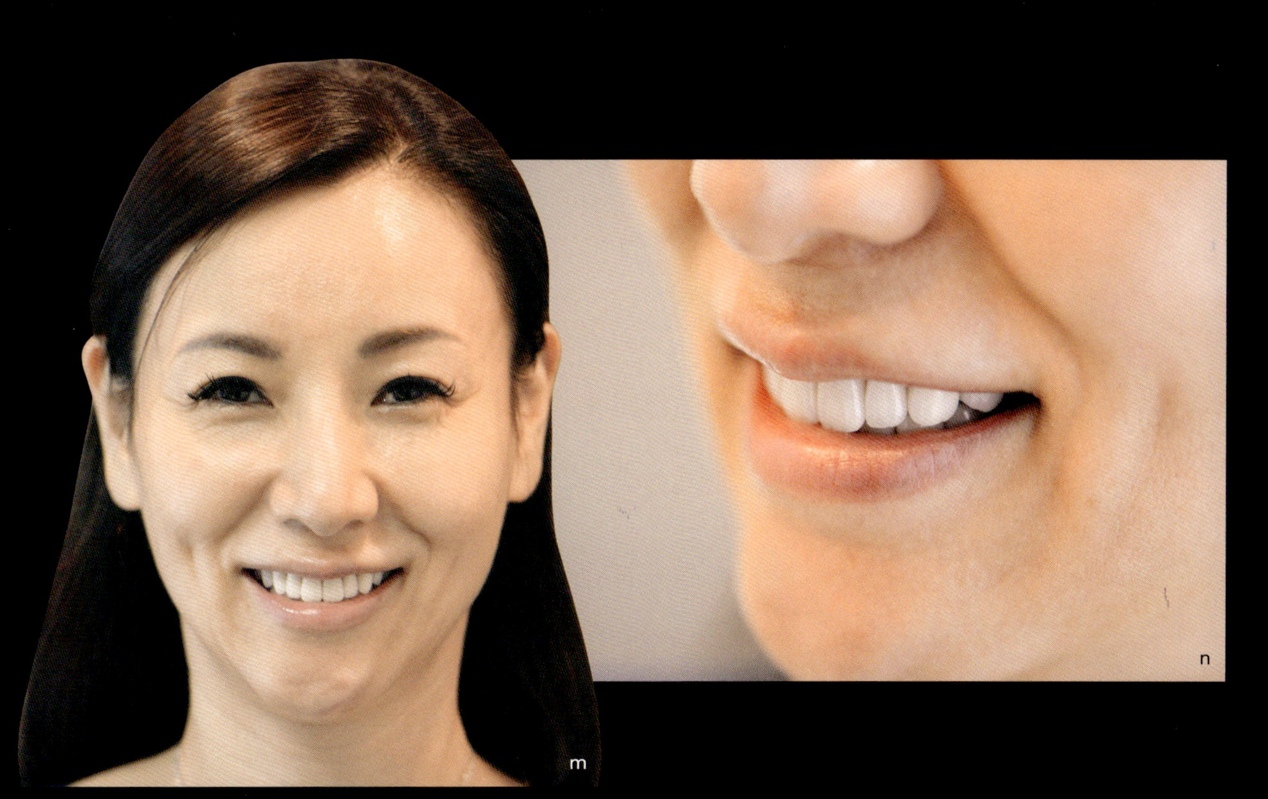

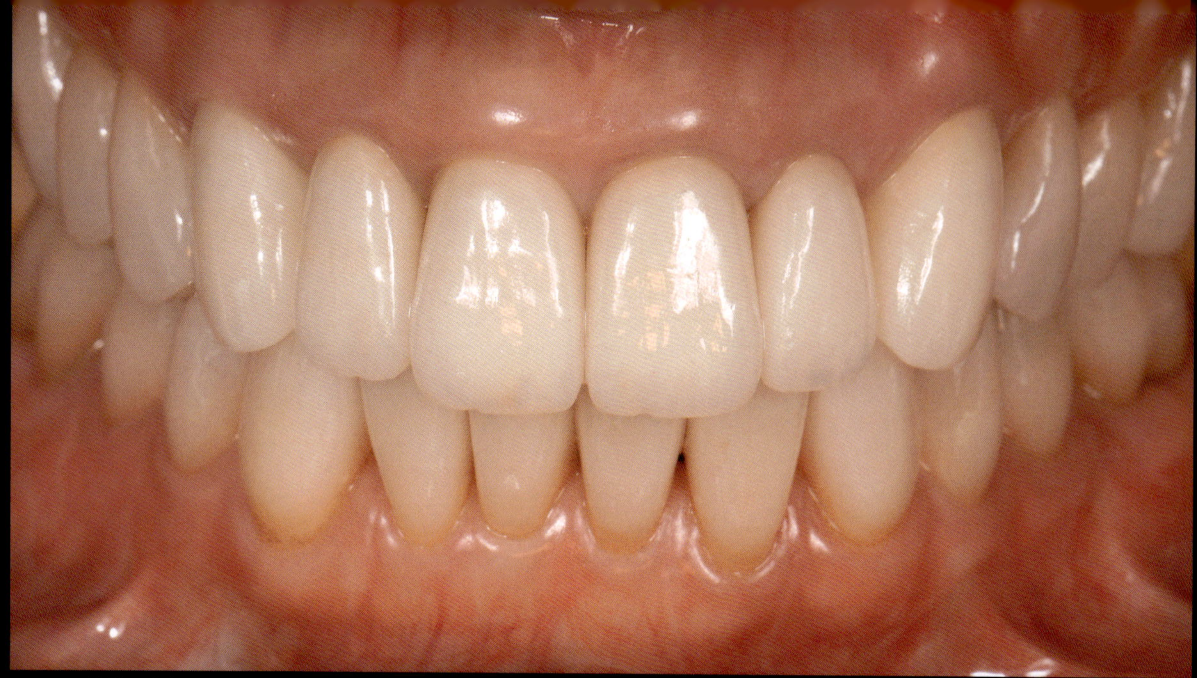

Fig 14　術後２年経過時の口腔内正面観。

終わりに

近年の技術の進化により、より高い水準で患者の審美性の要求に対応できるようになった。しかし、これらの術式は従来の方法に比べて繊細さを要する。また、MIとはいえ、機能に調和させることが必要となる。包括的な診断のもとに、顎位・咬合・審美的評価をステップごとに検証し、再評価を行うことで結果的に患者満足が得られた。

最後に、いつもお世話になっているSJCDの諸先輩方に、この場をお借りしてお礼申し上げたい。

参考文献

1．土屋賢司．包括的治療戦略．東京：医歯薬出版，2010.

2．中村茂人．EBMとNBMから考える三次元的下顎位 前編：下顎位安定のために必要な知識とその診断．the Quintessence 2016；35(10)：54-79.

3．中村茂人．EBMとNBMから考える三次元的下顎位後編：その治療手技と治療後の安定について．the Quintessence 2016；35(11)：84-109.

4．Loi I, Di Felice A. Biologically oriented preparation technique (BOPT)：a new approach for prosthetic restoration of periodontically healthy teeth. Eur J Esthet Dent 2013；8(1)：10-23.

5．Zadeh HH. Minimally invasive treatment of maxillary anterior gingival recession defects by vestibular incision subperiosteal tunnel access and platelet-derived growth factor BB. Int J Periodontics Restorative Dent 2011；31(6)：653-660.

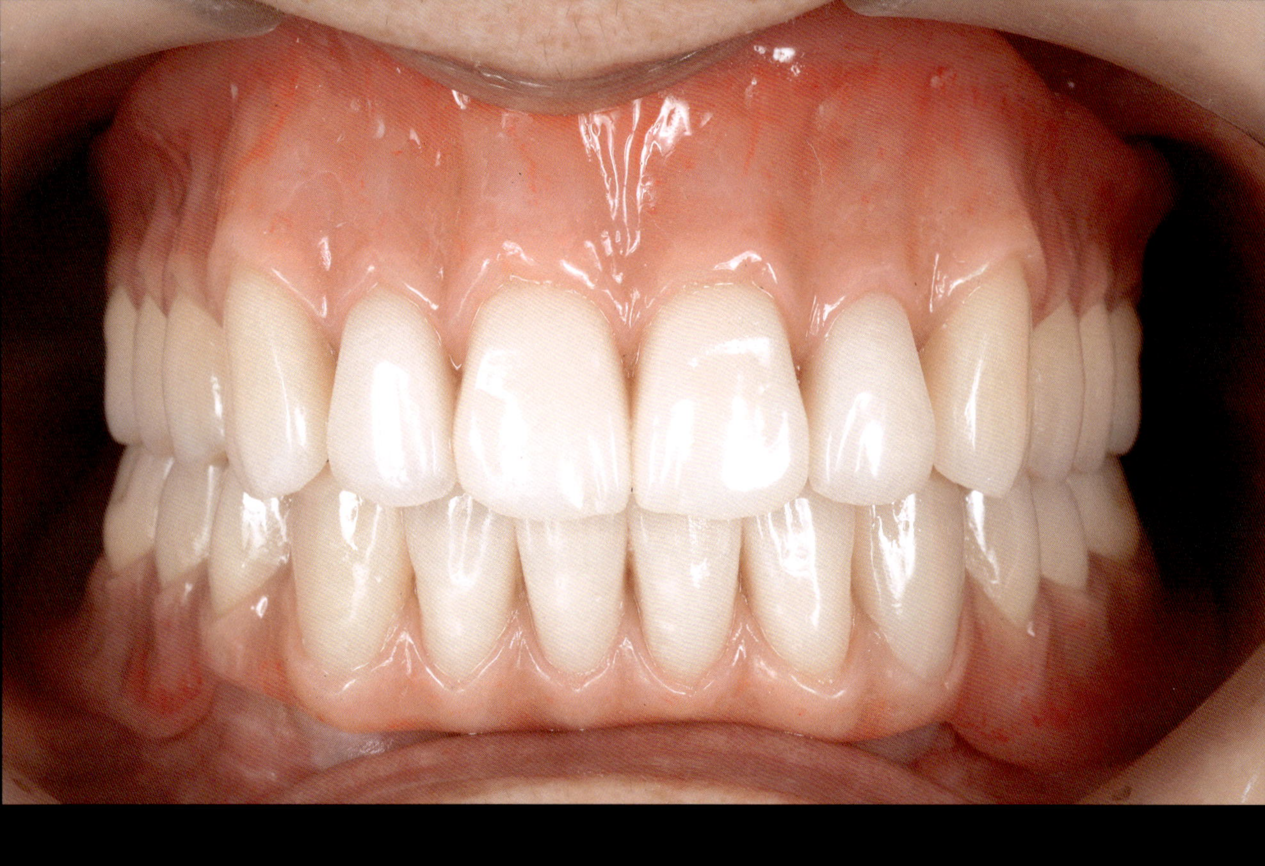
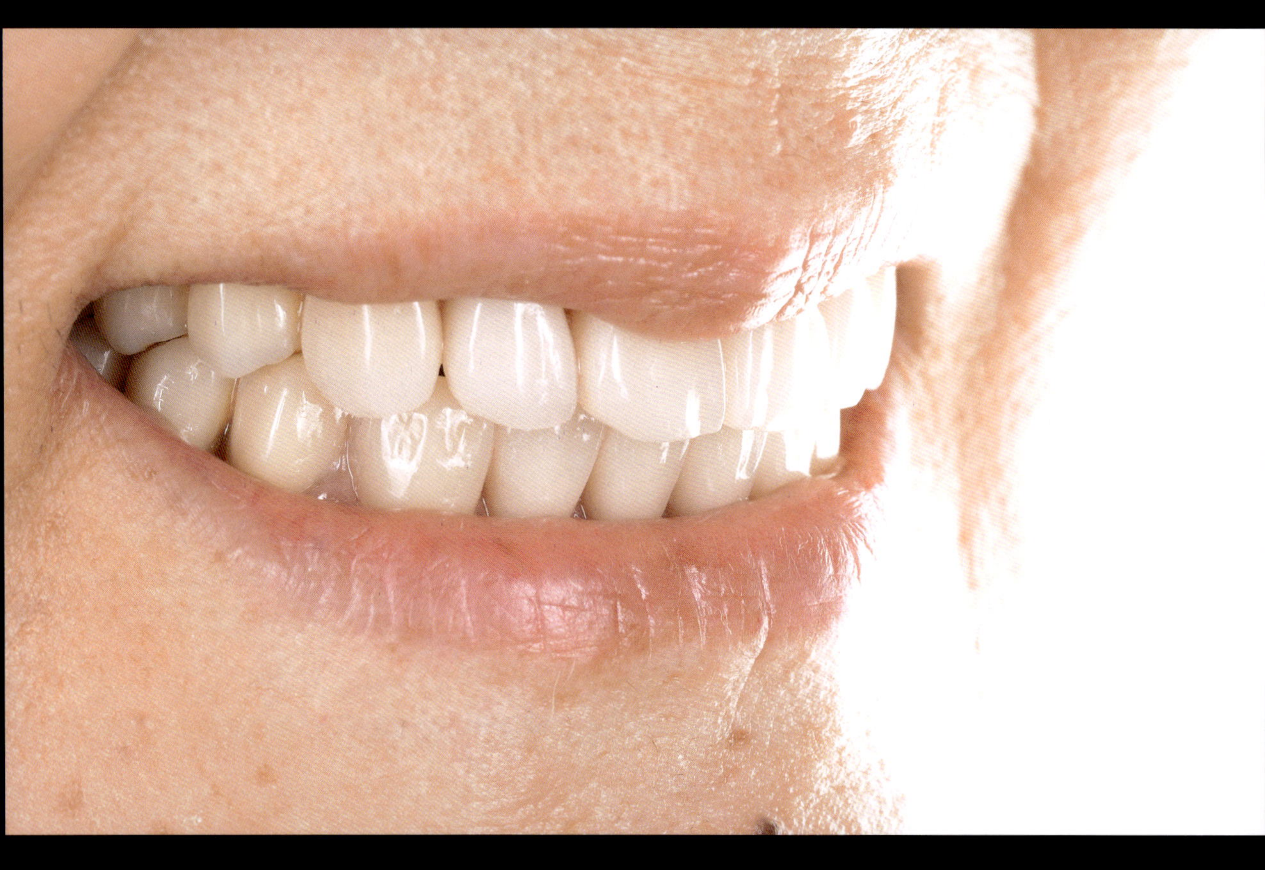

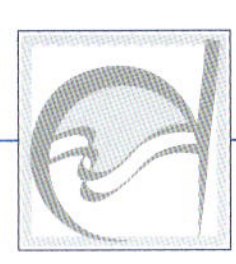

The esthetic and functional oral rehabilitation utilizing overdenture in combination of abutment teeth and implant abutments

残存支台歯にインプラント支台を混在させたオーバーデンチャーにより審美性・機能性を回復した症例

Jun Iwata, DDS, PhD
Iwata Dental Office

岩田 淳
岩田歯科医院
兵庫県高砂市神爪1-6-11

はじめに

日本社会全体が超高齢社会に突入し、今後ますます欠損補綴治療の需要が増加することが予想される。患者の欠損歯数が増加し、適正な治療が施されない場合には欠損範囲がより拡大して多数歯欠損へと進展していく。それにともない、患者の審美性は大きく低下するとともに、咀嚼・発語などの機能も失われることになる。

こうした多数歯欠損患者に対しての補綴治療としては、インプラントによるボーンアンカードブリッジ、インプラントオーバーデンチャー、および通法の粘膜支持によるデンチャーなどの補綴治療が日常臨床で多く選択されていると思われる。

これらのうち、とくに無歯顎症例におけるインプラントボーンアンカードブリッジは、咬合支持などの点では非常に有利であるが、患者の経済的負担と、骨造成などの大きな外科的侵襲をともなう場合が多い。また患者が高齢になると、メインテナンスや再介入が困難になることもある。また、有床のインプラントオーバーデンチャーは、単冠やブリッジによるインプラント補綴よりもインプラント体の埋入本数を減らせるため、経済的負担と外科的侵襲を軽減することができる。しかし、無歯顎症例で２本のみ埋入を行うインプラントオーバーデンチャーは、デンチャーの咬合支持という点では不十分であると思われる。そして、粘膜支持によるデンチャーは治療期間的にも短く、患者の負担も少ないが、重度の顎堤吸収をともなった症例ではデンチャーの安定を得ることが難しく、咀嚼・発音などの機能回復が難しい場合がある。

以上のように、現在の欠損補綴治療にはいずれも利点・欠点があり、患者のさまざまな背景を考慮して治療を選択する必要がある。

今回は、多数歯欠損症例の残存支台歯にインプラント支台を混在させた、コーヌスクローネタイプのオーバーデンチャーによって審美性と機能性を回復させた症例について報告させていただく。

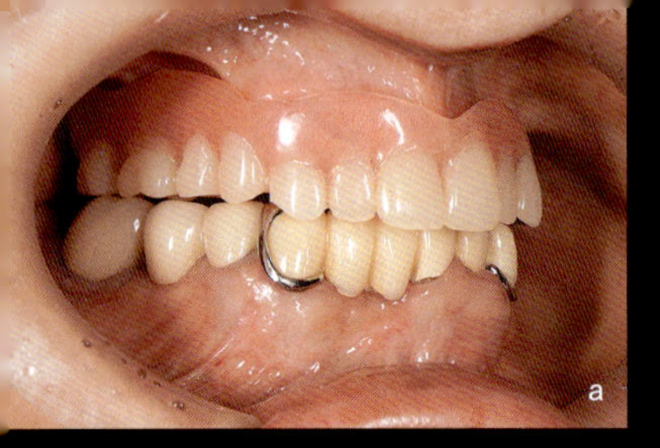
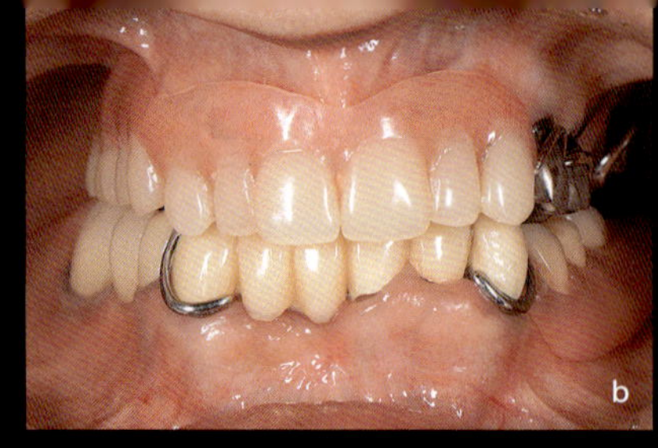
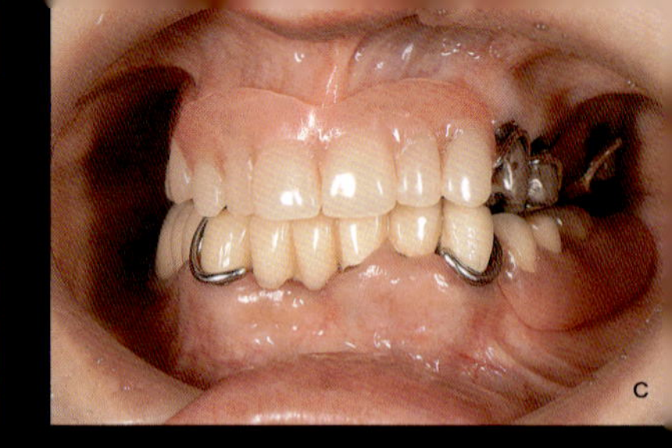
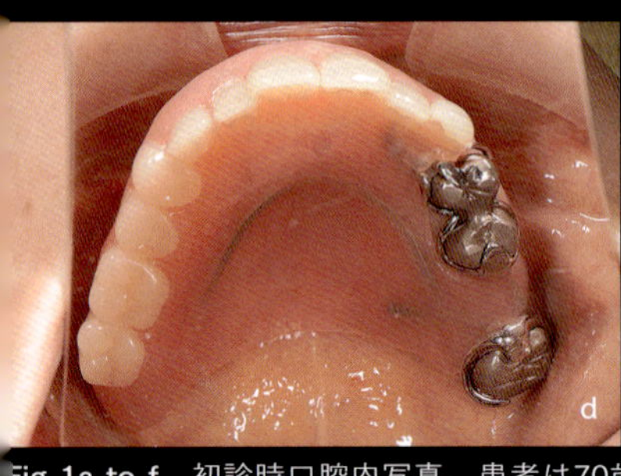
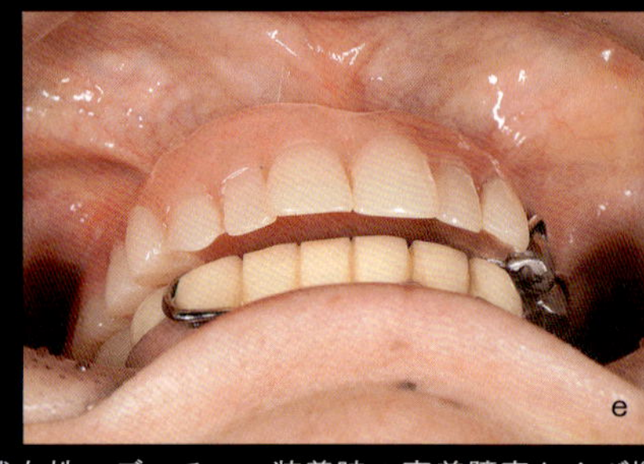
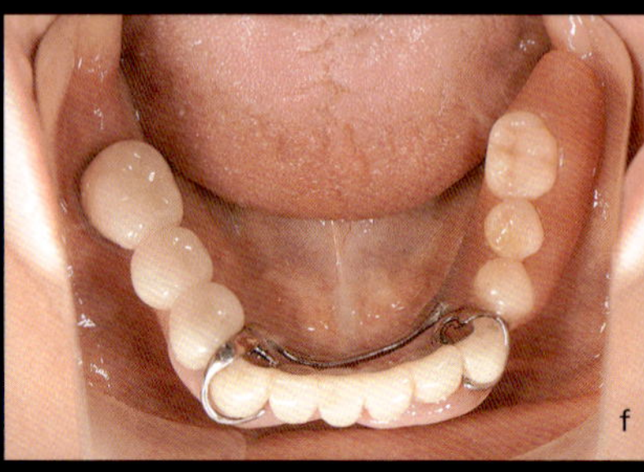

Fig 1a to f　初診時口腔内写真。患者は70歳代女性。デンチャー装着時の審美障害および機能障害を主訴に来院。パーシャルデンチャー装着時のアンテリアカップリングの欠如、人工歯咬合面の摩耗、咬合平面の不良、リップサポートの不足などが認められた。

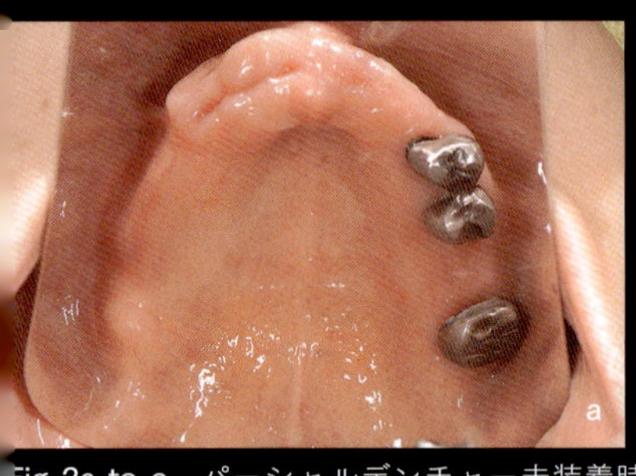
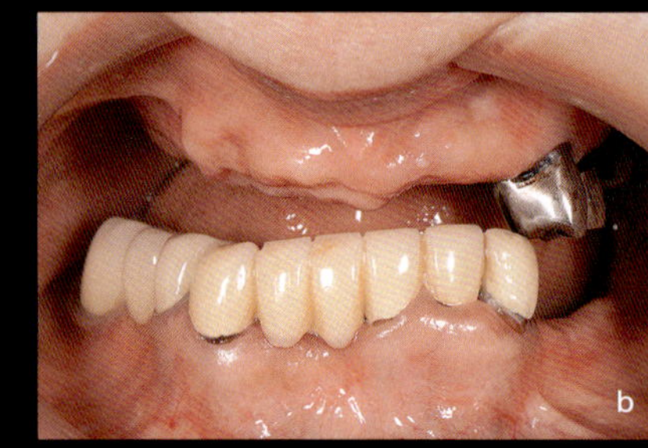
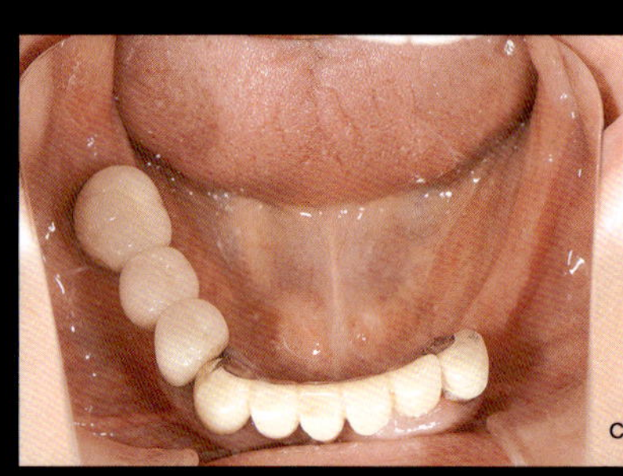

Fig 2a to c　パーシャルデンチャー未装着時の初診時口腔内写真。欠損様式はアイヒナーの分類C1であり、上下顎に残存歯が存在するがいわゆるすれ違い咬合の状態であった。また残存歯の歯列も不整で、多数の不適合補綴装置が存在した。左下欠損部の顎堤の吸収が大きく下顎残存歯部との骨の高低差が大きかった。

Case Presentation

症例の概要

患者は70歳代女性。パーシャルデンチャー装着時の審美障害および機能障害を主訴に来院（Fig 1 to 4）。パーシャルデンチャー装着時におけるアンテリアカップリングの欠如、人工歯咬合面の摩耗、咬合平面の不良、およびリップサポートの不足が認められた。また残存歯にも多数の不適合な歯冠修復物が存在していた。上顎前歯部は数ヵ月前に他院で抜歯処置を受けており、顎堤の吸収は中程度であった。臼歯部はほぼすべて欠損となるため、通法のデンチャーか、インプラント治療が必要であった。患者の希望は、外科的処置は最小限にし、審美性の改善を最優先にしたいとのことであった。

診査・診断、補綴設計、治療計画および治療手順

患者の初診時の欠損様式はアイヒナー分類におけるC1で、上下顎に残存歯が存在するがすれ違い咬合の状態であり、義歯の咬合安定が得られにくい状態であった。

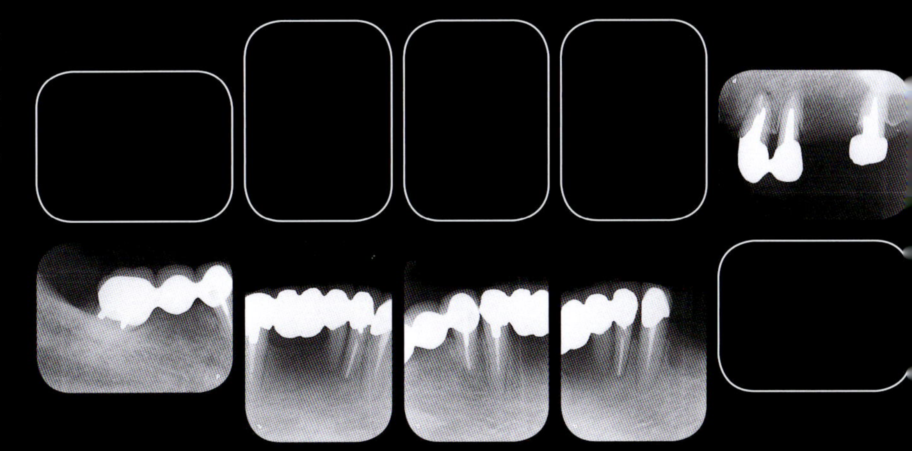

Fig 3a　初診時デンタルエックス線写真。既存の補綴装置はすべて適合不良であった。6|、|45、|7は歯冠-歯根比も悪く、支台築造の不良および残存歯質量も少なく、予後不良であると思われた。

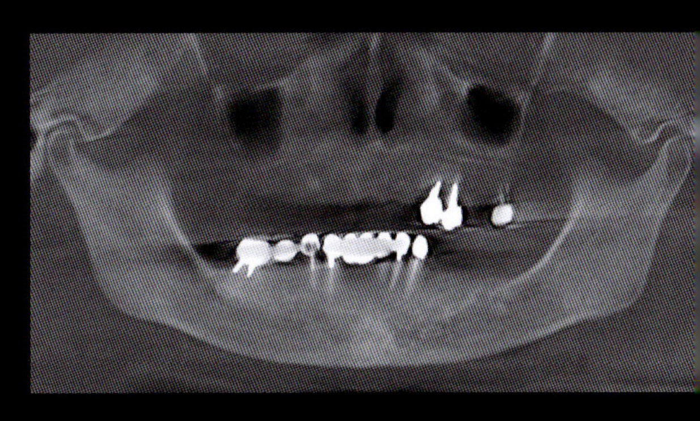

Fig 3b　初診時パノラマエックス線写真。全顎的に中等度の骨吸収が認められた。左側下顎頭の位置にわずかな変位を認めたが、開閉口の顎関節の疼痛やクリック音などは認めず、顎関節に大きな問題はないと思われた。

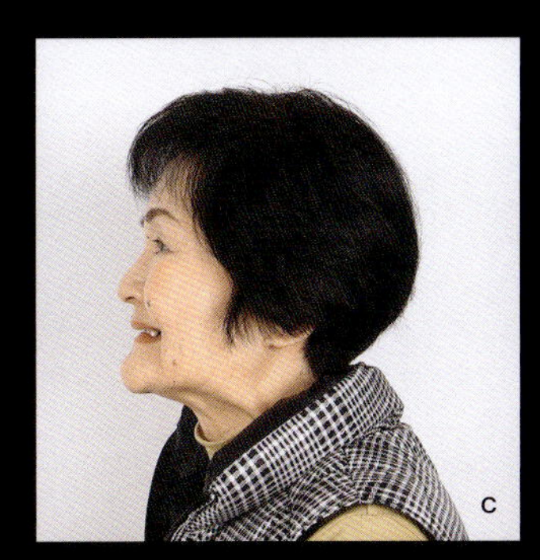

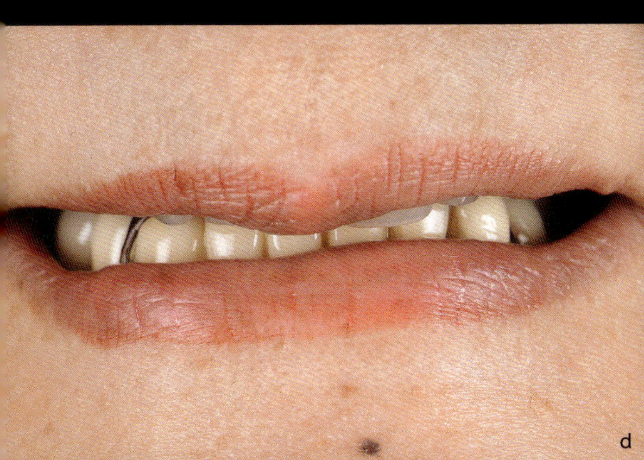

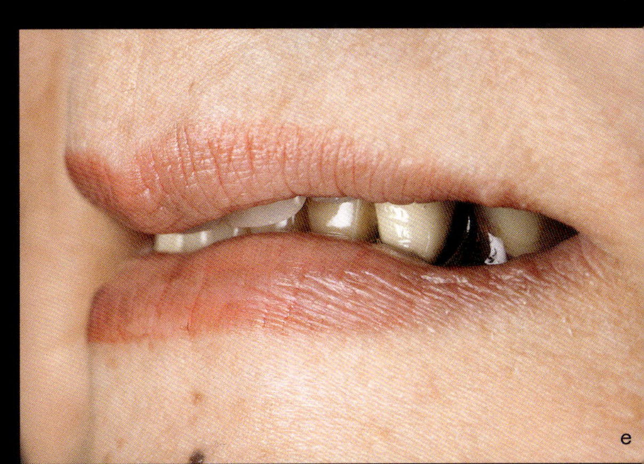

Fig 4a to e　初診時顔貌および口唇と歯の関係。すれ違い咬合とそれにともなう人工歯咬合面摩耗による咬合高径の低下により、下顔面高の低下が認められた。上顎前歯部顎堤の吸収と、上顎前歯部の前突感およびレジン床の膨隆不足のため、適正なリップサポートが得られていない状態であった。スマイル時上顎前歯部切縁の位置は、上口唇下縁より露出せず口唇との明らかな不調和が認められた。

ig 5　6|、|45、|7は動揺および残存歯質量の少なさから予後不良と判断し、抜歯を行った。

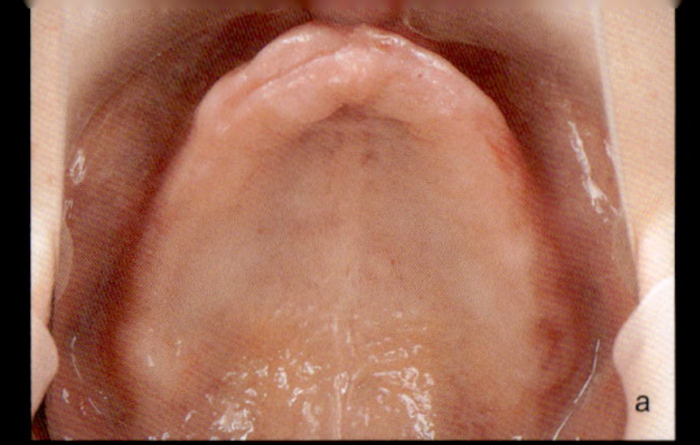

Fig 6a and b　上下顎抜歯窩の治癒および下顎残存歯部の感染根管治療、支台築造終了後。旧義歯を修正しながら治療を進めた。

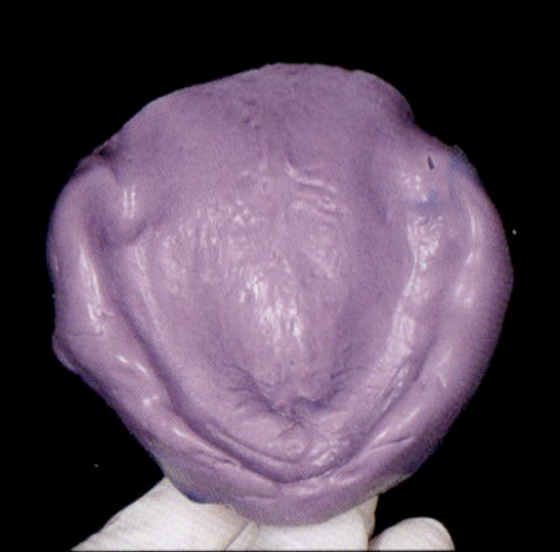

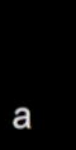

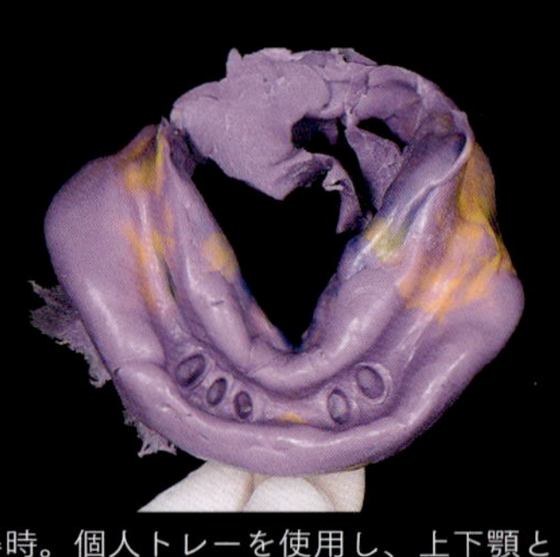

ig 7a and b　プロビジョナルデンチャー印象採得時。個人トレーを使用し、上下顎ともに筋圧形成を行った後シリコーン印象材を使用し印象採得を行った。

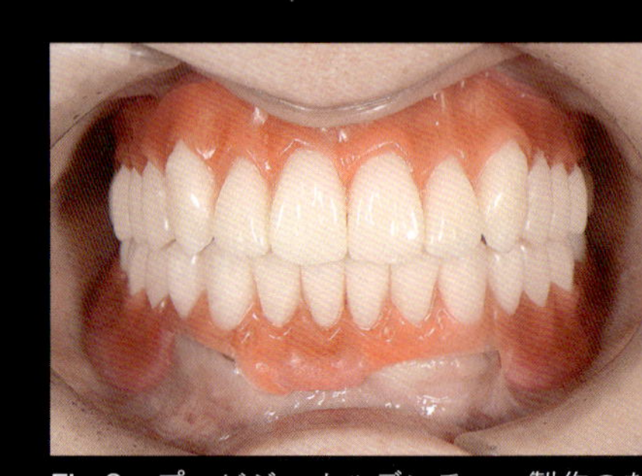

Fig 8　プロビジョナルデンチャー製作のための咬合採得および人工歯排列を行った。

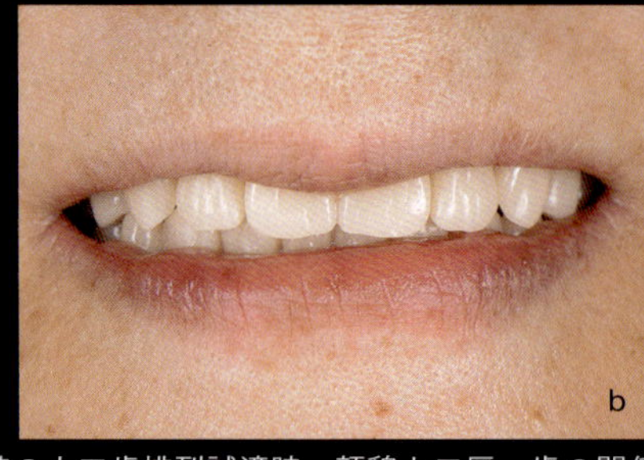

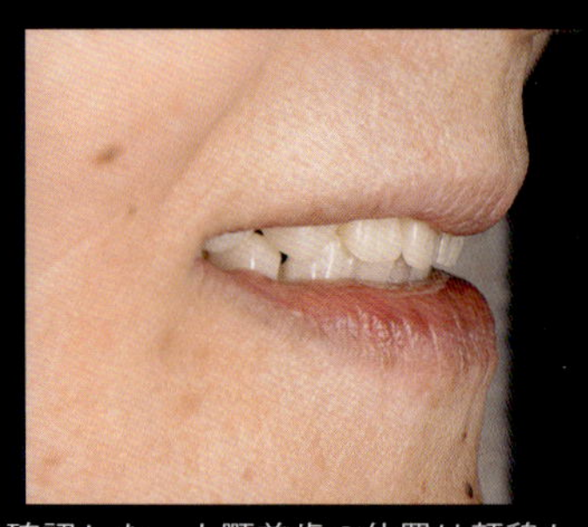

ig 9a to c　プロビジョナルデンチャー製作時の人工歯排列試適時。顔貌と口唇、歯の関係を確認した。上顎前歯の位置は顔貌および口唇とも調和がとれており、仮床を含めたリップサポートも適正であると思われた。

|7は動揺および残存歯質量の少なさから予後不良と判断し、抜歯を必要とした(Fig 5)。結果、上顎は無歯顎になり、欠損様式はアイヒナー分類C2となった(Fig 6)。左下欠損部の顎堤の吸収が大きく、将来的に下顎残存歯をすべて失うと義歯の安定が困難になることが予想された。

上顎の顎堤のボリュームは高さ、幅ともに中程度残存し、また下顎との対向関係にも大きな問題はなかったため、下顎の補綴様式が固定式でも可撤式でも、上顎の受圧条件として大きな問題はないと判断した。そして、大きな外科処置を避けたいとの患者の希望もあり、上顎はコンプリートデンチャーで補綴を行う計画とした。

下顎は4|以外の臼歯をすべて失うこととなったため、残存歯の歯槽頂間線がほぼ一直線となり、遊離端デンチャーの回転軸として、機能時に大きな力を受けることが予想された。そのため、デンチャーの遠心のストップとして、6|、|6にインプラントを埋入することを計画した。また、将来的に下顎残存歯を失ってもデンチャーが使用できるよう、残存歯にはサベイドクラウンとせずコーヌスクローネの内冠を装着する

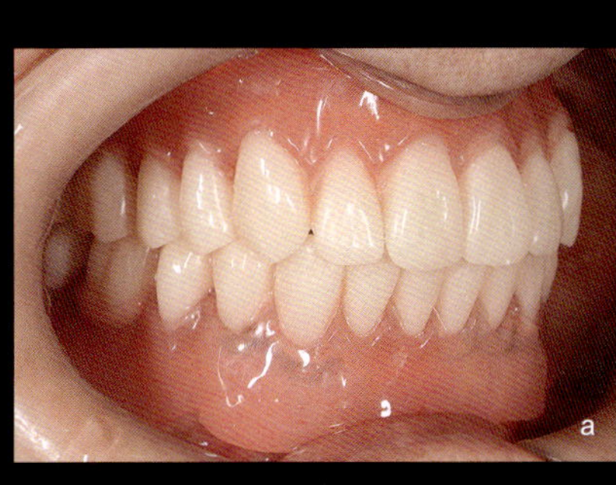
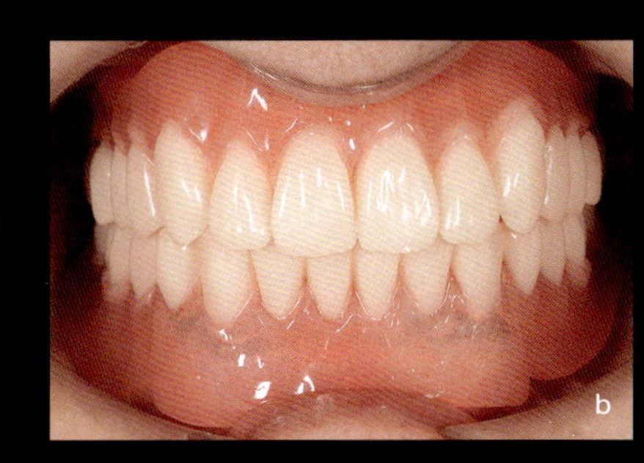
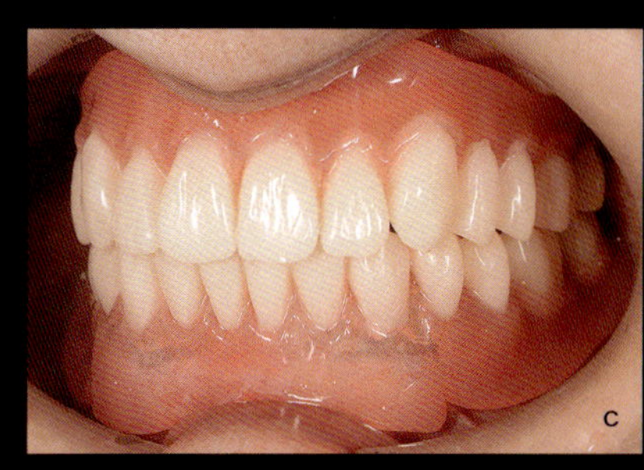
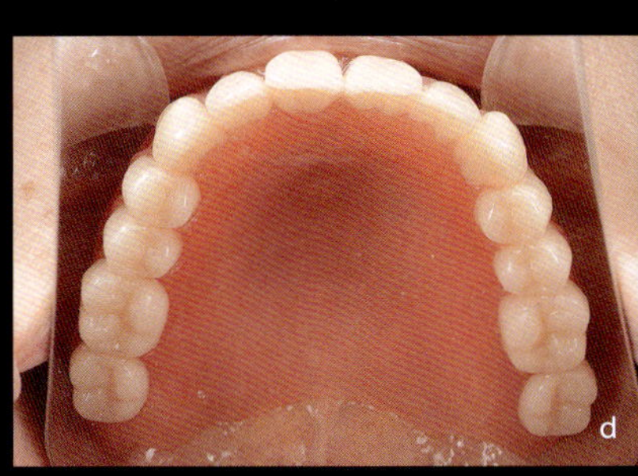
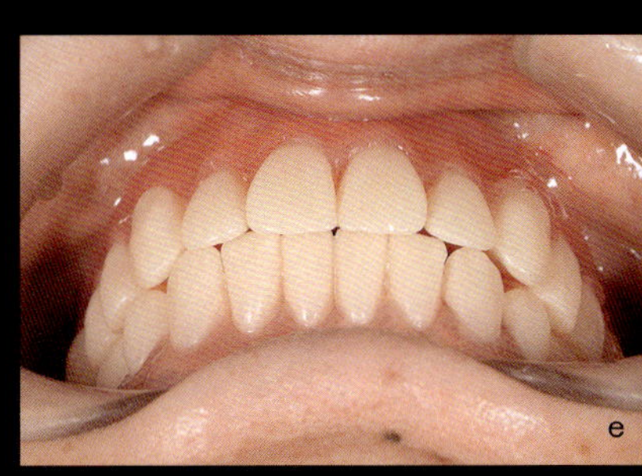
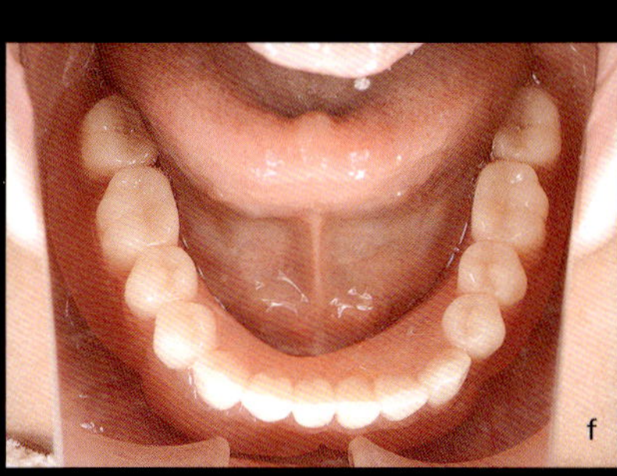

Fig 10a to f　プロビジョナルデンチャー装着時口腔内写真。プロビジョナルデンチャーにより、上顎前歯部の位置や形態、咬合高径、咬合平面が改善された。この段階では第二大臼歯まで人工歯を排列した。実際に使用し、咀嚼、発音、タングスペースなど、機能時に問題がないか評価を行った。また下顎残存歯のデンチャースペースも確認した。

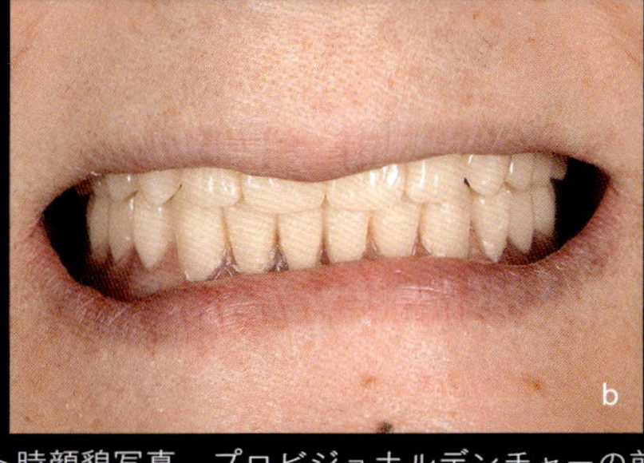
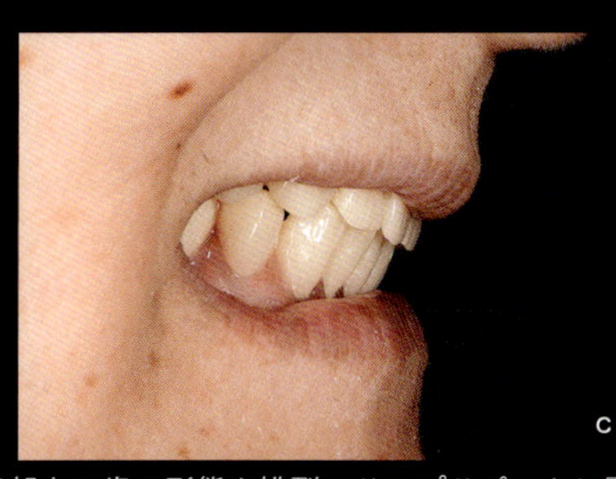

Fig 11a to c　プロビジョナルデンチャーセット時顔貌写真。プロビジョナルデンチャーの前歯部人工歯の形態や排列、リップサポートに問題がないか患者の意見も参考にし、とくに問題がないことを確認した。

こととした。残存歯部のデンチャースペースをプロビジョナルデンチャーにより確認し(**Fig 7 to 12**)、スペースが少ない場合はクラウンレングスニングを行い、残存失活歯のフェルールを確保するとともにデンチャースペースも確保する予定とした(**Fig 13 and 14**)。また、将来的に6|、|6インプラントも含めてフルアーチのボーンアンカードブリッジへと移行する可能性も考慮し、プロビジョナルデンチャーで顎位やトゥースポジションを十分に確認してから、6|、|6インプラントの適切な埋入ポジションを決定し、埋入した(**Fig 15 to 17**)。その後のマウスプレパレーションの状況を**Fig 18 to 21**に示す。また、コーヌステレスコープ内外冠を製作する前に行った人工歯排列の状況を**Fig 22 and 23**に示す。

粘膜、天然歯、そしてインプラントの被圧変位量の差を考慮し、残存歯コーヌスクローネ内冠およびインプラントのカスタムゴールドアバットメントのコーヌスクローネ外冠には、0.7mmの矯正線を使用したフリクションピンを適用し、長期間の使用で内外冠の嵌合が緩くなった場合でもリテンションを調整できるようにした(**Fig 24 to 28**)。

その後の上顎コンプリートデンチャーの咬座印象の状況、そして最終的な人工歯排列について**Fig 29 to 32**に示す。完成した上下顎補綴物、およびその経過については**Fig 33 to 38**に示す。

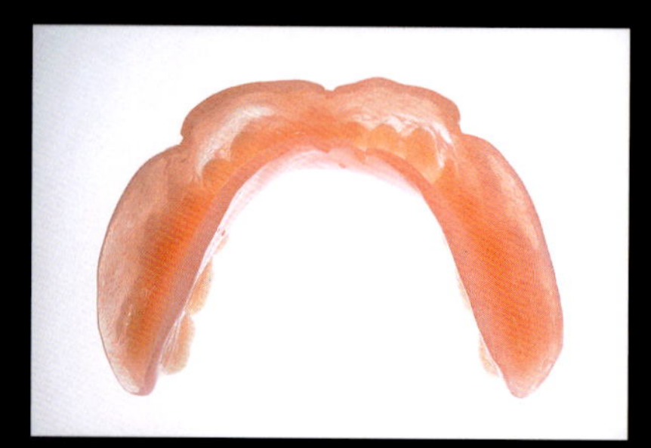

Fig 12　下顎プロビジョナルデンチャーの粘膜面の確認。残存歯部位のデンチャースペースの不足が認められた。このため支台歯形成量の追加と顎堤形成が必要であった。

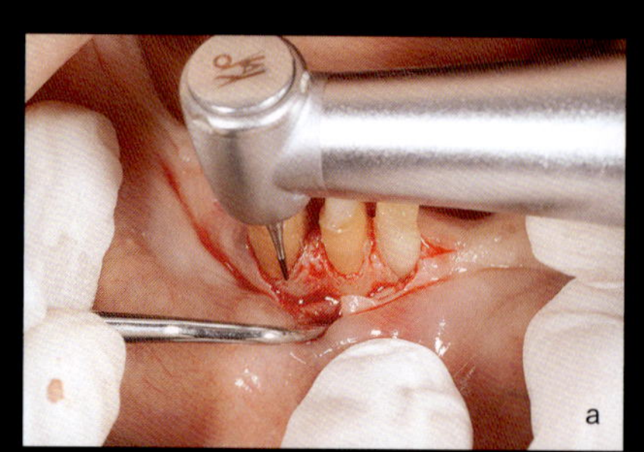

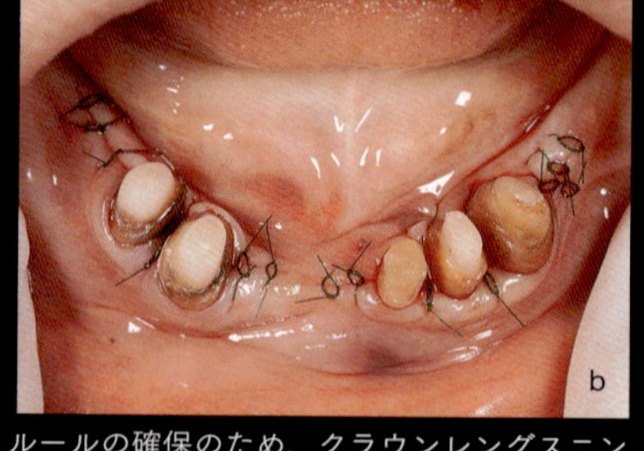

Fig 13a and b　デンチャースペースおよびフェルールの確保のため、クラウンレングスニングを行った。コーヌスクローネ内冠の維持に必要な支台歯高径が確保できるよう、歯冠-歯根比も考慮し必要最小限の骨整形を行った。

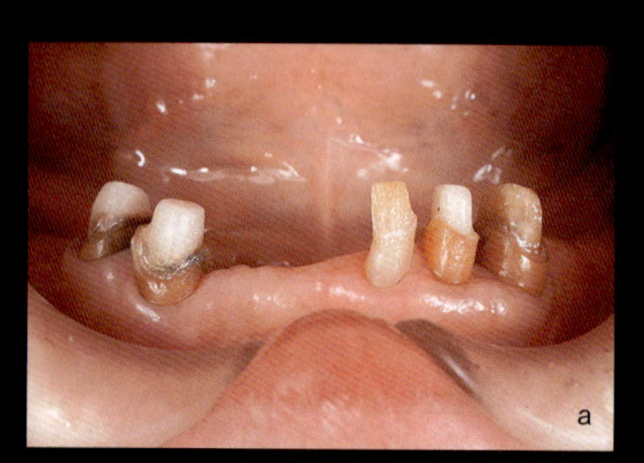

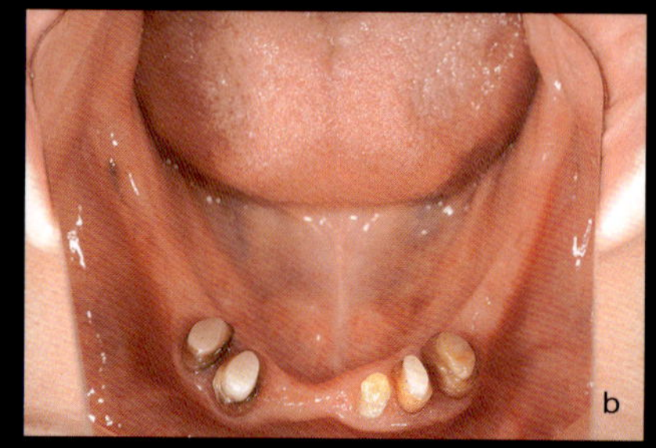

Fig 14a and b　術後1ヵ月経過時口腔内写真。歯肉辺縁が根尖側へと位置付けられていることが確認された。術後3ヵ月は歯肉辺縁が安定しないためマージンラインは歯肉縁上にとどめておく。

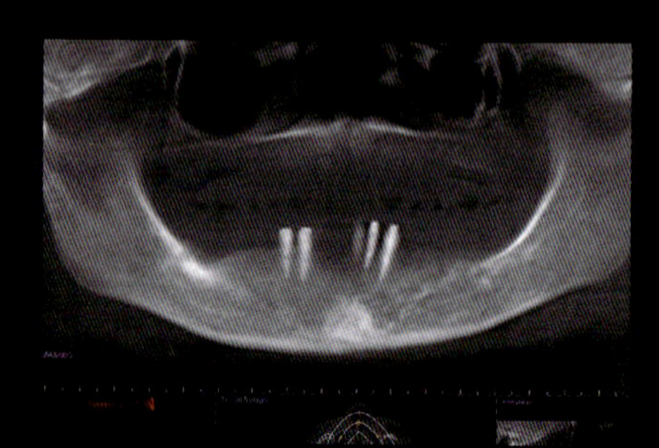

Fig 15　術後パノラマエックス線写真。エックス線写真で歯冠-歯根比および骨の連続性の確認を行った。

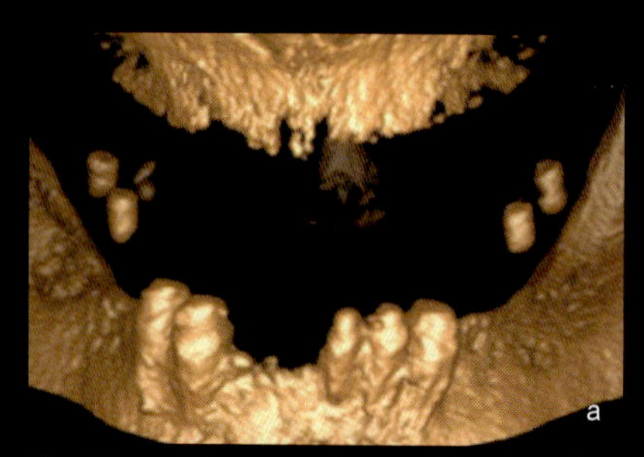

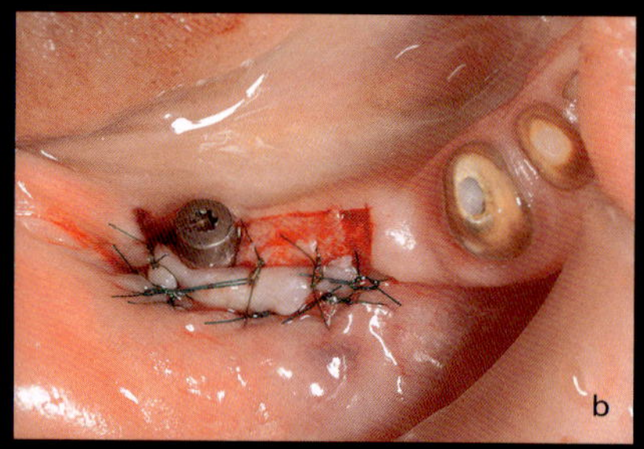

Fig 16a and b　インプラント埋入時。デンチャースペースや顎骨の条件、清掃性の問題などから、第二大臼歯部ではなく両側第一大臼歯部に埋入することを決定した。プロビジョナルデンチャーの下顎両側第一大臼歯部人工歯のポジションに正確に埋入を行った。部分層弁にてフラップを展開し角化歯肉を頬側へと位置付けた。

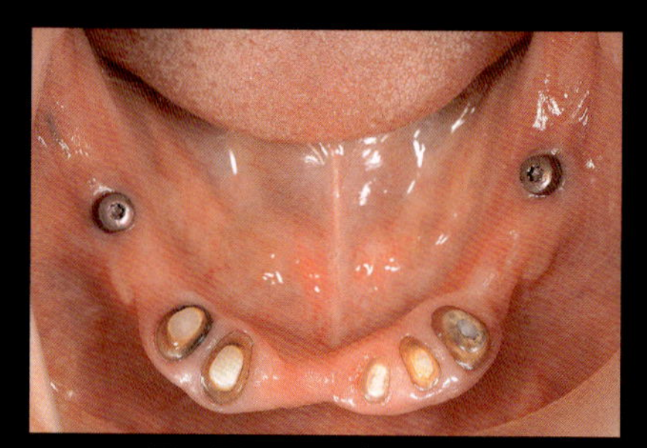

Fig 17　6|、|6部インプラント埋入後2ヵ月後の状態。歯肉の状態も良好であった。

コーヌスクローネタイプのアタッチメントを使用したインプラントオーバーデンチャーの特徴

近年、インプラントを使用したオーバーデンチャーの研究も進みさまざまな論文報告がなされている。現在報告されているコーヌスクローネタイプのアタッチメントを使用したインプラントオーバーデンチャーの利点や欠点を以下に記す。

利点：

①バーアタッチメントオーバーデンチャーに比較すると治療への再介入が行いやすい

②インプラント周囲軟組織の安定を得やすい（BOP〔歯周検査時出血率〕、プラークインデックスなど）

③高いインプラント成功率

④リジッドな維持力が長期的に期待できる

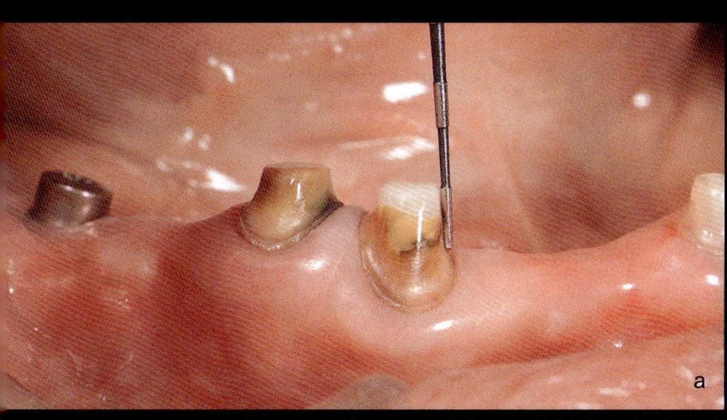

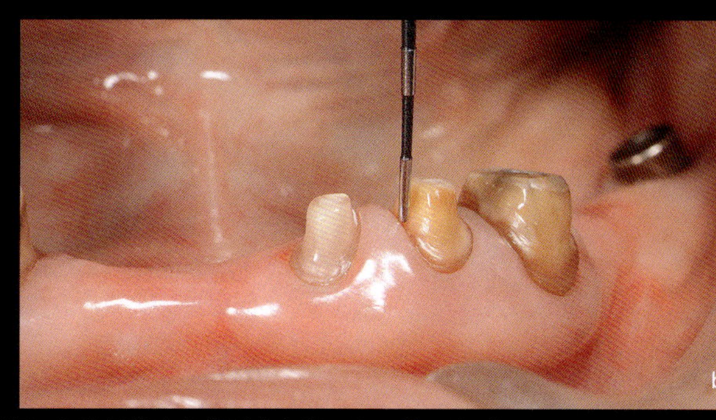

Fig 18a and b　クラウンレングスニング後３ヵ月待ち、歯肉の安定を確認した後最終支台歯形成を行った。適正なデンチャースペースの確保とコーヌスクローネ内冠が維持できる支台歯高径となるよう、細心の注意を行った。デンタルプローブを使用し、支台歯高径を確認した。

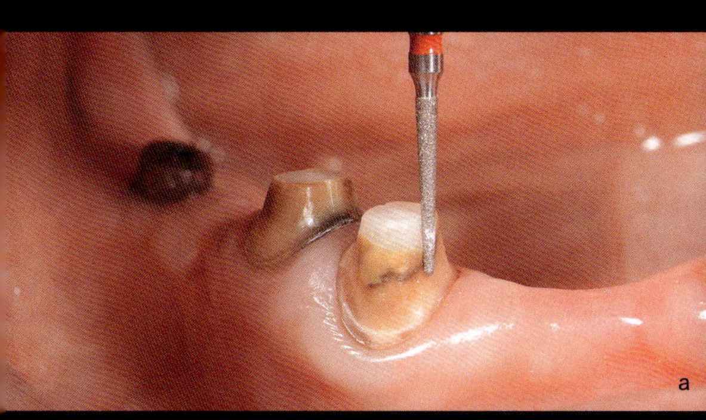

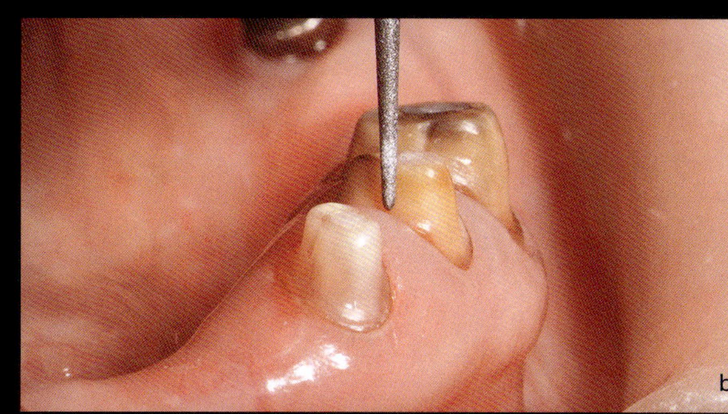

Fig 19a and b　リテンションを考慮して軸面はほぼ１面形成とし、支台歯高径が４mm以下の支台歯にグルーブを形成した。最終補綴装置であるオーバーデンチャーの着脱方向およびコーヌスクローネ内冠の形態や装着方向を考慮し、アンダーカットが生じないように慎重に形成を行った。

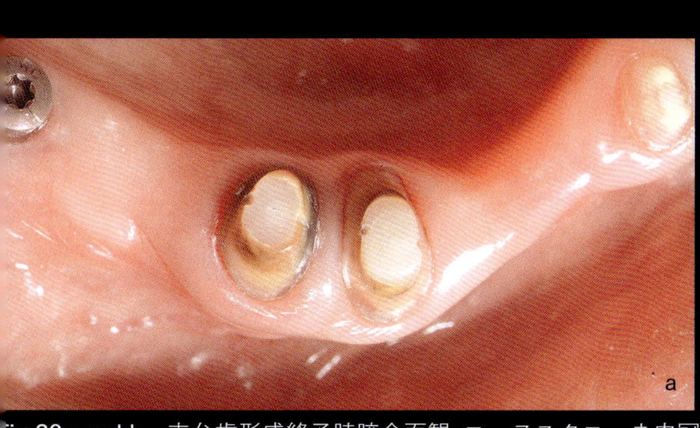

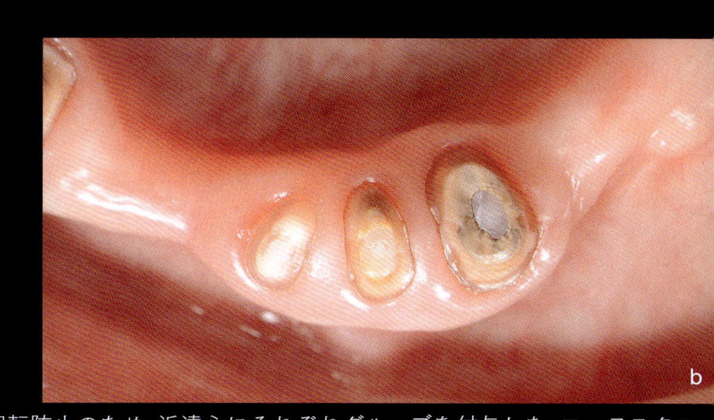

Fig 20a and b　支台歯形成終了時咬合面観。コーヌスクローネ内冠の回転防止のため、近遠心にそれぞれグルーブを付与した。コーヌスクローネ内外冠の厚みを考慮し、マージンデザインはディープシャンファーとした。

Fig 21　最終支台歯形成後デンタルエックス線写真。残存歯の歯冠-歯根比、歯根膜腔、根尖、またインプラント部位にも異常は認められなかったため、最終補綴装置製作へと移行していくこととした。

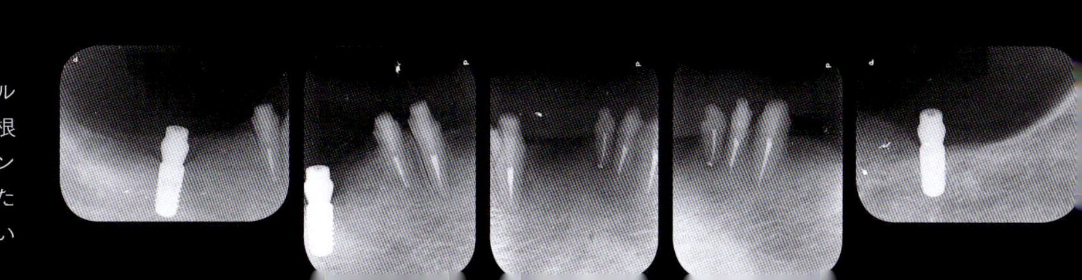

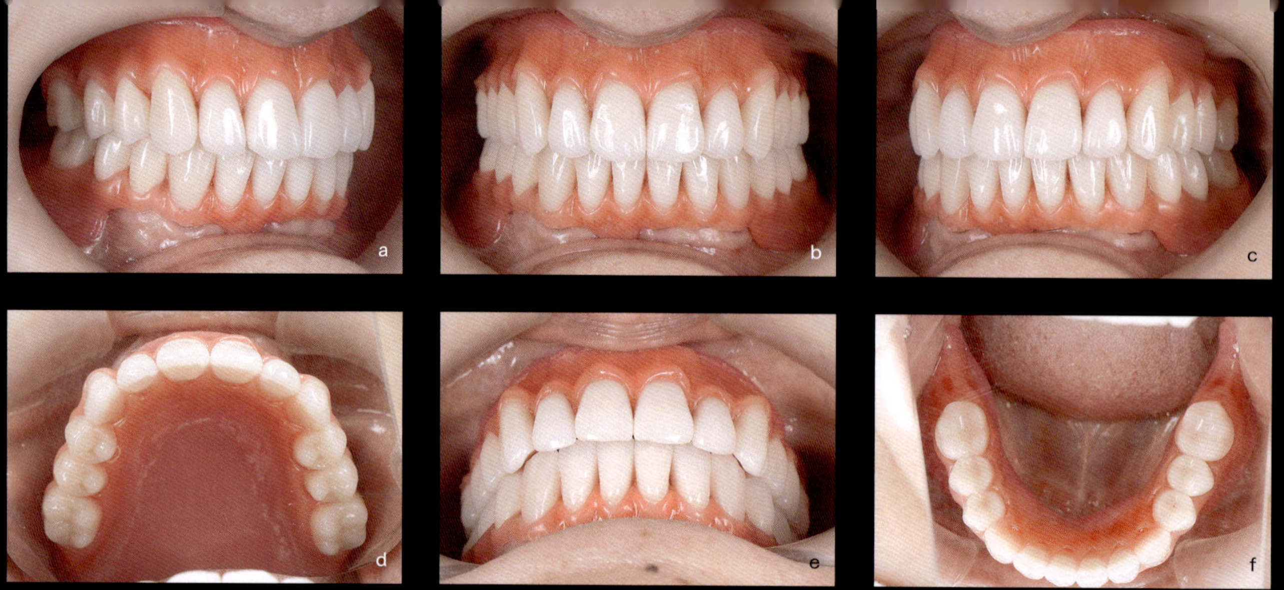

Fig 22a to f　印象採得後、咬合採得、人工歯排列を行った。人工歯排列は、インプラントを設定した第一大臼歯までとした。残存歯およびインプラント部位のデンチャースペースに問題がないことを確認した。

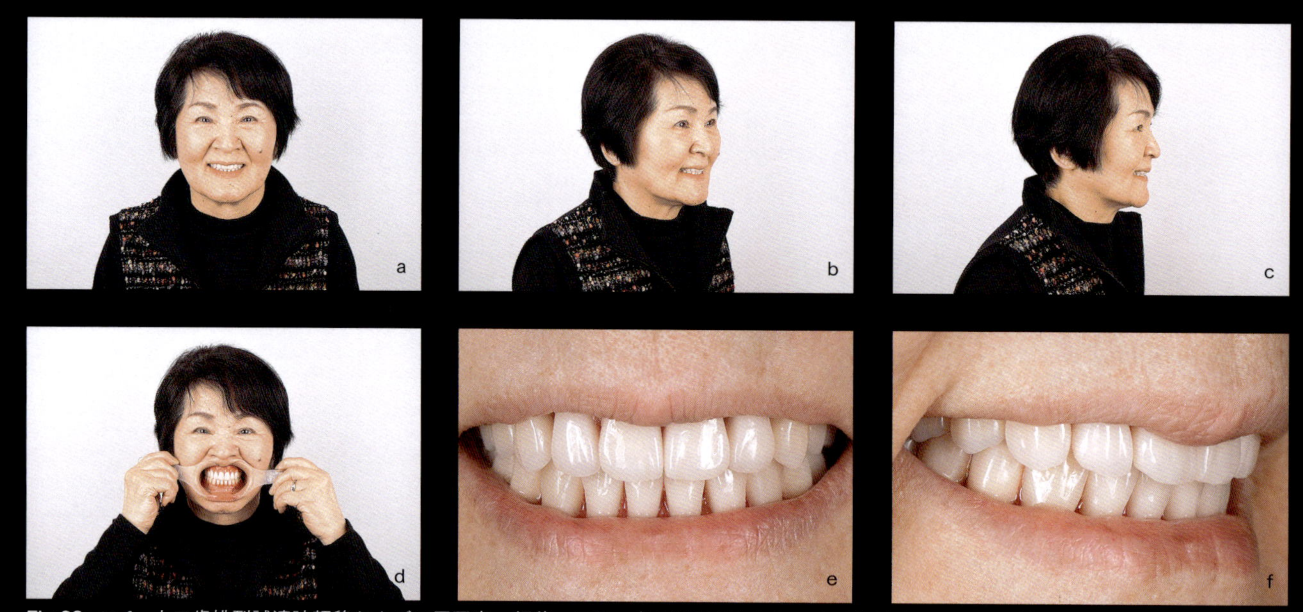

Fig 23a to f　人工歯排列試適時顔貌および口唇写真。顔貌、口唇、歯の調和がとれたことで自然なスマイルが得られていた。

などが挙げられる。

欠点：

①治療の難易度が高い

②ロケータータイプと比較するとインプラント周囲骨吸収が起きやすい

③固定が強固過ぎると患者の取り外しが困難になる

などである[1-4]。

また近年、インプラントと天然歯を複合させたコーヌスクローネタイプのオーバーデンチャーの予後も報告されてきているが、インプラントおよび天然歯の術後経過は非常に良好とされる[5、6]。実際、筆者の臨床経験においても、残存歯数が少ない場合の天然歯支台を利用したコーヌステレスコープタイプのオーバーデンチャーよりも、インプラント支台を併用したオーバーデンチャーのほうが、補綴装置や天然歯の予後が良好と感じている。

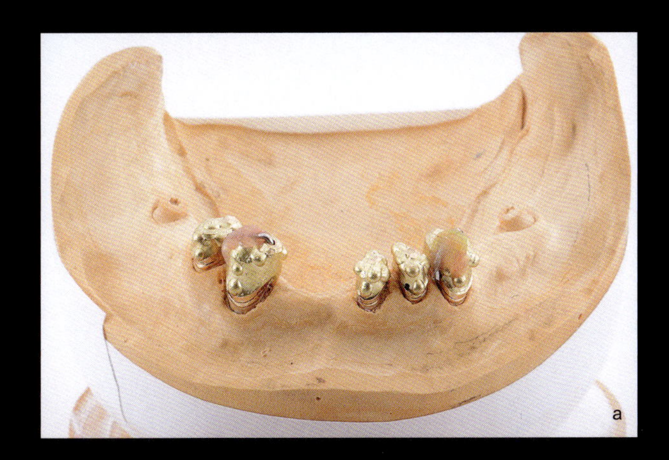

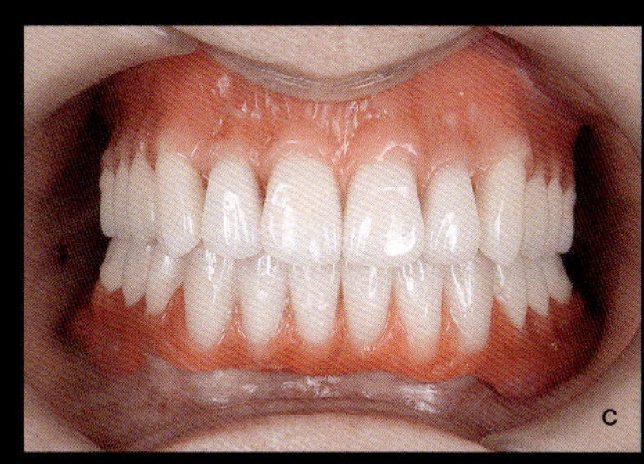

Fig 24a to c まずはデンチャースペースに制限のある残存歯部の内外冠を製作し、排列試適を行い、デンチャースペースの確認を行った。

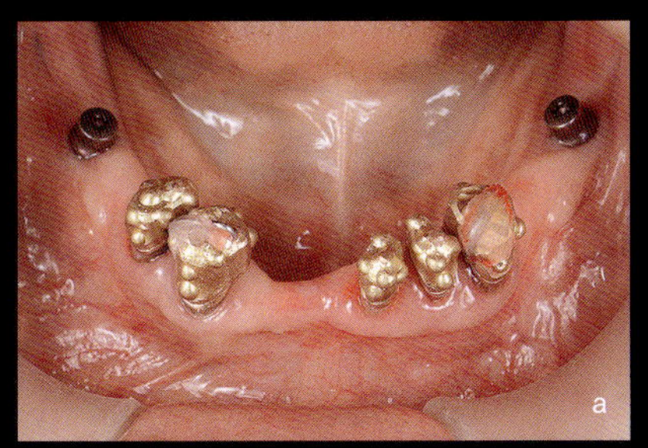

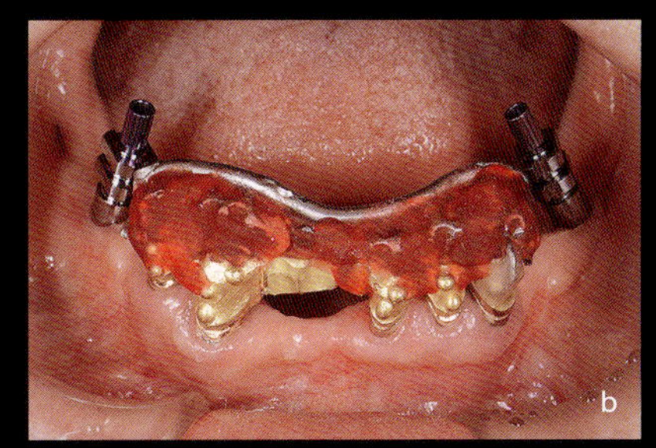

Fig 25a and b 口腔内に内冠を装着した後外冠を試適し、メタルインデックスをパターンレジンで固定して内外冠の位置を正確に記録した。

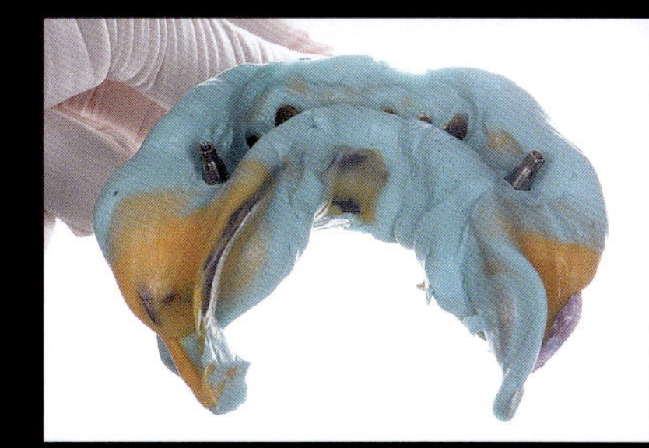

Fig 26 ピックアップ印象とインプラント部位の印象採得を同時に行った。

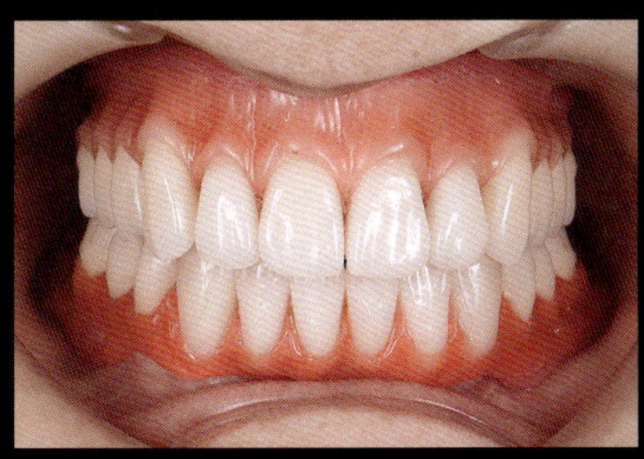

Fig 27 下顎のピックアップ模型から最終作業用模型を製作し、咬合採得、人工歯排列を行った。

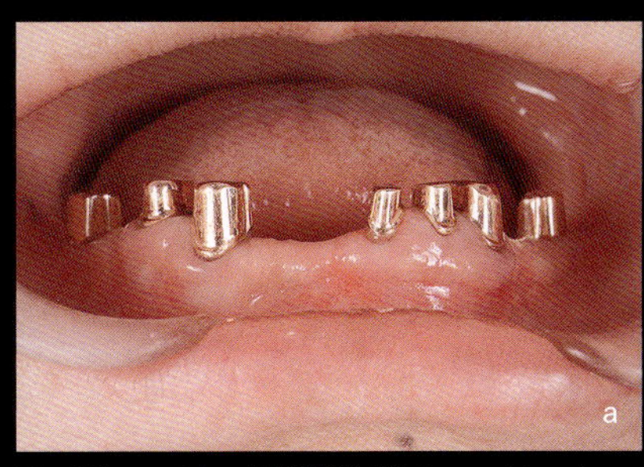

Fig 28a and b 下顎残存歯のコーヌスクローネ内冠およびインプラント部のカスタムゴールドアバットメント装着時。

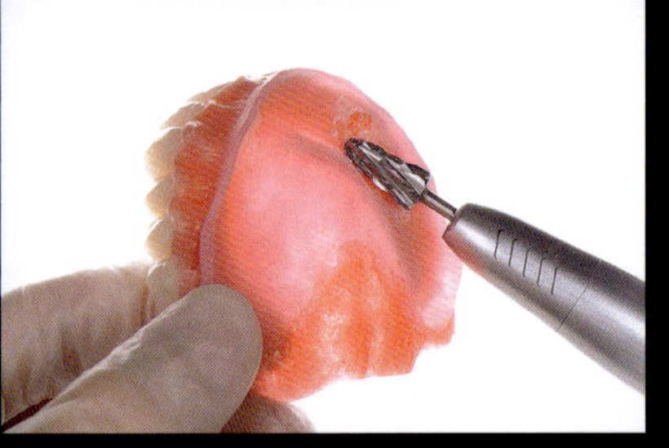

Fig 29　上顎の咬座印象を行うため、咬合床の内面の当たりを確認、調整した。

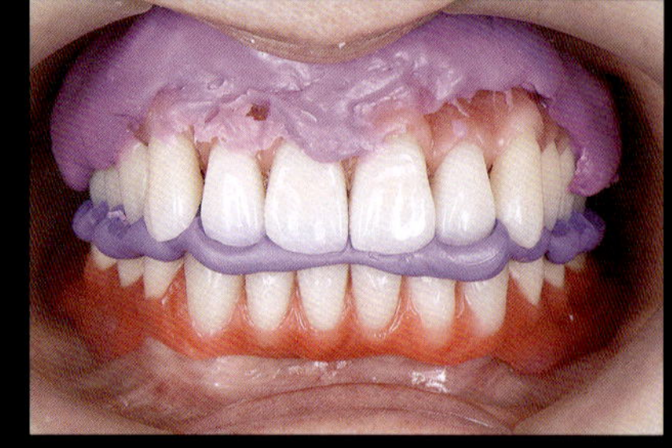

Fig 30　上顎の咬座印象採得時。

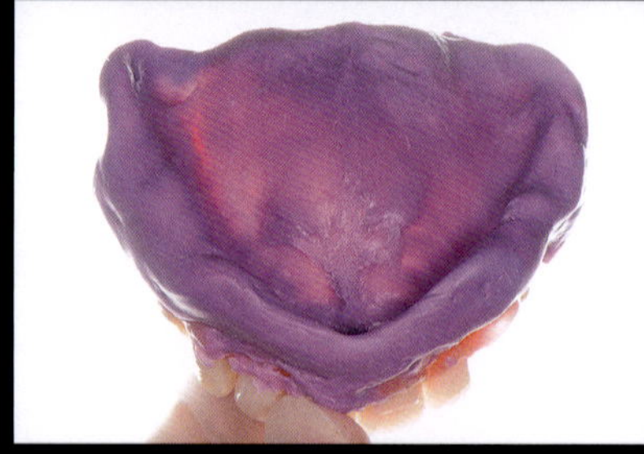

Fig 31　内面および辺縁の印象も精確に採得された。

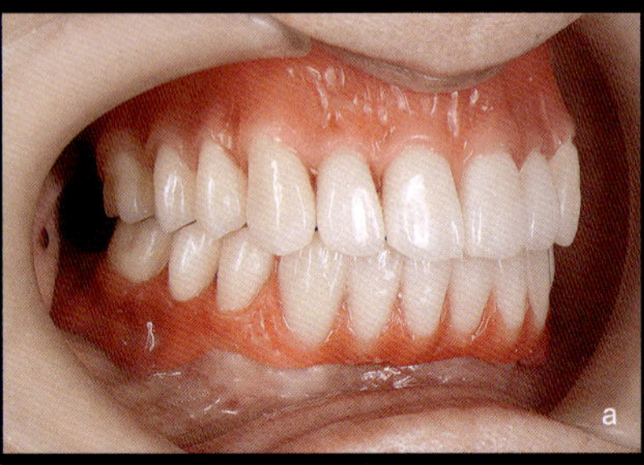

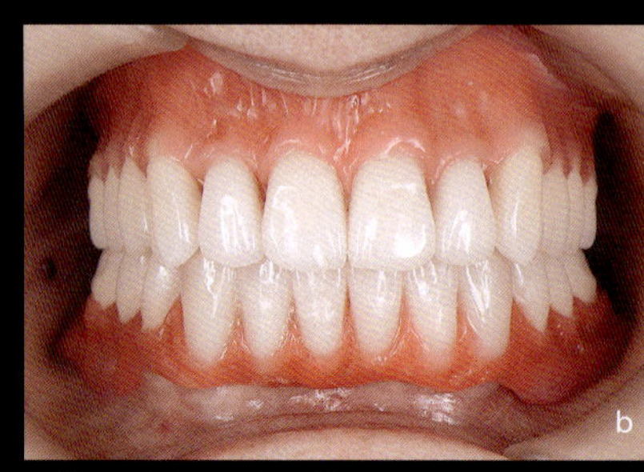

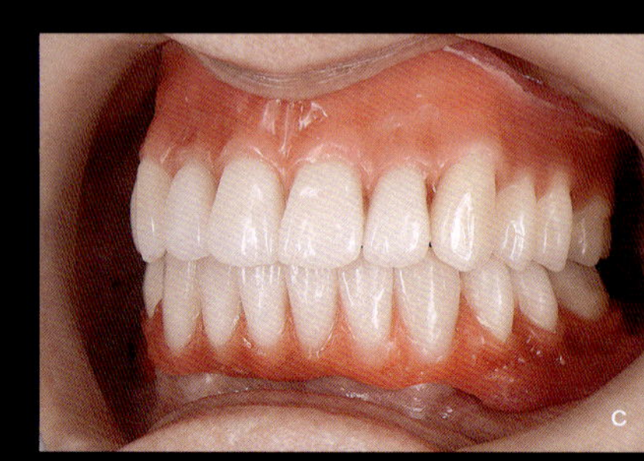

Fig 32a to c　最終排列試適時口腔内写真。この段階で上顎の吸着が得られていることが重要である。

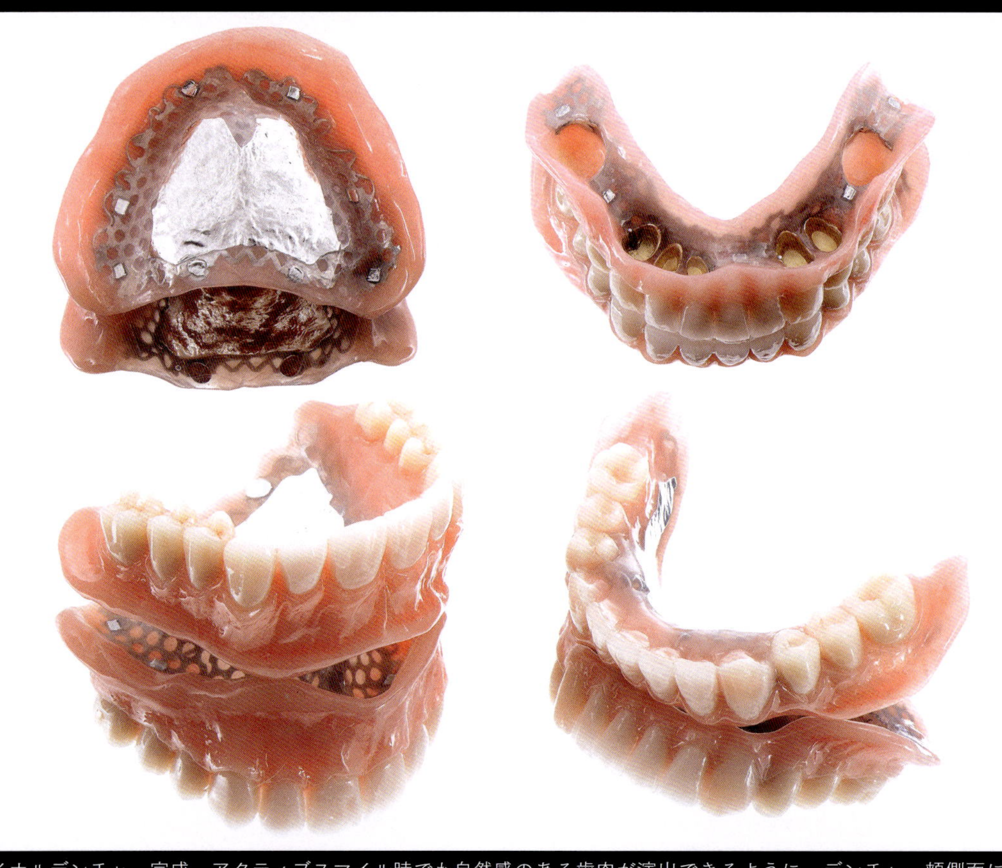

Fig 33　ファイナルデンチャー完成。アクティブスマイル時でも自然感のある歯肉が演出できるように、デンチャー頬側面にはハイブリッドレジンによるガムへのキャラクタライズを行った。また、インプラントや残存歯の存在する加圧因子である下顎に対応できるよう、受圧因子である上顎はデンチャー口蓋にメタルプレートを使用した。下顎インプラント埋入部は粘膜、残存歯、インプラントの被圧変位量の差を考慮し、義歯が粘膜に沈下し安定するのを待ってから、口腔内で外冠をセットすることとした。

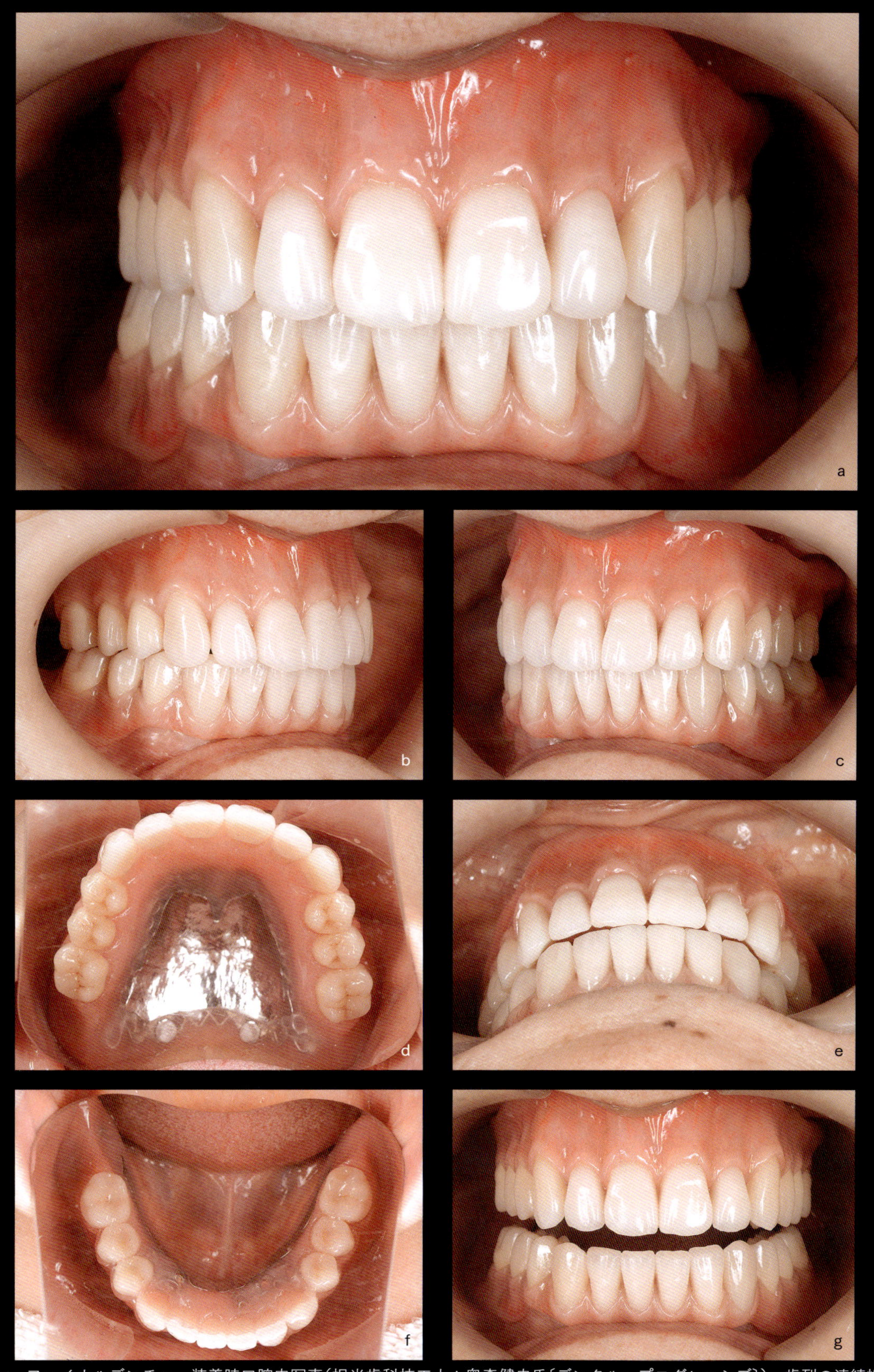

Fig 34a to g ファイナルデンチャー装着時口腔内写真(担当歯科技工士：奥森健史氏〔デンタル・プログレッシブ〕)。歯列の連続性や上下の対向関係も良好であった。

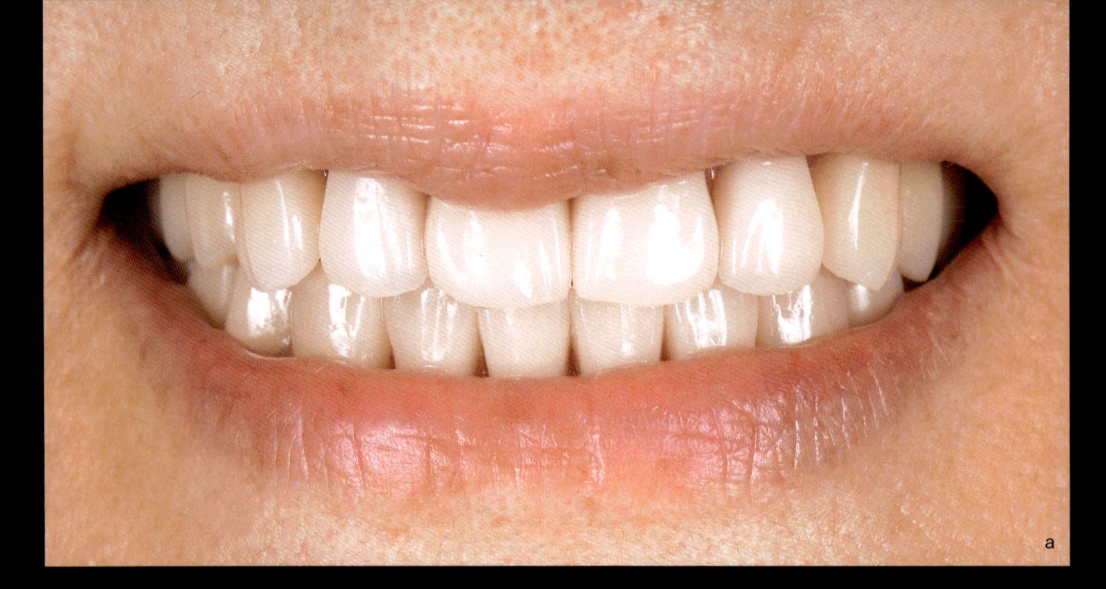

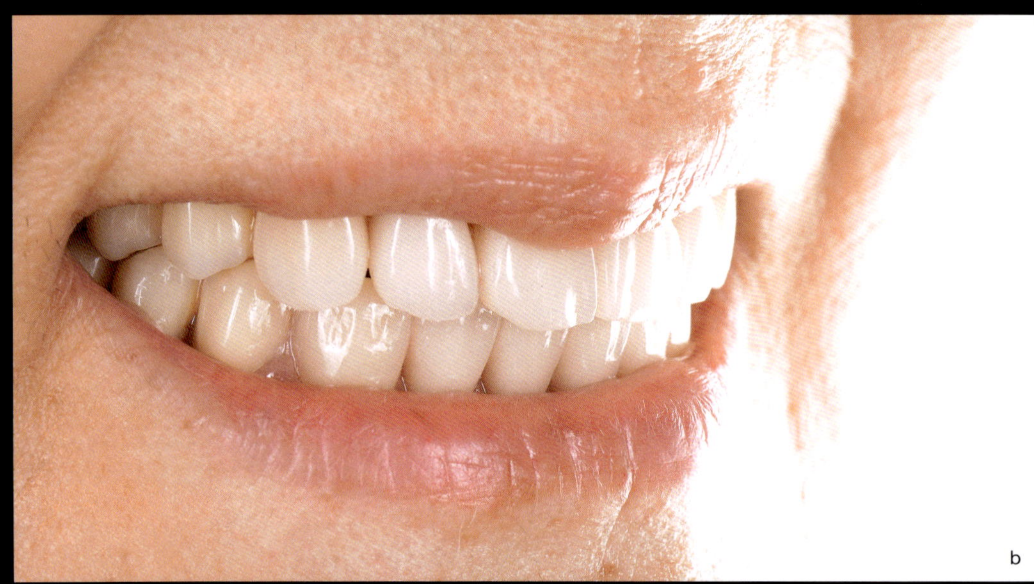

Fig 35a to e　自然感のある顔貌と口唇、歯の調和が得られた。

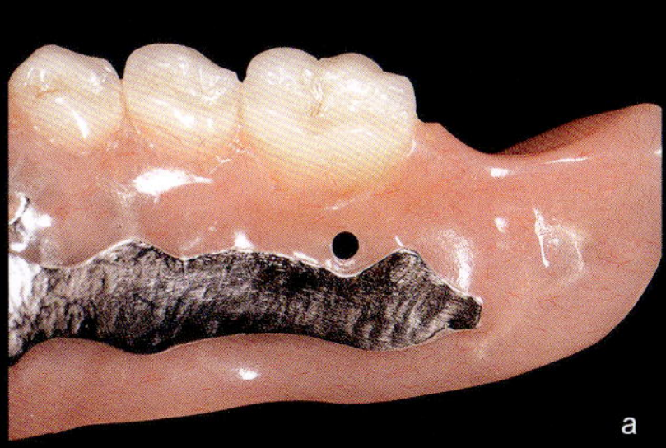

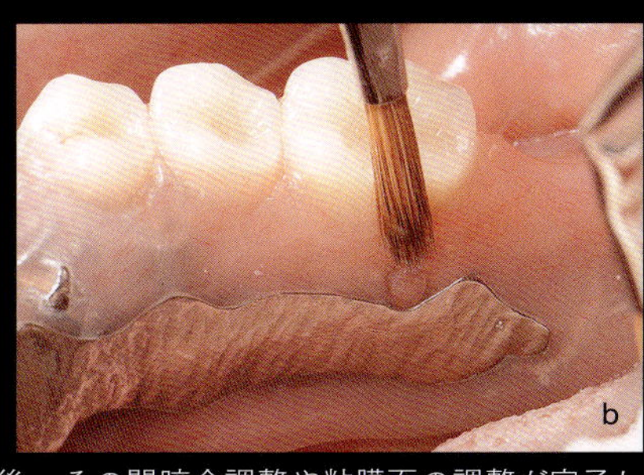

Fig 36a and b　デンチャー使用開始から数週後、その間咬合調整や粘膜面の調整が完了し、デンチャーの粘膜面への沈下が完全に落ち着き安定が確認できてから、インプラントアバットメントへの外冠の装着を行った。人工歯舌側とメタルフレームとの間のレジン床にアクセスホールを付与した。下顎デンチャーが口腔内で完全に沈みこんで安定した状態で、即時重合レジンを舌側アクセスホールから填入し、咬合させた状態で完全重合させて外冠をデンチャーと固定した。

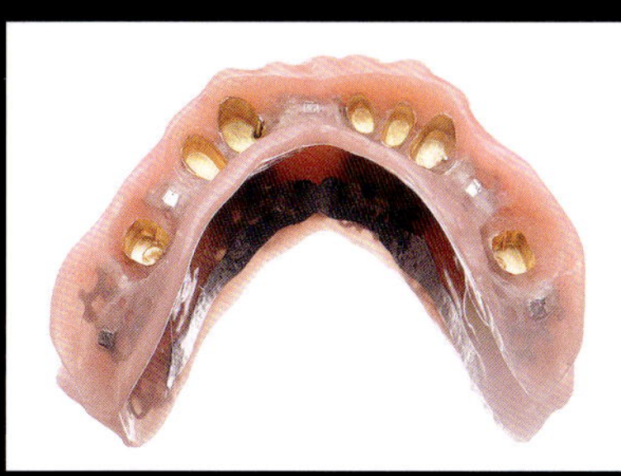

Fig 37　インプラント部の外冠固定後の状態。

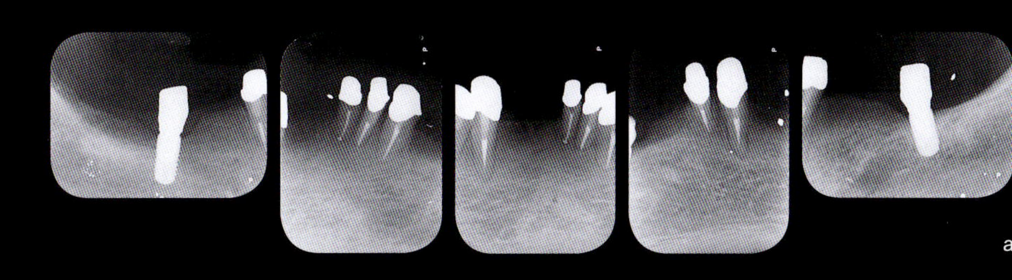

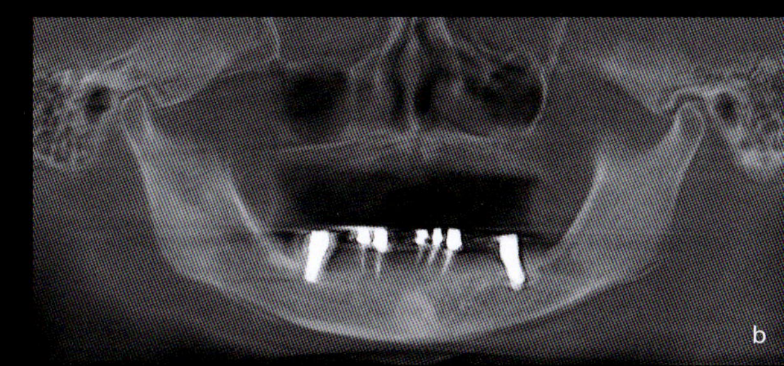

Fig 38a and b　術後デンタルエックス線写真およびパノラマエックス線写真。メインテナンス時には残存歯の歯根膜腔やインプラント周囲骨などに問題がないか確認する必要がある。

Conclusion

　今回インプラント・歯牙双方に支持を求めるコーヌスクローネタイプのオーバーデンチャーの症例について報告させていただいた。このような症例の予後を報告する論文や研究はまだ多くはないが、今後の超高齢社会の進展にともなう欠損補綴治療の需要にあたり、侵襲性が少なく再介入時の対応が可能なインプラント・天然歯牙支持によるオーバーデンチャーは今後の治療選択肢のひとつになると思われる。

謝辞

本症例、および当院のデンチャー技工すべてを担当していただいている奥森健史先生（歯科技工士、デンタル・プログレッシブ）、ならびに補綴修復治療の知識、技術を常日頃御指導いただいております本多正明先生（大阪府開業）、松川敏久先生（奈良県開業）に心より感謝申し上げます。

参考文献

1．Kern JS, Kern T, Wolfart S, Heussen N. A systematic review and meta-analysis of removable and fixed implant-supported prostheses in edentulous jaws: post-loading implant loss. Clin Oral Implants Res 2016；27(2)：174-195.

2．Krennmair G, Sütö D, Seemann R, Piehslinger E. Removable four implant-supported mandibular overdentures rigidly retained with telescopic crowns or milled bars: a 3-year prospective study. Clin Oral Implants Res 2012；23(4)：481-488.

3．Eitner S, Schlegel A, Emeka N, Holst S, Will J, Hamel J. Comparing bar and double-crown attachments in implant-retained prosthetic reconstruction: a follow-up investigation. Clin Oral Implants Res 2008；19(5)：530-537.

4．Cepa S, Koller B, Spies BC, Stampf S, Kohal RJ. Implant-retained prostheses: ball vs. conus attachments - A randomized controlled clinical trial. Clin Oral Implants Res 2017；28(2)：177-185.

5．Rinke S, Ziebolz D, Ratka-Krüger P, Frisch E. Clinical Outcome of Double Crown-Retained Mandibular Removable Dentures Supported by a Combination of Residual Teeth and Strategic Implants. J Prosthodont 2015；24(5)：358-365.

6．Krennmair G, Krainhöfner M, Waldenberger O, Piehslinger E. Dental implants as strategic supplementary abutments for implant-tooth-supported telescopic crown-retained maxillary dentures: a retrospective follow-up study for up to 9 years. Int J Prosthodont 2007；20(6)：617-622.

7．奥森健史．ARCH INTEGRITY（歯列弓の保全）．QDT 2019；44(9)：3-10.

8．奥森健史．Esthetic treatment with removable partial denture. 歯科技工 2016；44(12)：1443-1456.

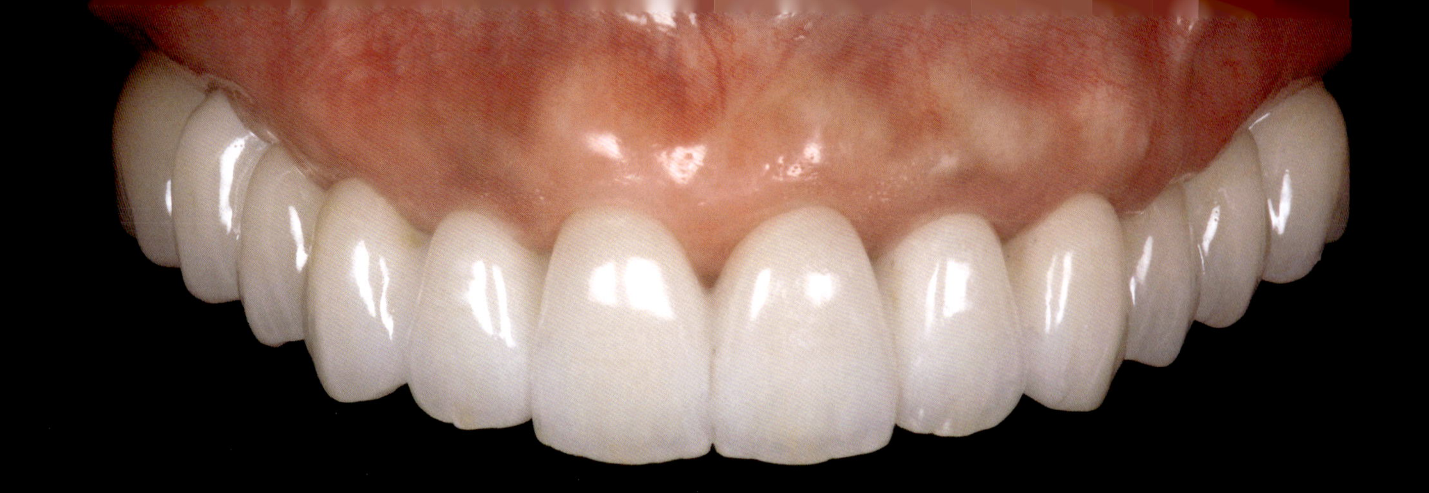

The esthetic bone anchored bridge

Goro Hashimura, DDS
All-on-4 CLINIC

Kazuhiro Shida, RDT
PREF

審美的なボーンアンカードブリッジ

橋村吾郎
All-on-4 CLINIC
東京都中央区銀座2-8-12 ユニデン銀座ビル3F

志田和浩
PREF
神奈川県川崎市中原区小杉町1-403
小杉ビルディング新館403

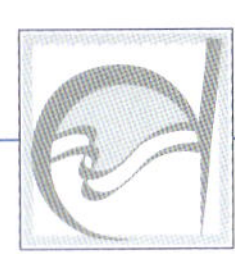

緒言

機能と審美が大きく破壊された多数歯欠損や無歯顎症例に対する全顎的治療において、治療によって患者の望みを達成するためには術前に治療計画と治療ゴールを具現化する必要がある。現在、その手法はデジタルに変わりつつあり、患者にとって理解しやすいものとなっている。また、最終補綴物の形態やマテリアルの違いに応じて外科治療およびインプラントポジションの計画は異なる。この事実は外科治療計画に先行して補綴治療計画を立てる必要性を示唆している。

筆者の考える補綴物の要件は「審美性・清掃性が高く、患者が快適に過ごせること」「予知性が高く壊れにくいこと」「リペアおよびリカバリーが容易であること」の３点である。現状これらを満たすインプラント上部構造は、スクリュー固定式フルジルコニアの上部構造であると考えている。ジルコニアの進化によってマルチレイヤードディスクなどが販売されたことによりフルジルコニアの補綴物を選択する機会が増えた一方で、スクリュー固定式フルジルコニアの上部構造を前提としたインプラント埋入ポジションはよりシビアになり、デジタルの活用は必須となっている。

今回は患者の望むエステティックを満たすために必要な、診査診断から外科治療、最終補綴までのワークフローおよび、デジタル介入のポイント、チームアプローチ等について示したい。

術前

患者は42歳女性。歯科恐怖症から長年治療を放置してきた結果、口腔内は大きく崩壊しており（Fig 1）、今回は意を決して来院された。「とにかく人前で自信をもって笑いたい」。それが彼女の主訴であり、最短の治療期間を希望した。

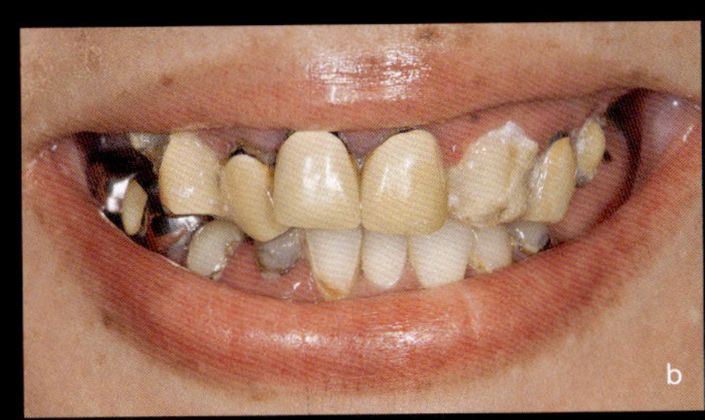
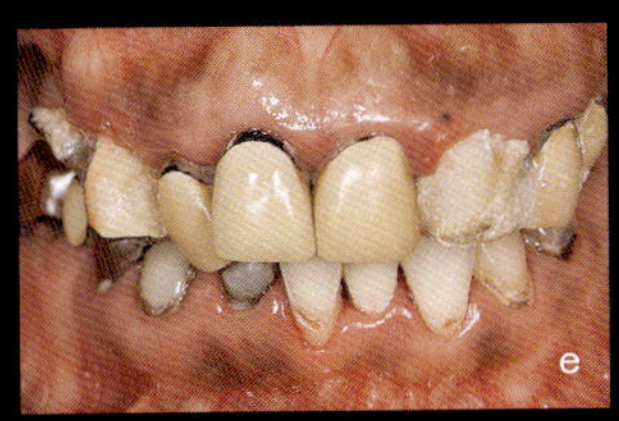
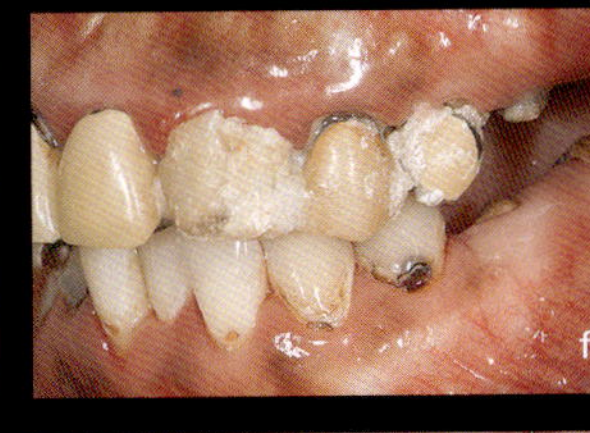
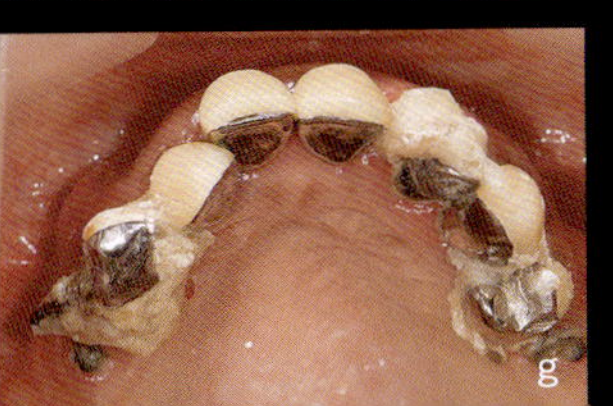
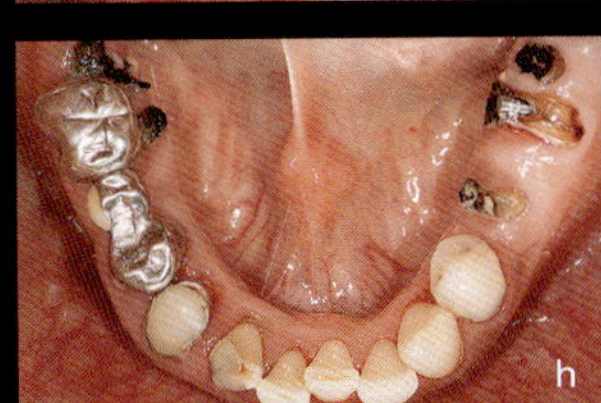

Fig 1a to h　初診時の顔貌・口元・パノラマエックス線・口腔内写真

最初にフルカントゥアのワックスアップを行い、患者と治療のゴールを共有するところから治療がスタートする。上顎は残存歯の根面う蝕が進行し、予知性を考えてすべて抜歯してボーンアンカードブリッジを計画した。下顎は$\overline{4+4}$は保存し、$\overline{76|}$、$\overline{|67}$にはインプラントを埋入する計画を立てた。また、オッセオインテグレーション後に$\overline{4+4}$にアライナー矯正を行い、歯列不正を改善する計画とした。

フルマウスや多数歯欠損にインプラント治療を行う上でもっとも重要なステップは、最初に全顎的なワックスアップを行い、ラジオグラフィックガイドを製作することである。現在、少数歯欠損においてはデジタルワックスアップが可能になっているが、多数歯欠損においてはコンベンショナルな方法を用いている。解剖学的な基準値やデンチャーの理論を活用して咬合採得を行い、ワックスアップを行った後に(Fig 2)、ラジオグラフィックガイドの製作を行う(Fig 3 and 4)。

ラジオグラフィックガイドを実際に患者の口腔内に装着し、より具体的な治療ゴールを患者に示すことで治療後のトラブルを防ぐことができるのも大きなメリットである(Fig 5)。

プランニングソフト上でラジオグラフィックガイドのデータとCBCTデータをマッチングさせ、インプラントポジションおよび本数を最終決定していく。カウンセリングの際に患者に説明するインプラントポジションや埋入本数、その他の

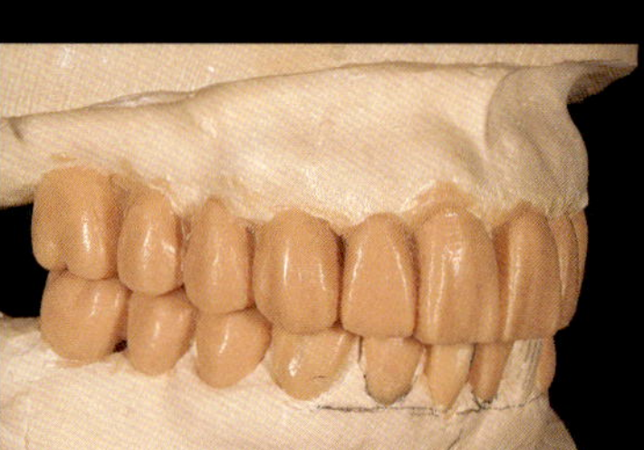
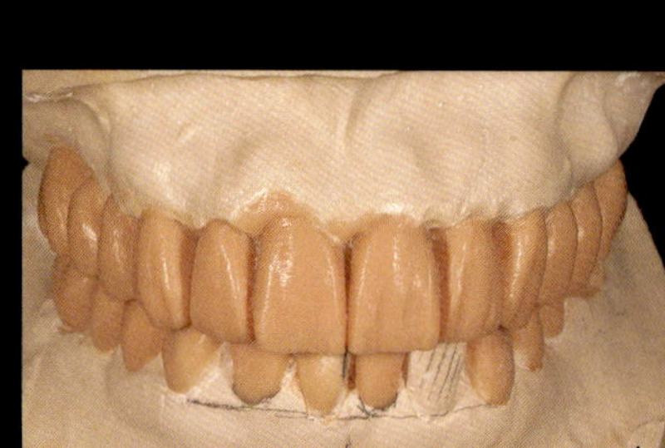
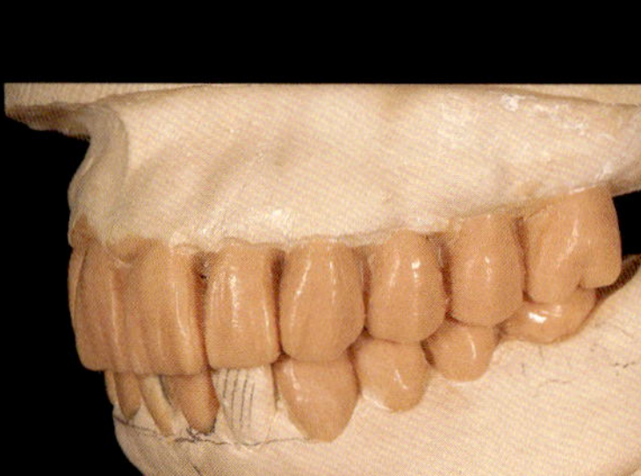
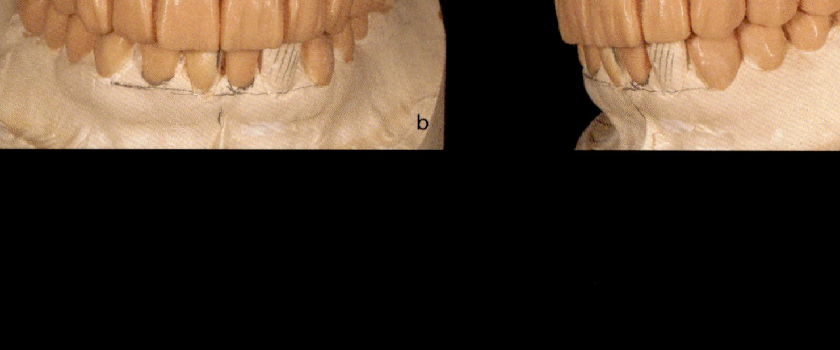

Fig 2a to d　解剖学的な基準値やデンチャーの理論を活用しつつ、そこにさまざまな患者固有の情報(基礎資料の情報)をフィードバックさせながら診断用ワックスアップを行っていく。

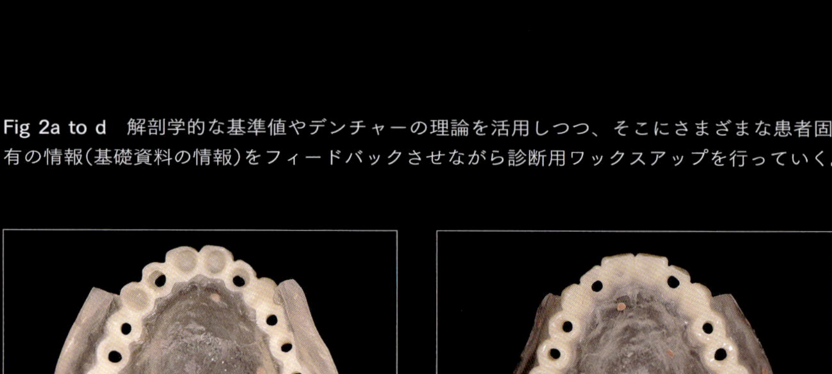
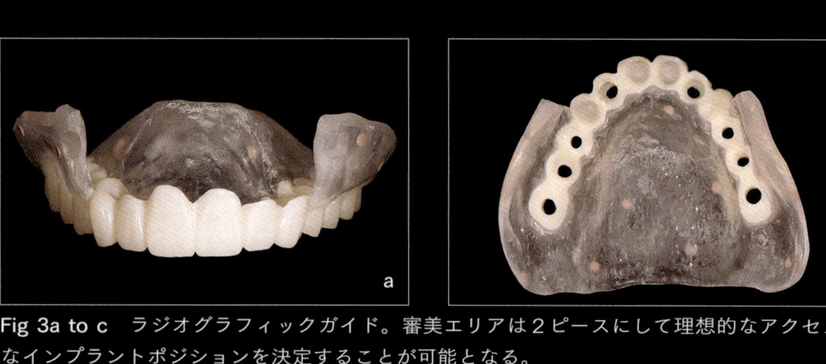
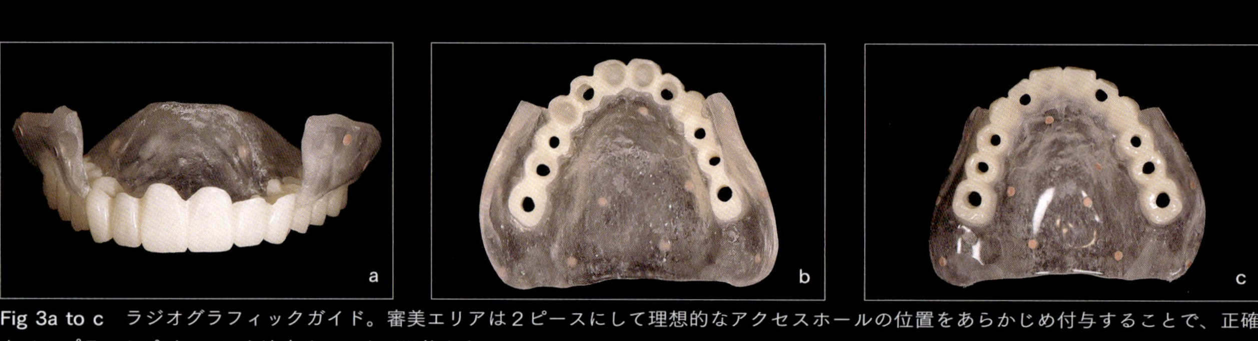

Fig 3a to c　ラジオグラフィックガイド。審美エリアは２ピースにして理想的なアクセスホールの位置をあらかじめ付与することで、正確なインプラントポジションを決定することが可能となる。

オグメンテーション等の治療計画はあくまでも概要である。ラジオグラフィックガイドを製作し、プランニングソフト上でインプラント埋入計画を綿密に計画することで最終的な治療計画が決定される。

筆者はインプラント治療全般において、スクリュー固定式インプラント上部構造を第一選択とし、可能な限り即時荷重を行っている。また、インプラント治療計画を立てるうえで以下に挙げる点を考慮している。

- 患者が望む
- 高い快適性
- 壊れにくい
- リペアとリカバリー
- 永続性

また、上顎のボーンアンカードブリッジのインプラントの本数およびポジションについて、

プラン❶：後方に骨量がある場合は、2|2、4|4、6|6の位置に6本ストレートに埋入する

プラン❷：後方に骨量がない場合は、All-on-4 コンセプトに準ずる

のどちらかを基本に考えている。

本ケースでは、プラン❶の場合は左右後方（6|6）のインプラントはサイナスリフトが必要となり、インプラントの安定度が得られない可能性が大きく即時荷重ができない（Fig 6）。プラン❷の場合、6|6の遠心カンチレバーとなるが、即時荷

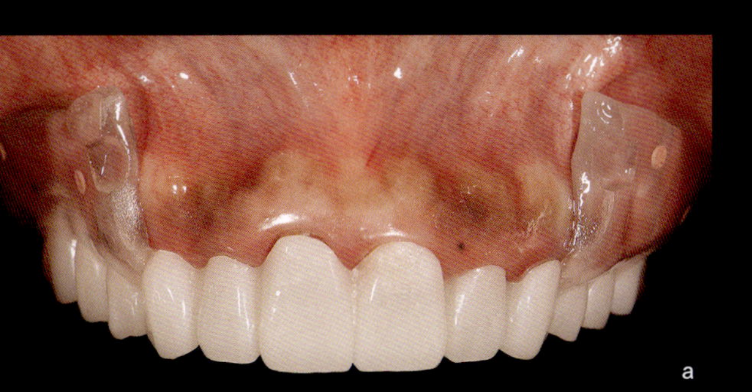
a

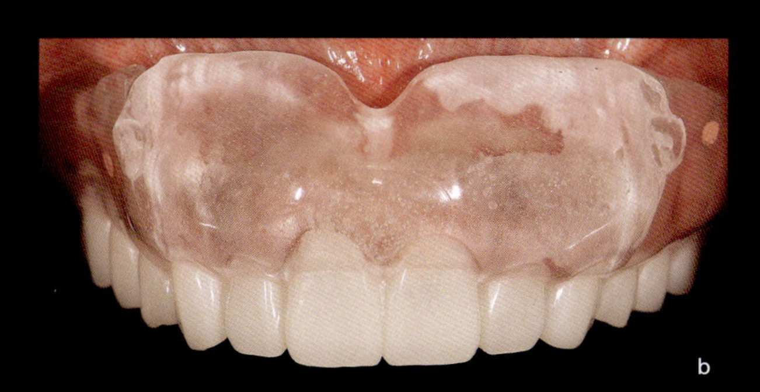
b

Fig 4a and b　抜歯予定の歯牙にはあらかじめプレパレーションを行い、歯牙支持のラジオグラフィックガイドを製作することで、外科手術時に正確にサージカルテンプレートを口腔内にセットすることができる。

Fig 5　口腔内にラジオグラフィックガイドを装着してスマイルした状態。ミッドラインやインサイザルエッジポジション、リップサポート等を患者とともに確認する。

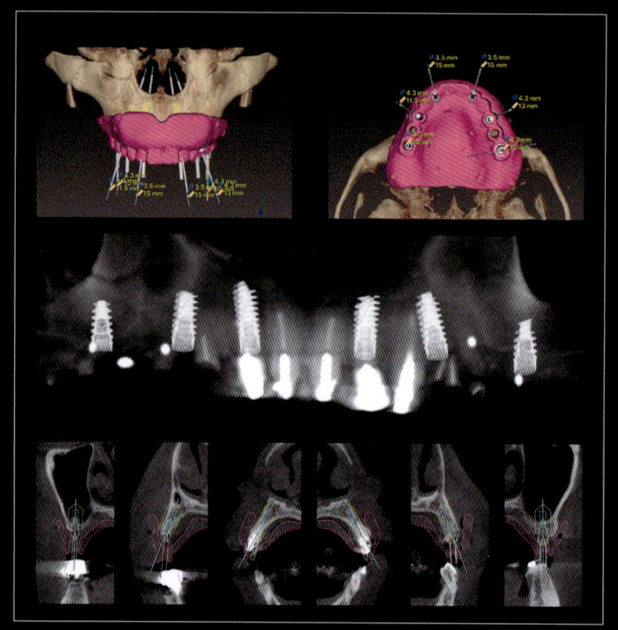

Fig 6　プラン❶。2|2、4|4、6|6の位置にストレートに6本のインプラントを埋入した場合、6|6にはサイナスフロアエレベーションが必要であり、即時荷重ができない。

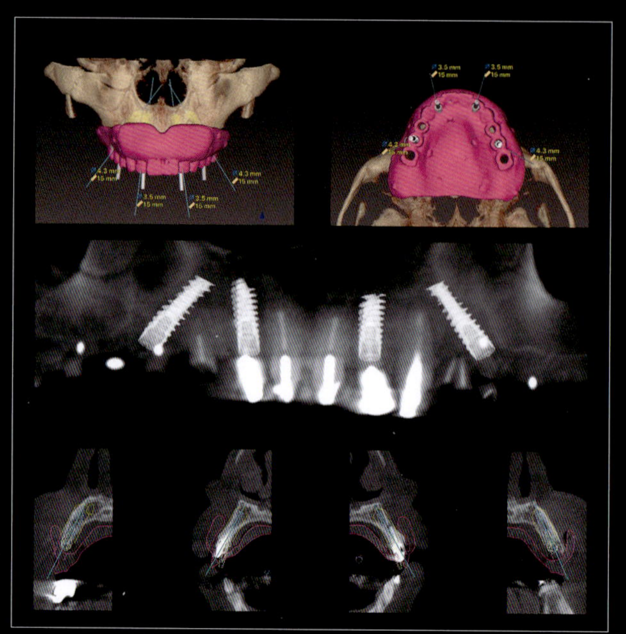

Fig 7　プラン❷。後方を傾斜埋入させた場合、右側後方は唇側の骨が薄くなるため、最低限のGBRが必要になる。
　また、プラン❷は6|6の遠心カンチレバーとなるが即時荷重が可能となる。

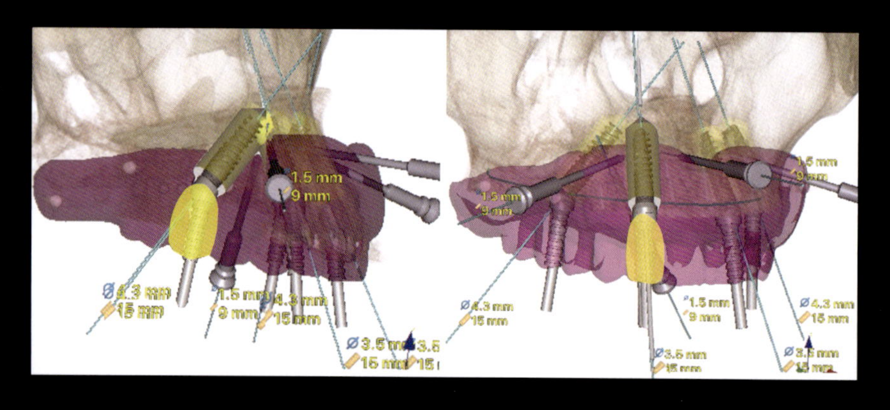

Fig 8　ノーベルクリニシャン（ノーベル・バイオケア・ジャパン）上で、あらゆる方向からマルチアバットメントとアクセスホールの位置を確認する。

重が可能となる（Fig 7）。今回は患者の希望する治療期間と外科的侵襲を考慮してプラン❷を採用した。また筆者は上顎の即時荷重の際、プライマリースタビリティ70N／ISQ値70を目安に埋入を行っている。その際、海綿骨のサポートのみでこの値を得ることができる骨質であれば、特にバイコルチカルサポートは行わず、過度に長いインプラントを用いることはない。

　インプラントポジションは骨内にしっかりと収まり、マルチユニットアバットメントが三次元的に歯牙の真下に位置し、かつテンポラリーシリンダーがラジオグラフィックガイドにあらかじめ付与したアクセスホールの穴に一致するようにプランニングしていく（Fig 8）。インプラントを傾斜埋入させ、角度付きマルチユニットアバットメントを使用する場合、特にシビアなプランが要求される。少しでもずれてしまうと審美性を失う結果となる。

外科part

インプラント埋入手術はダブルサージカルテンプレートを用いて行った[1] (**Fig 9**)。患者の口腔内にファーストテンプレートをセットする際に、ラジオグラフィックガイドをセットしてCT撮影を行った状態と同じ位置にサージカルテンプレートを位置させてアンカーピンを固定することができれば、プラン通りのインプラントポジションを得ることが可能である。ファーストテンプレートを外した後にフラップを開け、セカンドテンプレートをセットして実際にインプラントを埋入していく。

残存歯に対しては、Partial Extraction Therapy (PET) ／Pontic Shield TechniqueおよびSocket Shield Technique[2]を行い、顎堤の温存を図る(**Fig 10**)。角度付きマルチユニットアバットメントの高さを考慮し、インプラントの埋入深度に十分に注意を払う必要がある。浅過ぎるとマルチユニットアバットメントが見えてしまい審美性を損なう。当然Biologic Widthを無視した深過ぎる埋入も避けなければならない(**Fig 11**)。

インプラント埋入後、あらかじめ用意しておいたファーストプロビジョナルレストレーションを口腔内にセットする(**Fig 12**)。ファーストプロビジョナルレストレーションに最低限必要な要件は強度と清掃性である。強度を確保するためには、ファーストプロビジョナルレストレーションにキャストフレームを組み込んでおく必要がある。清掃性を確保し、軟組織に過度なプレッシャーを与えないように、エンブレジャーは大きく開けてポンティックはフラットにしておく(**Fig 13**)。

インサイザルエッジポジションはラジオグラフィックガイドで決めた位置であり、ファーストプロビジョナルレストレーションから最終補綴まで不変である。ファーストプロビジョナルレストレーションは軟組織にプレッシャーを与えないように調整することで、結果としてラジオグラフィックガイドの歯冠長よりも短くなるようにする(**Fig 14**)。その際、軟組織を牽引するように縫合を行う。

術前のプランニングと術後のCT画像を比較すると、計画通りの位置にインプラントが埋入されていることがわかる(**Fig 15**)。一つひとつのステップを確実に踏めば、精度の高いガイデッドサージェリーが可能となる。

術後のCT画像からも唇側骨が温存されていることがわ

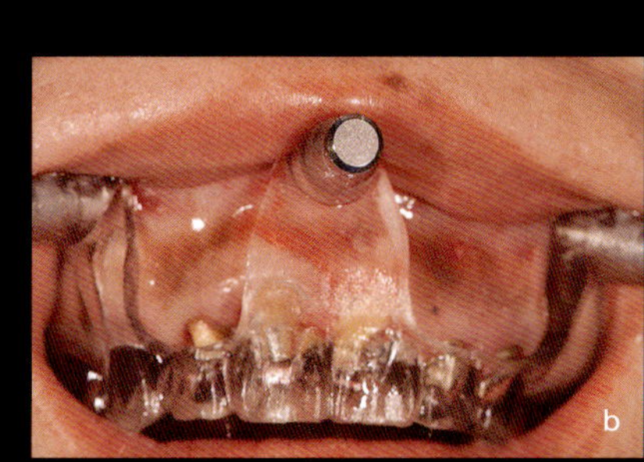

Fig 9a and b　サージカルテンプレートはラジオグラフィックガイドのコピーである。ファーストテンプレートは適合を確認しやすい形態にカスタムしている(**a**)。**b**はインプラント埋入用のセカンドテンプレート。

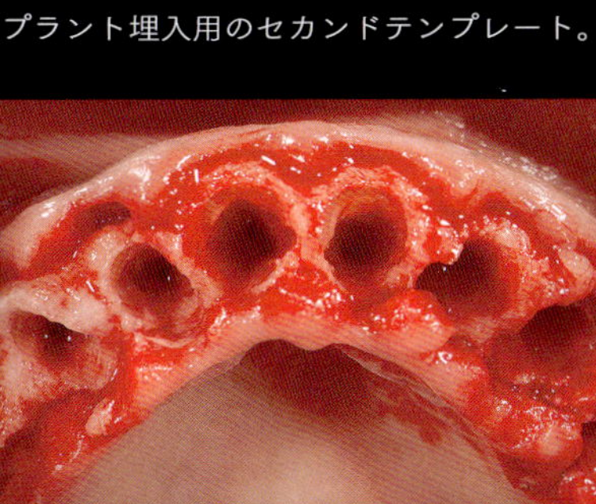

Fig 10　マイクロスコープ下でルートメンブレンを形成。

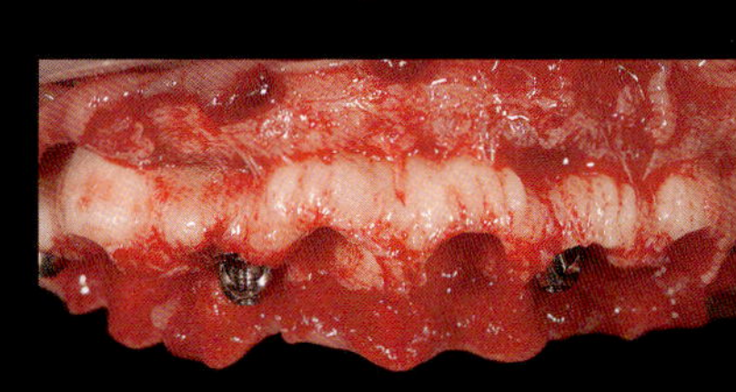

Fig 11a and b　インプラント埋入後、マルチユニットアバットメントを装着。

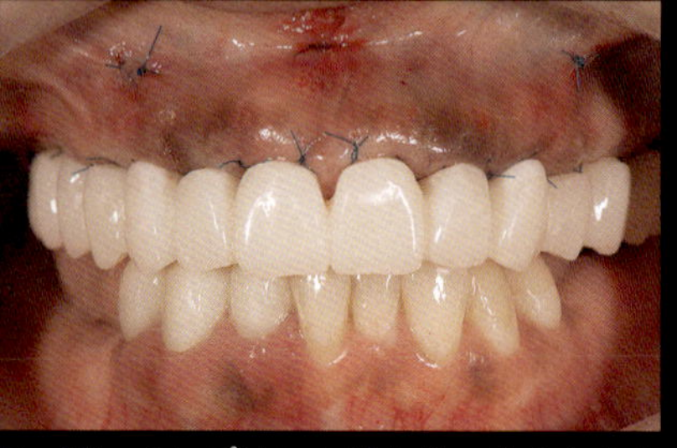

Fig 12　インプラント埋入後、あらかじめ用意しておいたファーストプロビジョナルレストレーションを口腔内にセットする。ファーストプロビジョナルレストレーションの強度を確保するために、キャストフレームを組み込んでおく。

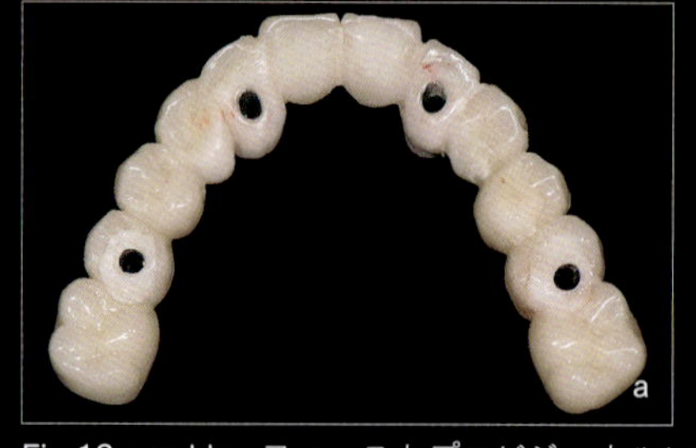

Fig 13a and b　ファーストプロビジョナルレストレーションの清掃性を確保して軟組織に過度なプレッシャーを与えないようにポンティックはフラットにしておく。

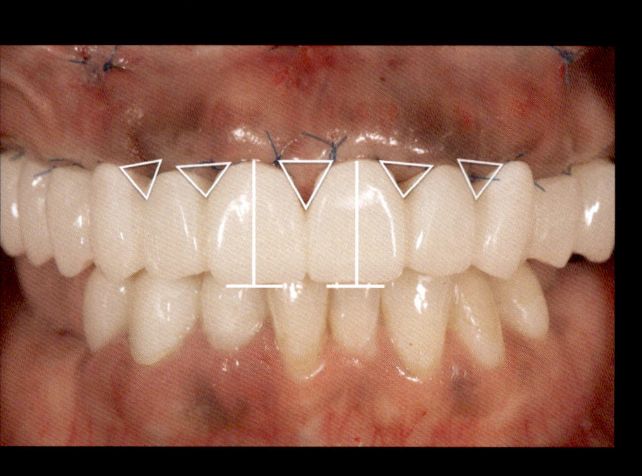

Fig 14　インサイザルエッジポジションはラジオグラフィックガイドで決めた位置であり、ファーストプロビジョナルレストレーションから最終補綴まで不変である。軟組織にプレッシャーを与えないように、ラジオグラフィックガイドの歯冠長よりも短く、エンブレジャーは大きく開けるように調整する。

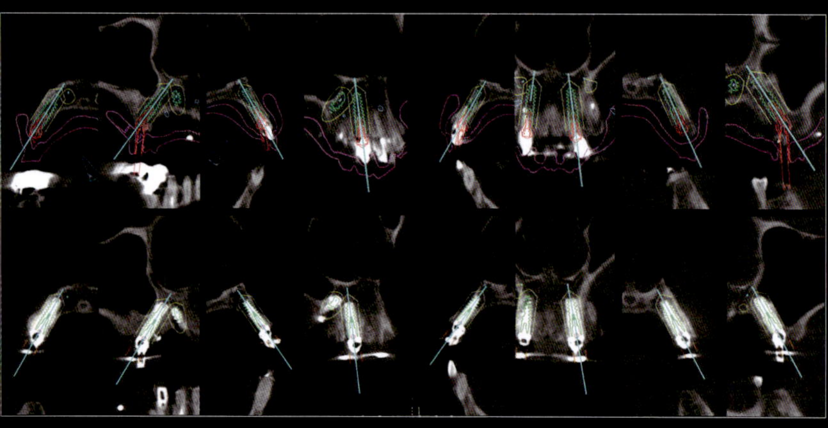

Fig 15　術後のCT画像。術前の計画通りの位置にインプラントが埋入されている。右上後方は顎堤が吸収しているためGBRを行った。

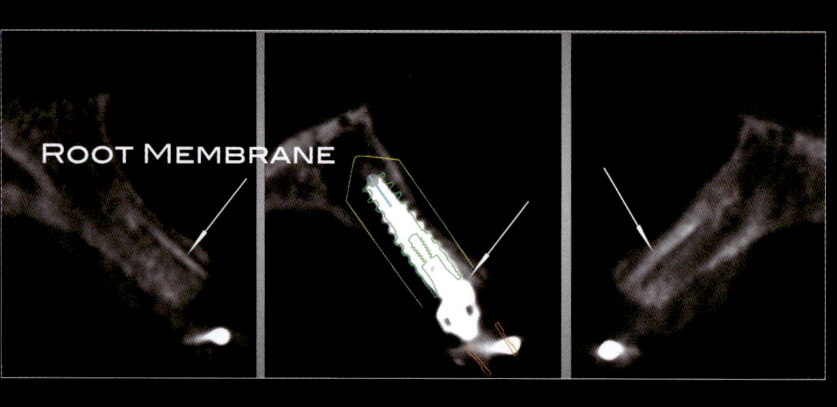

Fig 16　術後６ヵ月のCT画像。ソケットシールドテクニックにより唇側骨が温存されている。

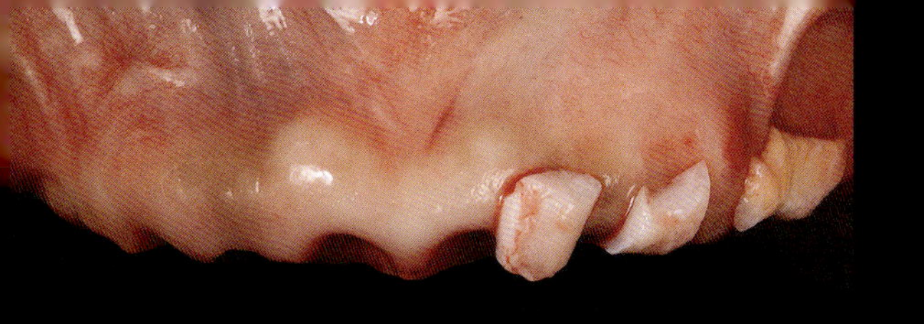

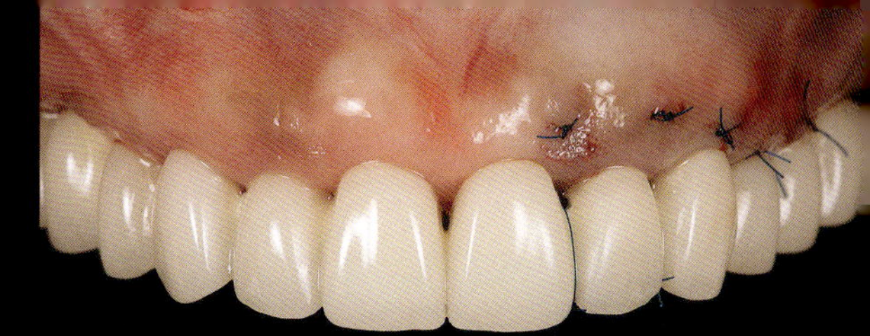

Fig 17a and b　筆者は全顎的な軟組織移植の場合、左右別々に行っている。限られた結合組織量で最善の結果を得るために、１回目の移植結果から軟組織の治癒力を把握したうえで、２回目のグラフト時に１回目のグラフトで足りなかった部分を補う。

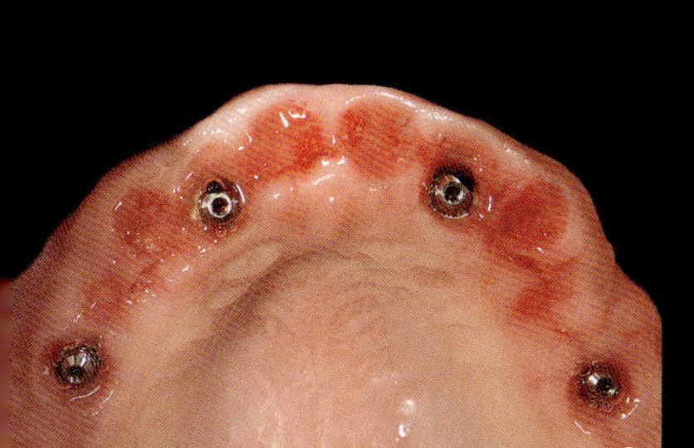

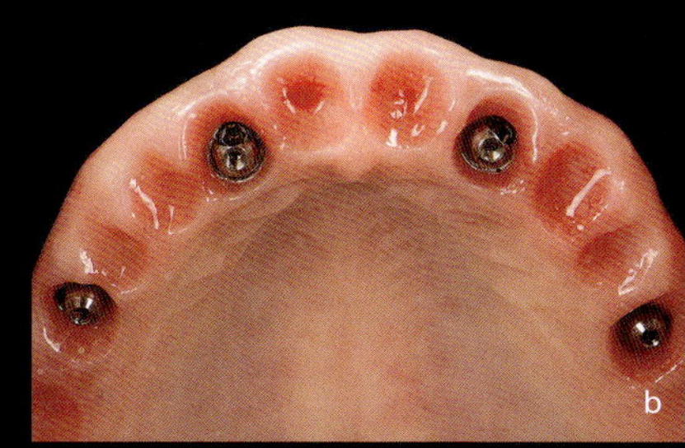

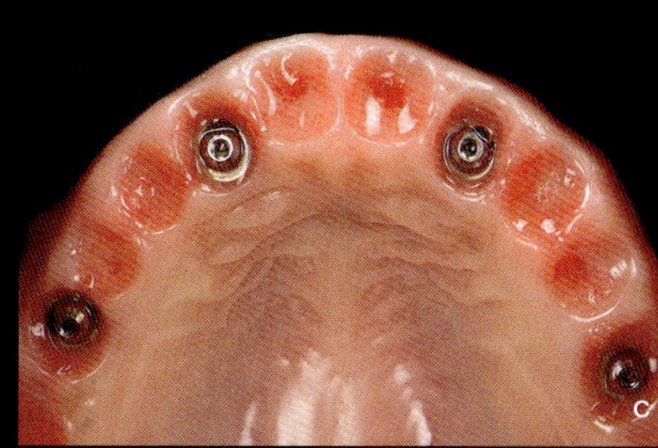

Fig 18a to c　a がファーストプロビジョナルレストレーション時、b がセカンドプロビジョナルレストレーション時、c が最終補綴物セット後の軟組織の状態。

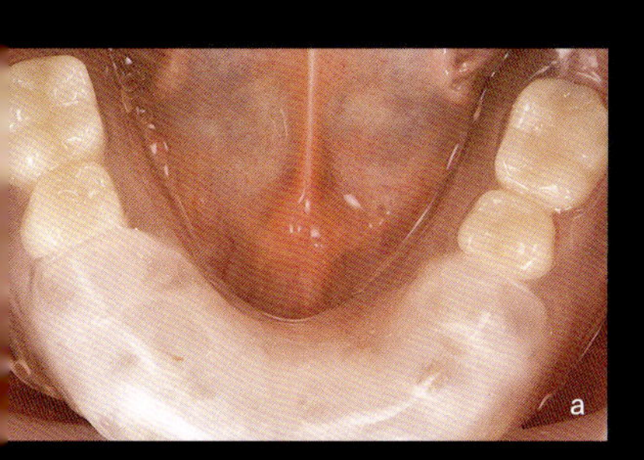

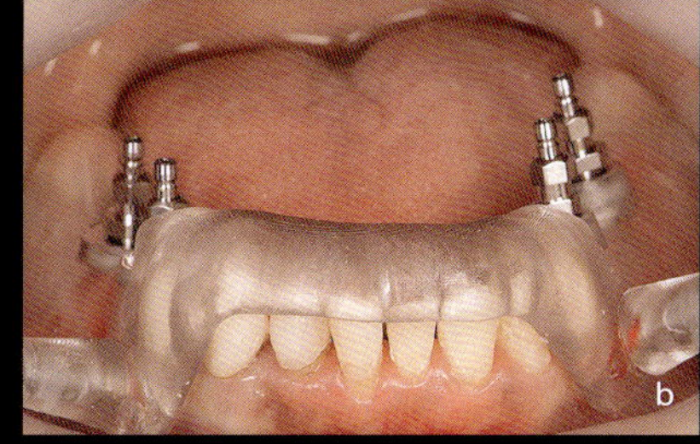

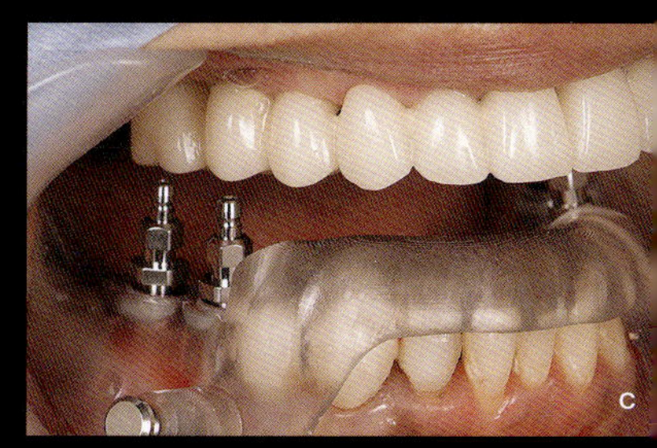

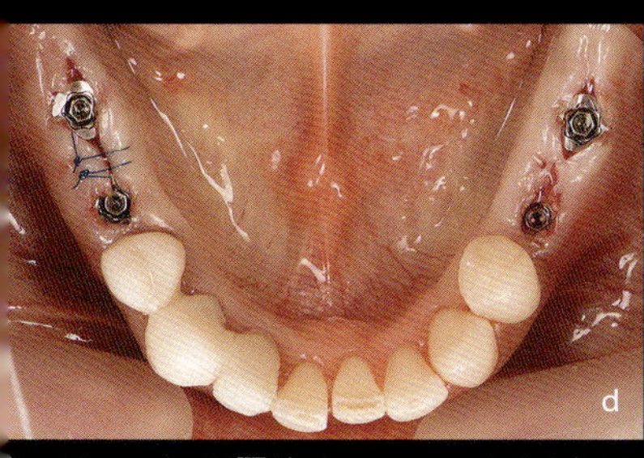

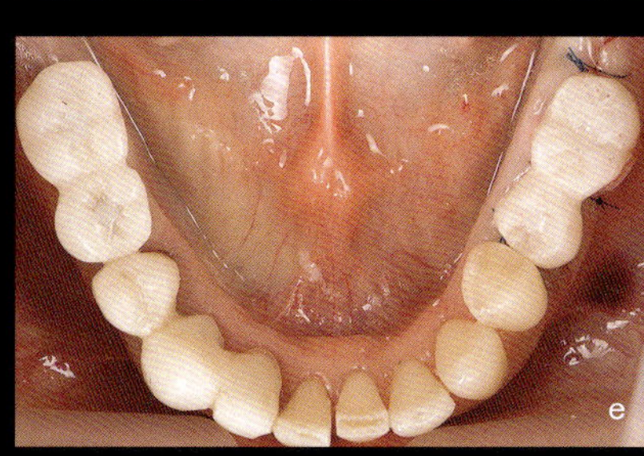

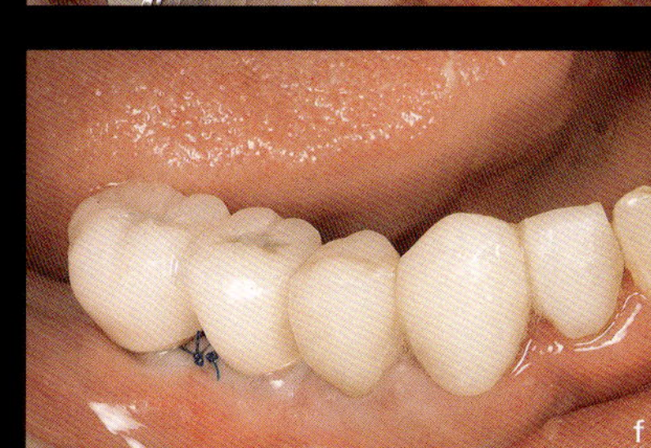

Fig 19a to f　下顎はノーベル・バイオケア・ジャパンのOn１ ベース・アバットメントを用い、即時荷重を行った。

かり、ソケットシールドテクニックの有効性が確認できる(Fig 16)。

オッセオインテグレーション獲得後、セカンドプロビジョナルレストレーションセットと同時にコネクティブティッシュグラフトを行う。セカンドプロビジョナルレストレーションは最終補綴を想定した理想的な形態で製作し、軟組織が足りない部位に結合組織移植を行う(Fig 17)。

その後、軟組織の治癒を待ち、セカンドプロビジョナルレストレーションを調整してガムスカルプティングを行った後(Fig 18)、最終補綴物製作に移行する。下顎臼歯部のインプラント治療および前歯部のアライナー矯正等は、上顎最終補綴物製作前に行っている。

1．FINAL WAX-UP：ファイナルワックスアップ

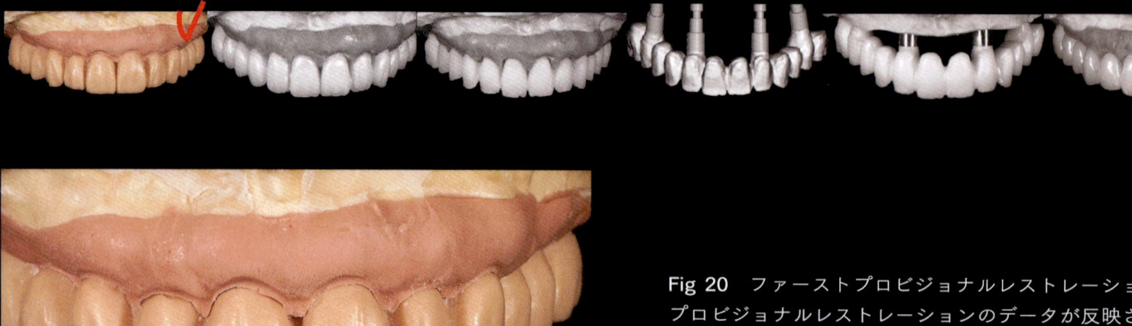

Fig 20　ファーストプロビジョナルレストレーション、セカンドプロビジョナルレストレーションのデータが反映されたワックスアップ。基本的にはセカンドプロビジョナルレストレーションの形態をブラッシュアップしてコピーすることが多い。エッジポジション・カントゥア・咬合など、セカンドプロビジョナルレストレーションのフォームを正確に再現する。

2．RESIN UP：レジンアップ

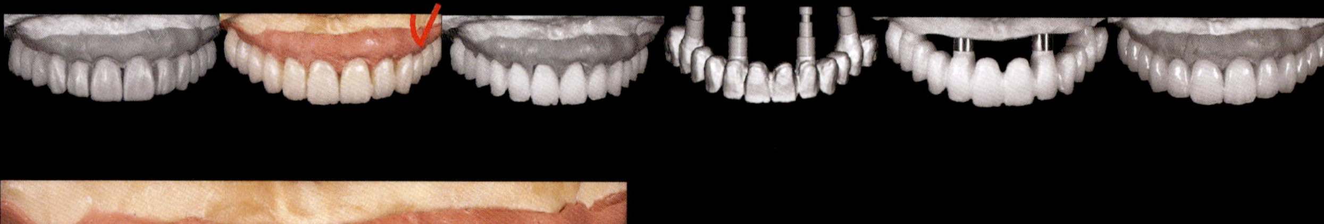

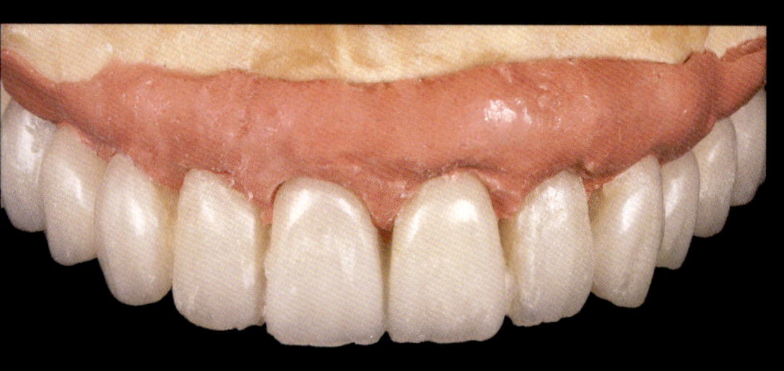

Fig 21　ファイナルワックスアップをサックダウンコピーしてレジンに置き換える。CAD/CAMによるスキャンのための作業ではあるが、われわれのチームではこのレジンを患者の口腔内に装着して最終的なフォームチェックを行う。昨今のCAD/CAMの再現性の高さに合わせるため、より細やかな細部の再現が必要になる。ゼニスやコンケイブなどのフォームのみならず、インプラント部の粘膜面からの立ち上がり、ポンティック部のオベイト形状、S字状のシェイプなど、ほぼファイナルの形状を与える。

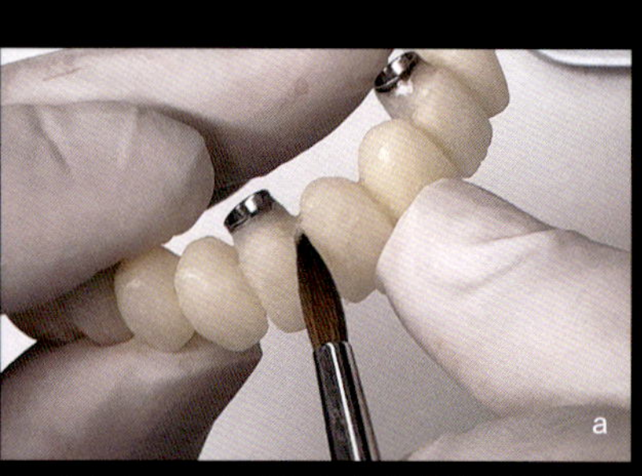

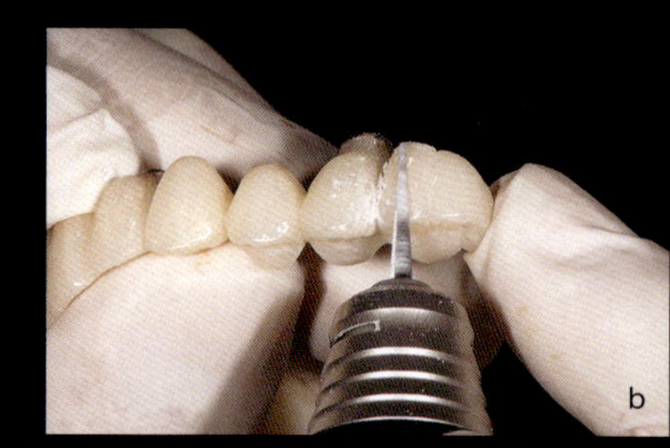

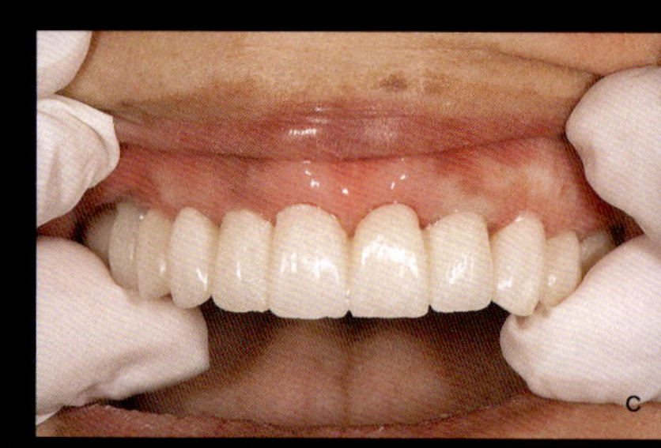

Fig 22a to c　レジンにより再現されたフレームを口腔内にて試適する。歯科医師・歯科技工士・患者による細部のチェックにより、より完成度の高いスキャンフレームに仕上げていく。

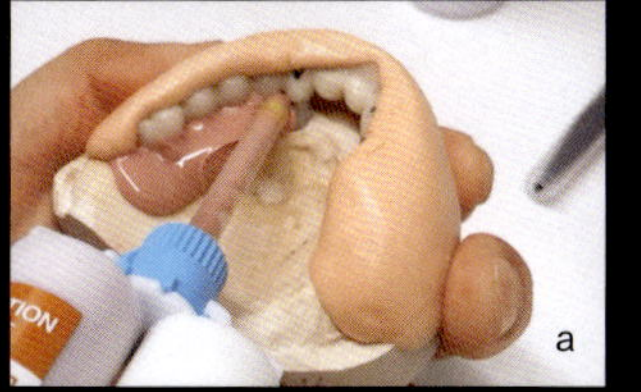
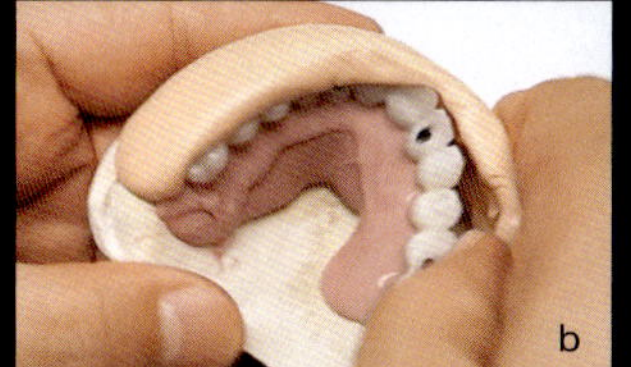
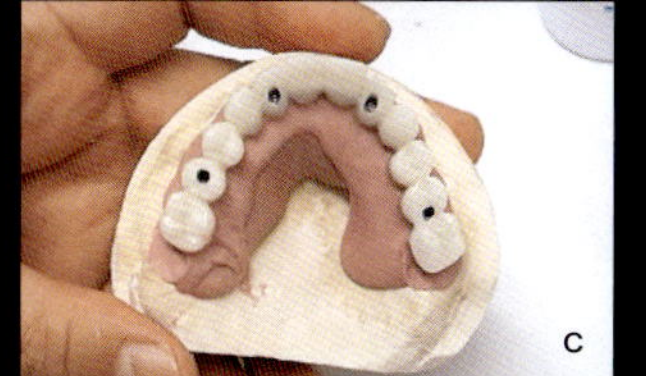
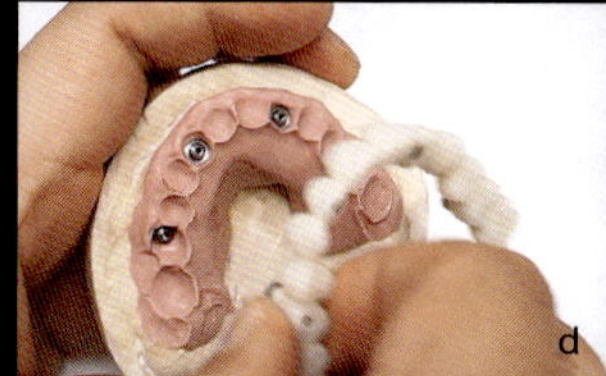

Fig 23a to d　最終レジンフレームを口腔内から外してインプラント模型に装着する。作業用ガム材を取り外して新たにガム材を填入することにより、口腔内のインプラント部粘膜貫通部の立ち上がりおよびポンティック部のオベイト形状を正確に模型にトランスファーする。粘膜部の形状は刻々と変化するため、現状ではシリコーンなどでの印象や口腔内スキャナー（IOS）などでの再現が不可能であるため、必ずこの作業が必要となる。セメント固定式の設計ではこの作業が難しい。スクリュー固定式上部構造の利点といえる。

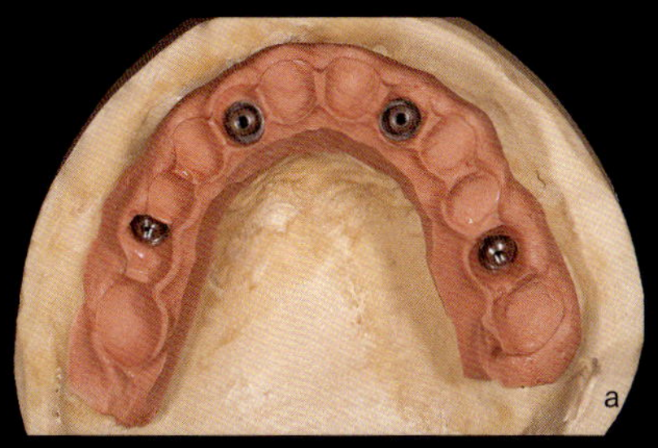
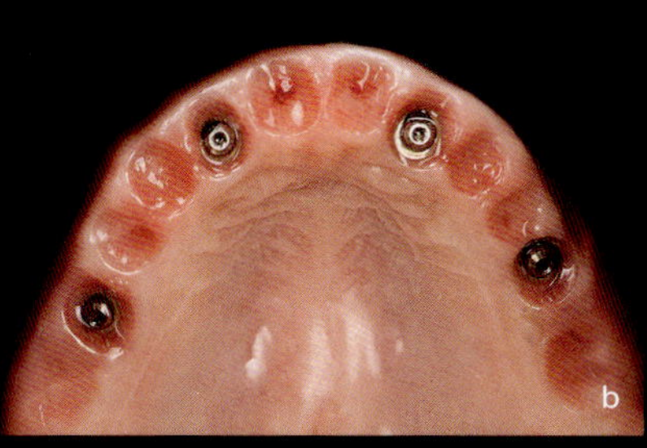
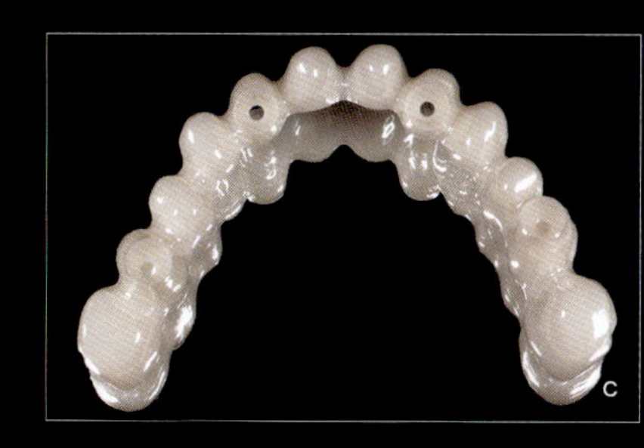

Fig 24a to c　レジンフレームによる口腔内の粘膜面のコピー。

3．RESIN FRAME CUT BACK：レジンフレームカットバック

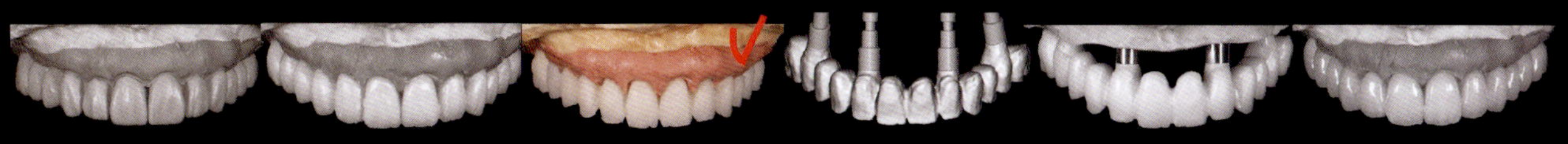

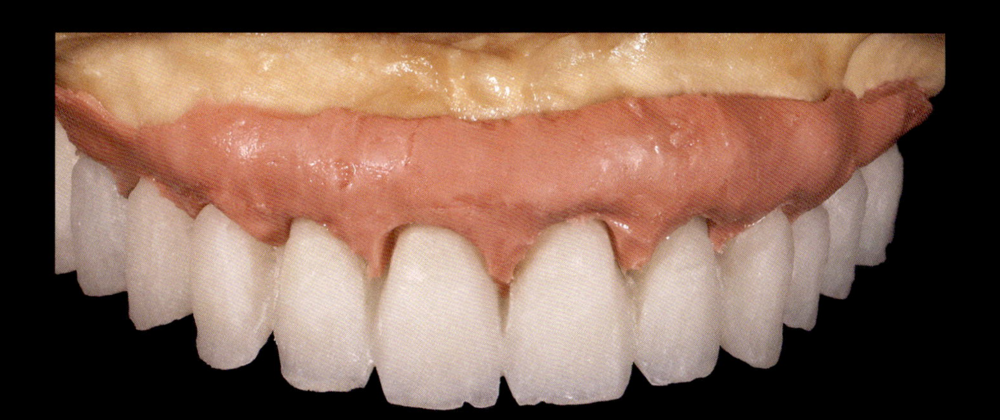

Fig 25　陶材を一切築盛しないモノリシックタイプのジルコニアデザインの場合は、カットバックせずにトライしたフレームをCAD/CAMによりスキャンする。本症例では表層に一層トランス陶材を築盛したデザインにするため、唇頬側に少量のカットバックを行う。切端・咬合面・ポンティック部・舌側には陶材を築盛せず、ジルコニア単体で再現する。陶材とジルコニアでは光の屈折率が異なるため、このようなデザインの方が審美的に優位であろうと考える。目に見えない部分に関しては、ジルコニアの強度・物性を優先するため、積極的にジルコニアを露出させる。

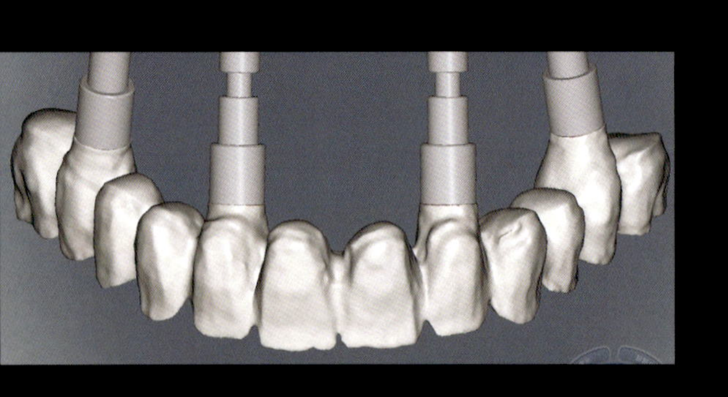

Fig 26　カットバックしたレジンフレームをスキャナーによりスキャンする。昨今のスキャナーの再現性は非常に高い。よってレジンフレームの再現率も必然的に高くなる。粘膜面・切端・下部鼓形空隙などのポイントが正確に読み込まれているのが確認できる。

5．ZIRCONIA FRAME：ジルコニアフレーム

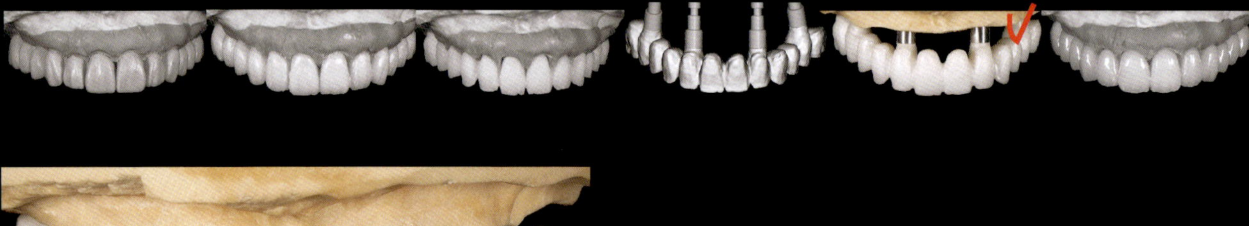

Fig 27　加工機により削り出されたジルコニアフレーム。スキャン時の画像と比較してもわかるように、ほぼ同じ形態でミリングされている。

6．TRY IN：口腔内フレームトライ

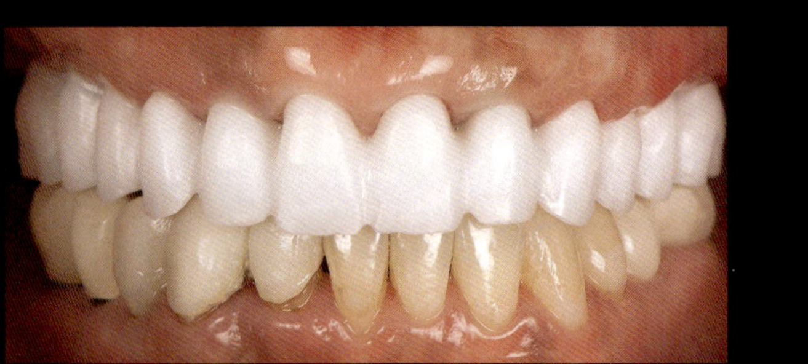

Fig 28　削り出されたジルコニアフレームを患者の口腔内に試適する。基本的にベリフィケーションジグ等を用い、口腔内の正確なインプラントポジションを作業用模型にトランスファーして作業を進めているが、さらなる確認のため必ず試適を行っている。このステップを行わないチームもあるようだが、何か不具合があった場合、完成前ならこの前のステップに戻ることが容易である。試適はエックス線画像による確認も同時に行う。

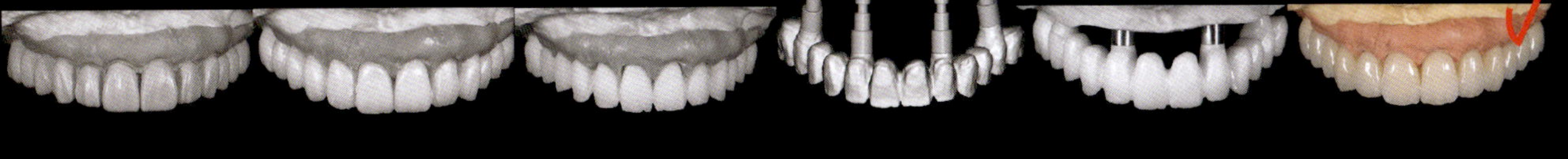

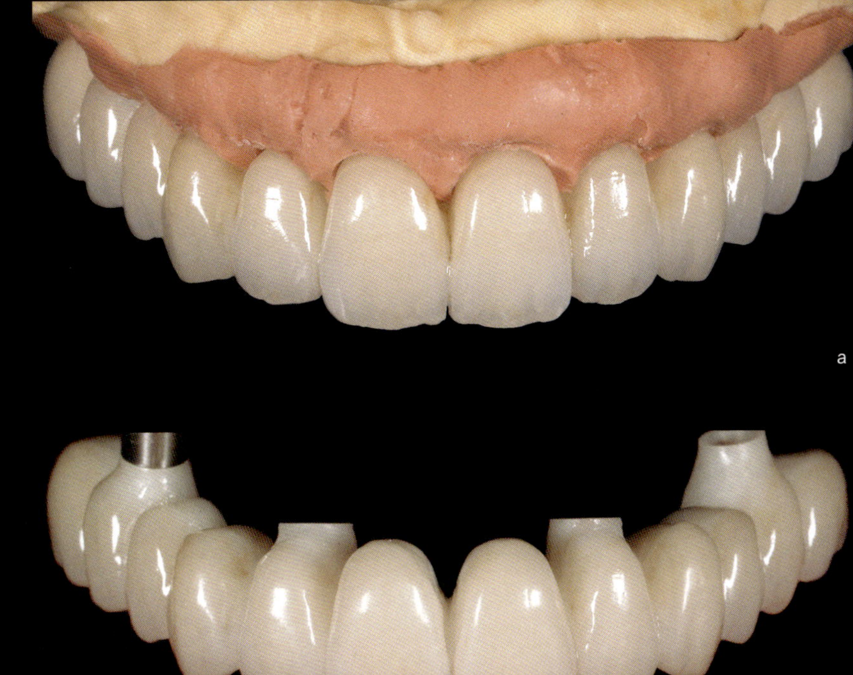

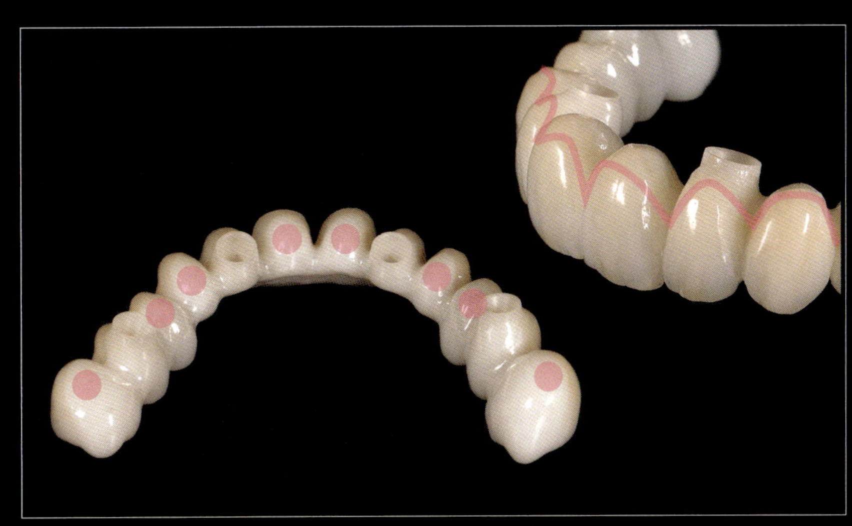

Fig 29a and b　唇頬側部に陶材を築盛して完成となる。インプラント粘膜貫通部およびポンティック部はジルコニア単体で再現されている。

8. PONTIC & S SHAPE PROFILE：ポンティックとS字状シェイプ

Fig 30　ポンティック部は通常オベイト形態を付与する。われわれのチームは人工歯肉形態に関しては浅いオベイトすなわちシャローオベイトの形態を付与することが多い。歯冠形態に関してはプロビジョナルレストレーションによりその形態および深度をコントロールしていく。プレスするポイントは骨頂、すなわちインプラントが埋入されたポジションと同等の箇所である。唇頬側のサブジンジバルカントゥアの形状は基本的にレスカントゥアで立ち上げ、S字状のシェイプを与える。本症例ではさらに少量のS字状のシェイプを２段階に付与している。

9．CONTOURING：形態修正

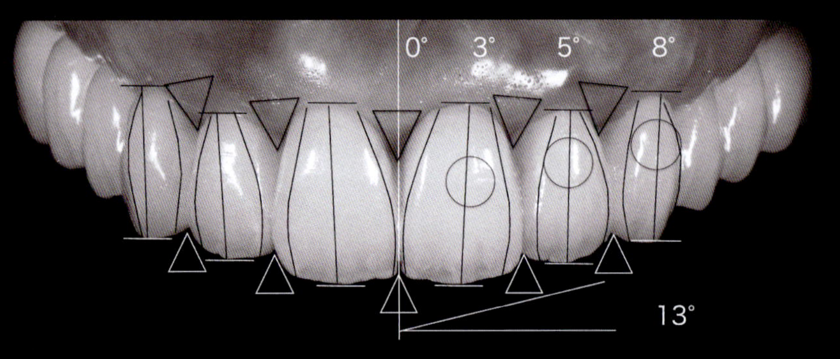

Fig 31　通常、症例の大小にかかわらず、細部の形態修正が必要になる。無論ファーストトライにて問題なく装着される場合もあるが、より完成度を高めるために細部の修正が必要になるのではないだろうか？エッジポジション、ラインアングル、下部鼓形空隙およびインサイザルエンブレジャー、臼歯に連なるカントゥア、バッカルコリドーなど、トライ時に写真撮影してPC上で確認していく。

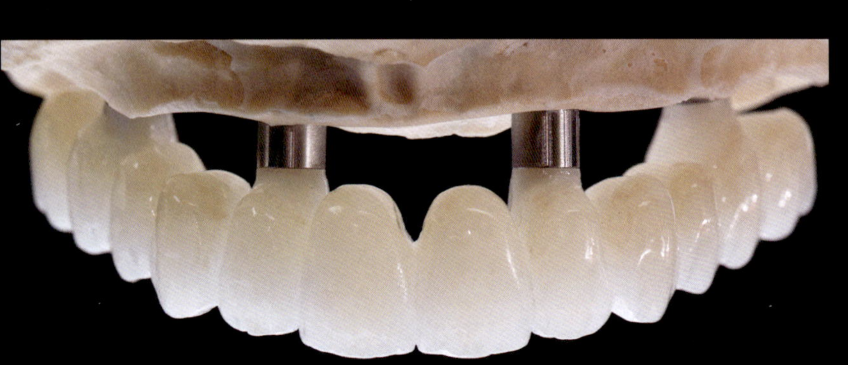

Fig 32　４層のマルチレイヤーディスクを使用。ジルコニアの進歩により、インプラント補綴は大きく変わった。

術後

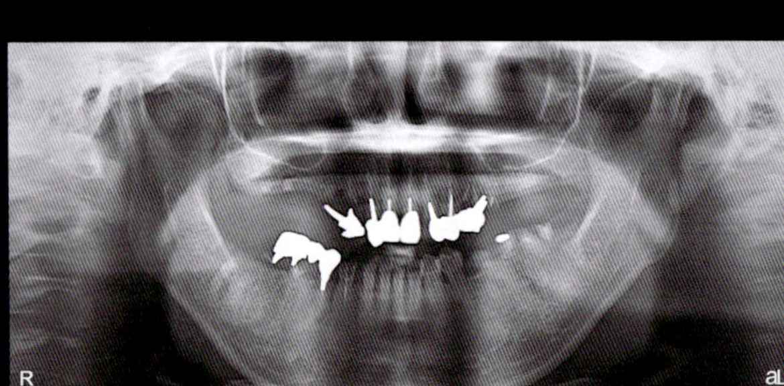

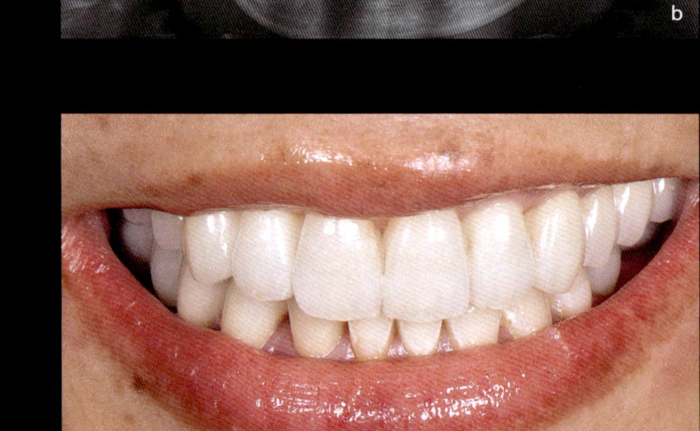

Fig 33a and b　術前(a)と術後(b)のパノラマエックス線写真。

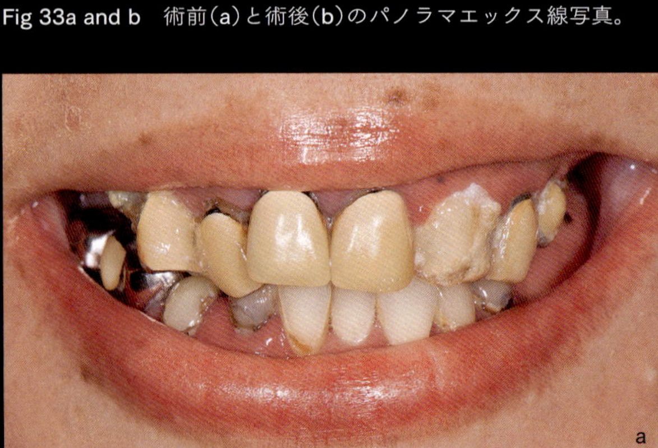

Fig 34a and b　術前(a)と術後(b)の口元。

Fig 35　患者は「人前で大きな口を開けて笑顔で笑えるようになり人生が変わった」と満足している。

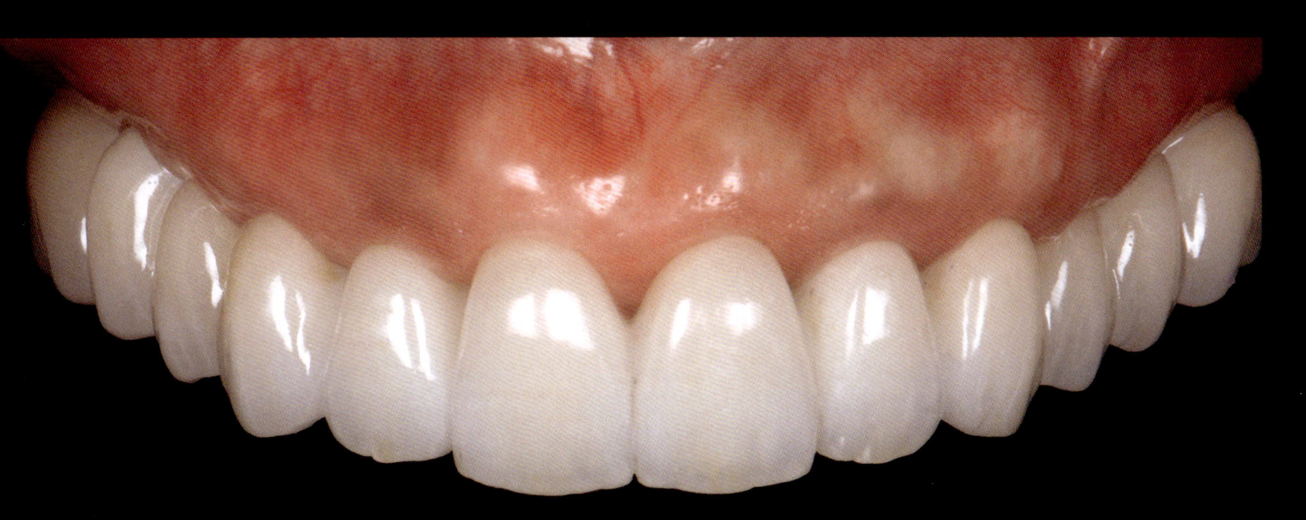

Fig 36　軟組織と調和した審美的なブリッジ。どこにインプラントが埋入されているかまったくわからない。

Fig 37　左からチーフ歯科衛生士、歯科医師（橋村）、患者、歯科技工士（志田）。

結語

橋村吾郎

筆者が2001年にインプラント治療を始めてから18年ほど経ったが、歯科を取り巻く環境は大きく変わり、ここ数年はその進歩のスピードに驚かされる。特にインプラントロジーはCAD/CAMとCT、インターオーラルスキャナーに代表されるデジタルとマテリアルの進化により飛躍的に進歩した分野のひとつではないだろうか。

マテリアルにおいては、特にジルコニアの進化がインプラント補綴を大きく変えた。今回供覧した歯冠形態のみのボーンアンカードブリッジは、マルチレイヤードディスクを用いてカラーリングを施すことで審美性の確保と取り扱いやすい補綴物の提供が可能となった。

スクリューリテインによる補綴物を計画する場合、インプラント埋入後のアクセスホールやトゥースポジションの変更は不可能であり、術前の補綴物の設計やインプラントポジションの計画がきわめて重要である。また、治療計画を立案する段階でジルコニアの特性を把握したうえで慎重に治療を進める必要がある。そうでなければセット後に容易に補綴物は壊れてしまい、治療は失敗に終わるであろう。

近年、情報化社会の発達により、患者の要求も非常に高いものとなった。その要求を確実に満たすために、より多くの知識やスキルが必要になることは当然である。近い将来、治療計画の立案から最終補綴物製作までのすべてのプロセスにおいて、AIの介入や一気通貫のデジタル治療が可能になるであろう。過渡期まっただ中である現在、その流れに乗り遅れてはならないと筆者は考えている。

志田和浩

現在われわれのチームでは最終上部構造のフレームマテリアルとしてジルコニアを選択することが多い。その理由として、ジルコニアのもつ安定性・生体親和性・強度・対菌性・清掃性などが挙げられる。

現在歯科で使用されるジルコニアは大きく5種類のタイプに分類される。従来型TZP(3Y-HA)、高透過性TZP(3Y)、PSZ(4Y)、PSZ(5Y)、PSZ(6Y)である。ご存知のようにジルコニアはイットリアの含有量により、その強度(約500MPa～1,200MPa)および透光性が異なる。強度の違いによってそのハンドリング(調整・研磨など)にも注意が必要になる。特にPSZ(6Y)に関しては、調整中にクラックが入らないように専用のポイント類を用い、細心の注意を払う必要がある。

またモノリシック(フルジルコニアタイプ)と陶材を築盛するタイプでは、フレームデザインや調整方法を変えなければならない。しかし、モノリシックでも陶材を築盛するデザインでも、その焼成スケジュールと仕上げにかかる時間はなんら変わらない。フレームの大きさによっては、シビアな温度管理と3時間を超える焼成時間が必要となる。ステインのみの仕上げであろうが、陶材を築盛する仕上げであろうが、ステップとコストは同じである。さまざまなマテリアルが選択可能な現在だからこそ、歯科医師・歯科技工士・デンタルスタッフを含めたチーム全員の、ジルコニアをはじめとしたマテリアルの物性に関する熟慮が求められる。

参考文献

1．中村社綱，三好敬三(監著)．ガイデッドサージェリー　プランニング・サクセスマニュアル 10年の蓄積に基づくそのノウハウのすべて．東京：インターアクション，2018.

2．Ganz SD, Tawil I, Mitsias ME. The Root Membrane Concept: In the Zone Withthe "Triangle of Bone". Dentistry Today 2017；36(10)：80-86.

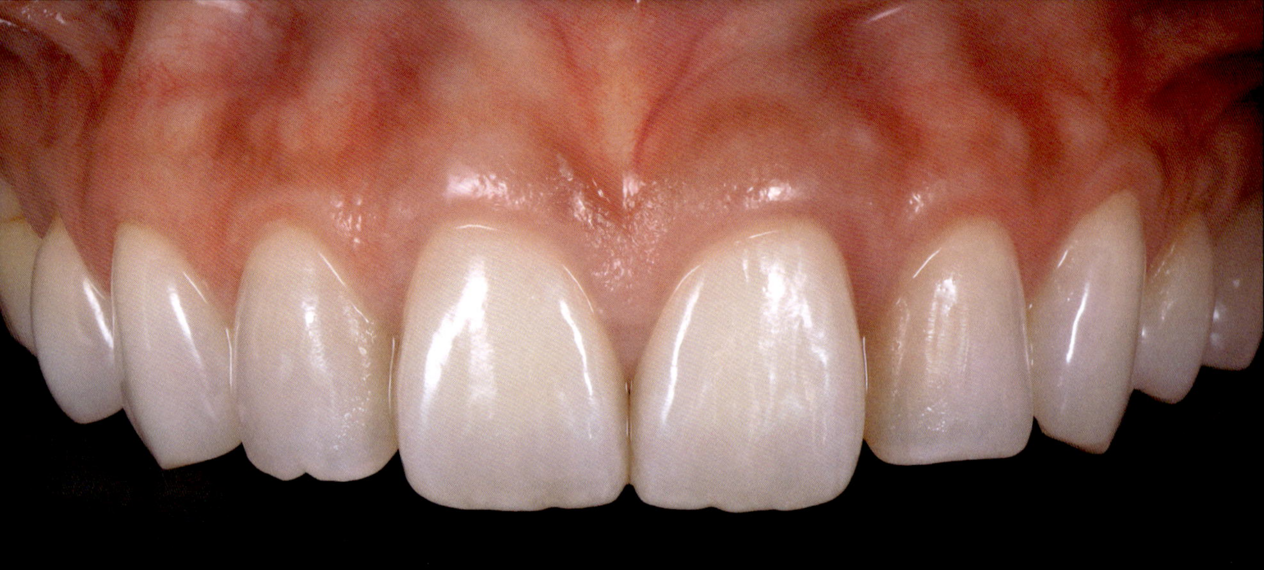

-Control of gingival level-

The viewpoint from dental technician

Kinjiro Seki, RDT

Seki Kinjiro syouten

はじめに

補綴治療を行う上で大切なことは包括的な治療計画を立案すること、およびその計画に沿ってあらゆる治療技術、知識を尽くすことである。しかし、すべての条件をクリアして最適な治療を行い、最高の補綴を提供できるケースは少ないと言っていいのではないだろうか。

さまざまな条件の中で補綴治療後の歯肉審美を獲得するために、前処理として歯周組織の環境を整備するための治療は重要である。しかし、歯周組織への外科処置や矯正治療をともなう環境整備を行うには歯科医師の外科的・矯正的技術が必要であり、また患者自体が外科や矯正治療を許容する必要がある。治療判断はチーム医療の長である歯科医師に委ねられるため、われわれ歯科技工士はあらゆる口腔内環境で補綴装置製作を行うことが求められる。

本稿では、さまざまな口腔内環境の中でもインプラント治療を含む確定的外科処置や矯正治療をともなわない条件下において、どのような点に考慮して歯科技工士として治療に携わることで歯科医師や患者が求める結果を出せるのかを考えていきたい。

補綴装置と辺縁歯肉の調和

歯冠を製作する歯科技工士にとって、歯冠形態の研究などは過去から盛んに行われてきた分野であると言える。しかし、それに接する歯周組織への配慮は生体に調和するための鍵であり歯冠形態と等しく重要であるものの、周辺組織を理解して補綴装置装着後にどのような反応をするのかを経験から学ぶには多くの時間を費やして口腔内を観察する必要があり、模型を相手にしている歯科技工所内のみでそれを学ぶのは困難であると考える。また、口腔内環境を整備・確定することはプロビジョナルレストレーションにより行われ、ラボサイドにその情報を正確に伝えることが歯科医師には求められるのであるが、仮に歯科技工士が歯冠形態や周辺組織などの確定資料等を提供されたとしても歯科技工士側に知識がなければ意味のない情報となってしまう。逆に、不確定な資料や足りない情報の中でも、知識があればカバーできる部分は多いと考える。

歯科技工士としても周辺組織に対する基礎知識として、①Dentogingival Complex「歯冠を含めた周辺組織の解剖関係であり、歯間乳頭などの回復に役立てられる」、②Biologic Width「生物学的幅径。フィニッシュラインの設定など機械的侵襲の基礎」、③Biotype「個々の歯槽骨と歯肉の

周辺組織で知っておきたい基礎

①Dentogingival Complex（歯冠を含めた周辺組織の解剖関係）
②Biologic Width（生物学的幅径）
③Biotype（歯槽骨と歯肉の厚みや高さ）
④Gingival Frame（歯肉縁の位置や形態の連続性）
⑤歯肉の炎症について
など

Fig 1 周辺組織で知っておきたい基礎（参考文献1、2より引用）。

補綴治療における周辺組織への配慮事項
1．歯列のアーチフォーム
2．歯牙の位置関係
3．歯軸
4．歯冠形態
5．フィニッシュラインの設定位置
6．エマージェンスプロファイルの形態
7．Biotype
8．Zenith Point（歯肉縁の位置）
9．歯根間距離
など

Fig 2　補綴治療における周辺組織への配慮事項（参考文献1、2より引用）。

辺縁歯肉との調和阻害因子
1．不適合
2．縁上のオーバー／アンダーカントゥア
3．サブジンジバルカントゥア形態と表面性状
4．生物学的幅径の侵襲
5．炎症
6．生体不親和性材料
など

Fig 3　辺縁歯肉との調和阻害因子（参考文献1、2より引用）。

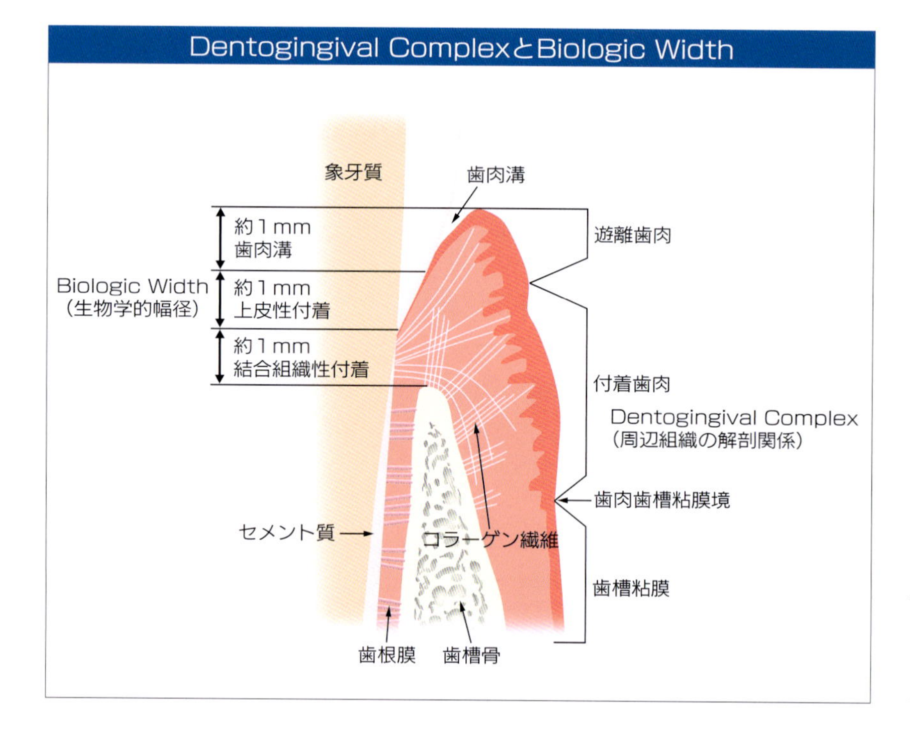

Fig 4　①Dentogingival Complex（歯冠を含めた周辺組織の解剖関係）と②Biologic Width（生物学的幅径）。周辺組織の基礎。これを考慮した侵襲・修復を行うことにより、生体との調和が得られる（参考文献3より引用して作図）。

厚みや高さを示すタイプ」、④Gingival Frame「歯肉縁の位置や形態の連続性などの審美的基準」、⑤歯周組織の炎症の仕組み、などは押さえておきたい（Fig 1）。

その知識に加えて、補綴装置製作時に配慮すべき点（Fig 2）と阻害因子（Fig 3）を踏まえた補綴装置の製作が必要である。なかでも審美的要素を回復するためのGingival Frame（歯肉の審美評価基準）により近づけるため、カントゥアガイドラインやフィニッシュラインの設定からなるエマージェンスプロファイルの形態は直接辺縁歯肉と接する箇所であることから、Biotypeによって異なるZenith Pointなどを決定するために重要な要素となる。

Biotype

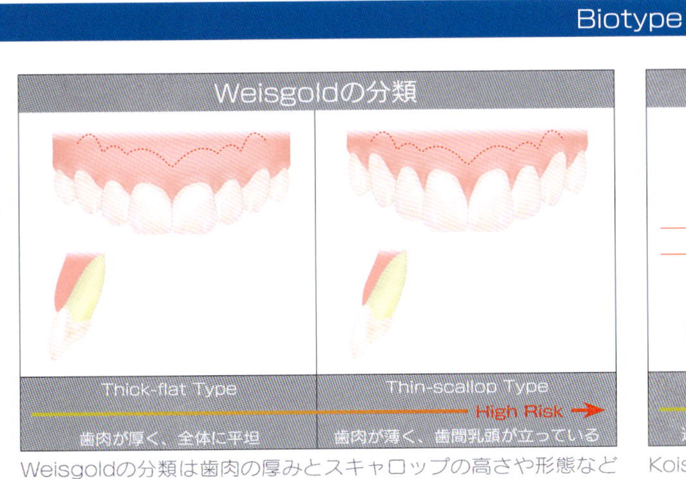

Weisgoldの分類は歯肉の厚みとスキャロップの高さや形態などの特徴で分類している(参考文献4、5より引用して作図)。

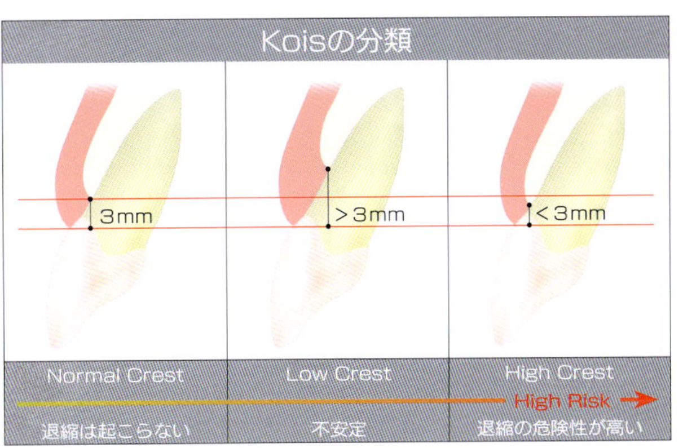

Koisの分類は歯周組織を骨頂の高さで分類している。High Crestのリスクがもっとも高いとされている(参考文献6〜8より引用して作図)。

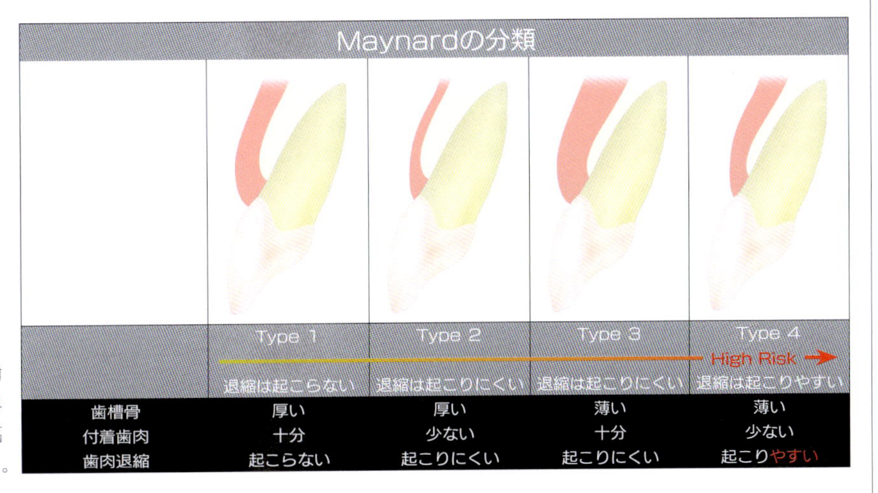

	Type 1	Type 2	Type 3	Type 4
歯槽骨	厚い	厚い	薄い	薄い
付着歯肉	十分	少ない	十分	少ない
歯肉退縮	起こらない	起こりにくい	起こりにくい	起こりやすい

Maynardの分類は歯周組織を歯肉と歯槽骨の厚みで分類している。Type 1〜4まであり、数字が大きいほどリスクが高くなる(参考文献8、9より引用して作図)。

Fig 5　③Biotype(歯槽骨と歯肉の厚み高さ)の分類を3つ示す。Biotypeは歯槽骨や歯肉に適度な厚みを有するタイプが安定していると考えられ、逆に歯槽骨や歯肉が薄いタイプはハイリスクであると言える。

Gingival Frame

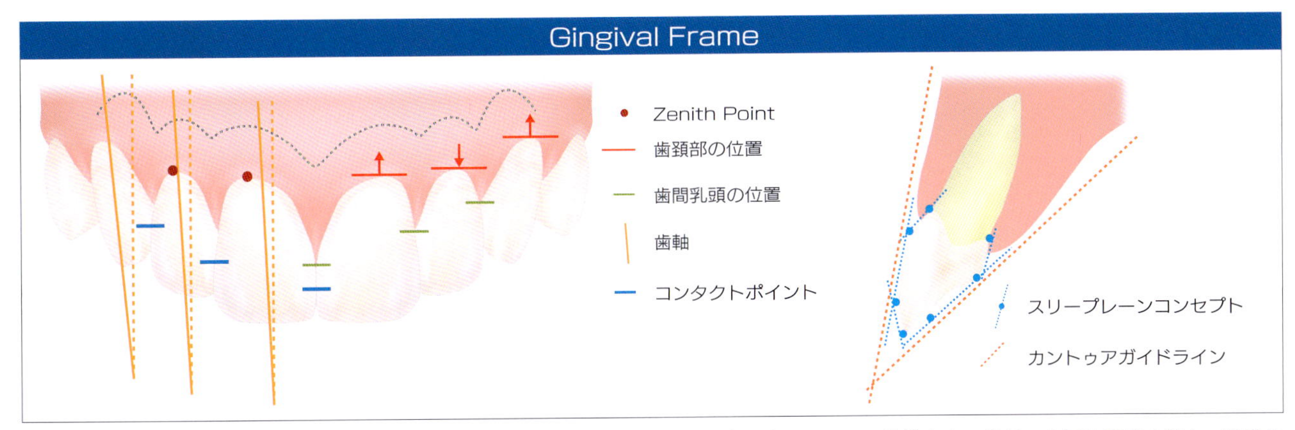

Fig 6　④Gingival Frame(歯肉の審美評価基準、歯肉縁の位置や形態の連続性)。審美における基準となる指針。今回は歯牙の細かい基準は示していないが、歯肉に関してこれらのポイントや位置、ラインを考慮して反映させることにより、歯周組織に調和した美しい補綴装置を製作することが可能となる(参考文献1、2、10〜13より引用して作図)。

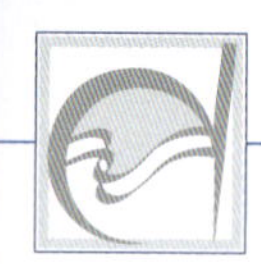

補綴治療における周辺組織への配慮

補綴治療において、患者固有の歯列のアーチフォームの中にある歯牙（歯根）の位置や歯軸がどのようになっているのか、またそのズレなどを歯冠形態でどこまで回復することが可能なのかは、前述した個々のBiotypeや歯根間距離などに大きく左右されるが、フィニッシュラインの設定位置によりその自由度は大きく異なる（Fig 7）。歯肉縁下深いマージン設定ほど補綴での自由度は上がり、エマージェンスプロファイルの形態によりZenith Pointの設定などの周辺組織のコントロールが可能になる。しかし、周辺組織に関しての配慮が足りない場合、生物学的幅径への過度な侵襲や周辺組織の破壊、印象採得の高難度化、補綴装置装着時のリスクの上昇、などが考えられる。

周辺組織に影響を与えにくい補綴装置としては、歯肉縁や歯肉縁上にマージン設定をしたラミネートベニアなどが挙げられるが、形態に関しての自由度が低くなるため、形態の変化を与える場合には部分的にマージンを縁下に設定しなければならないケースもでてくる。逆にインプラントのように縁下の深い位置にフィニッシュラインを設定する補綴装置は自由度が高くなるものの、その難度とリスクは高くなる。

インプラントを含む確定的外科処置や矯正治療を行うことにより、患者が本来もっているリスクが高いBiotypeからリスクが低いBiotypeに変化させて補綴環境を整えることも可能ではある。しかし、今回はもっとも一般的な外科治療・矯正治療をともなわない条件下で補綴装置を製作したケースに対して、症例を通して筆者の考えとそれを模型と補綴装置にどのように反映させているのかを紹介したい。これらは筆者の日々の臨床の積み重ね、医院内技工での経験、立ち合いなどによってチェアサイドから得た情報、スタディグループなどで学んだ知識などがベースとなっている。

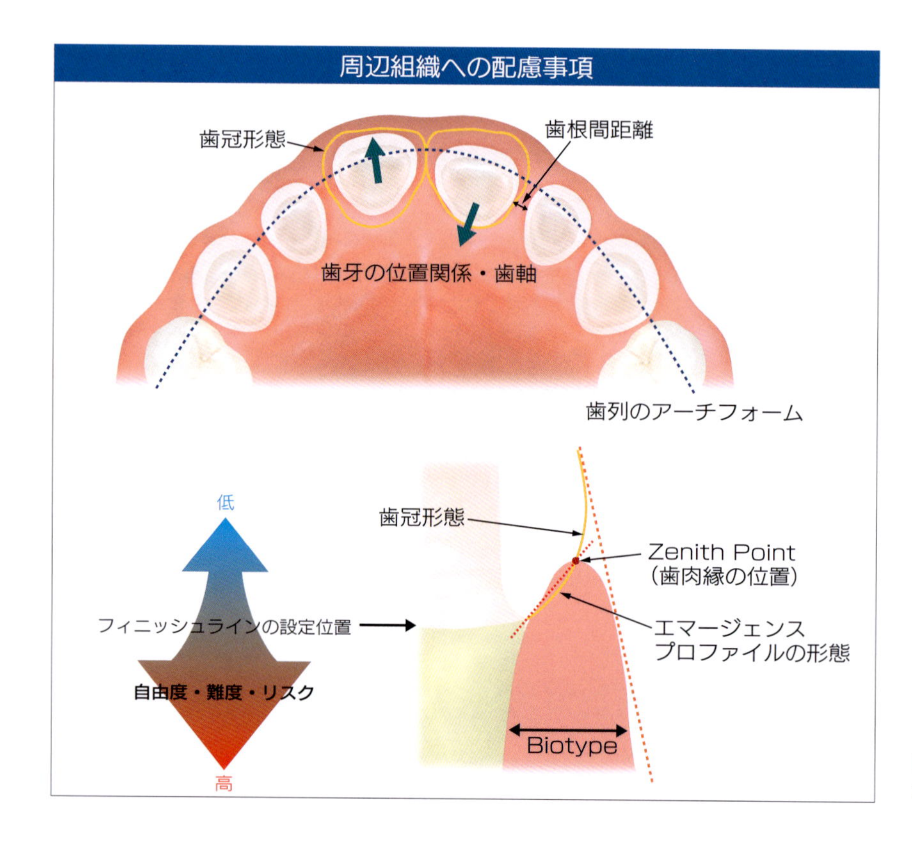

Fig 7　補綴治療における周辺組織への配慮事項（参考文献1、5、12より引用して作図）。

上顎両側中切歯のフィニッシュラインの高さが異なる症例

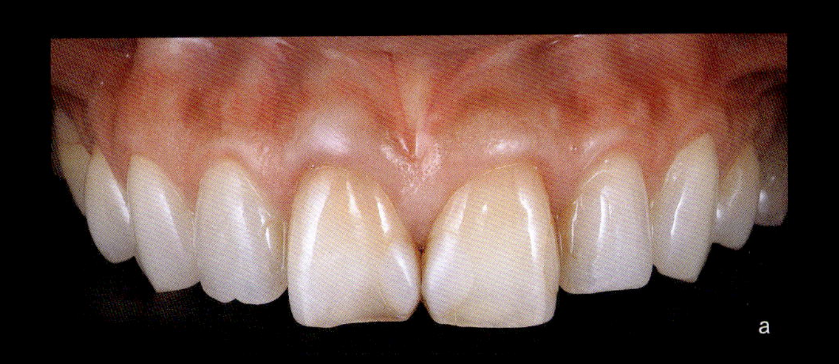

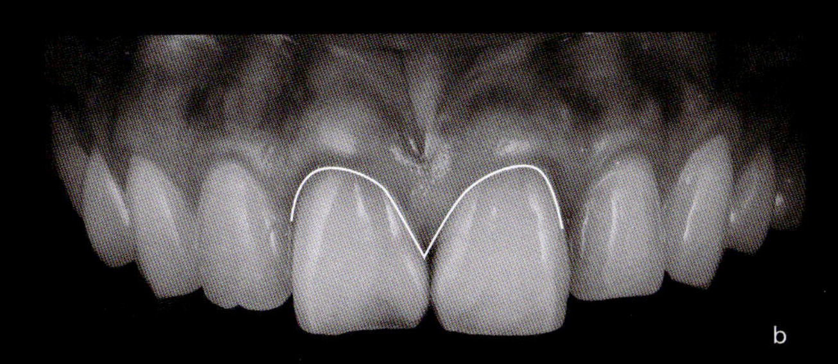

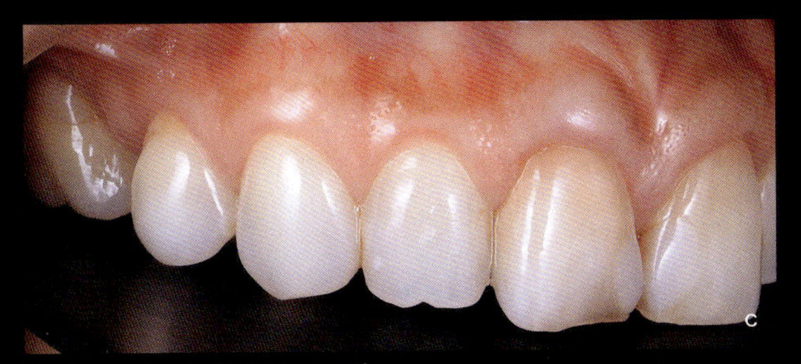

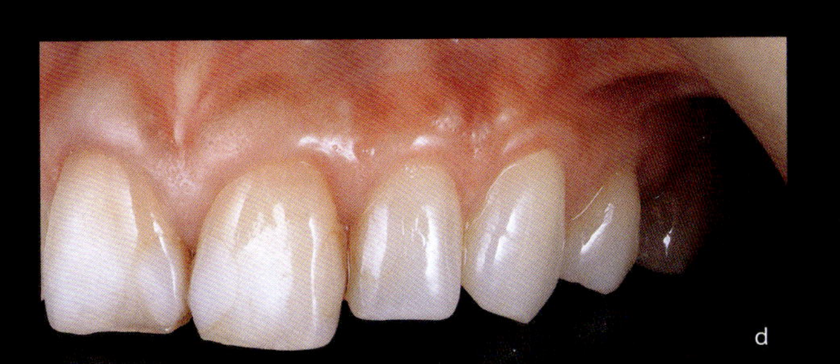

Fig 8a to d　初診時口腔内写真。

Fig 9　初診時の顔貌写真。

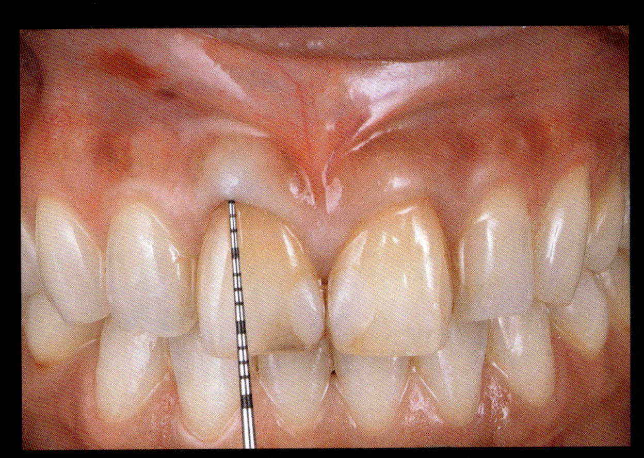

Fig 10　プローブが透けないほど歯肉の厚みがあることから、Thick-flat Typeであることが確認できる。

担当歯科医師：中野忠彦(NAKANO DENTAL)

　患者は30代女性。前歯部審美障害を主訴に来院された。初診時、上顎右側中切歯に広範囲のCR充填と失活による変色が確認された。本症例は患者のBiotypeがThick-flat Typeであることや修復予定歯のジンジバルフォームの対称性の改善量がわずかであることから、患者の負担も考慮して補綴的な対処を選択している。

Fig 11　プロビジョナルレストレーション。わずかな正中位置の改善と歯頚部のシンメトリーを狙った形態としている。

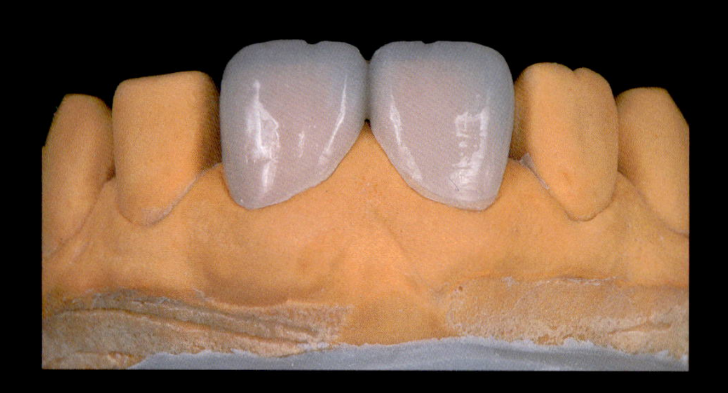

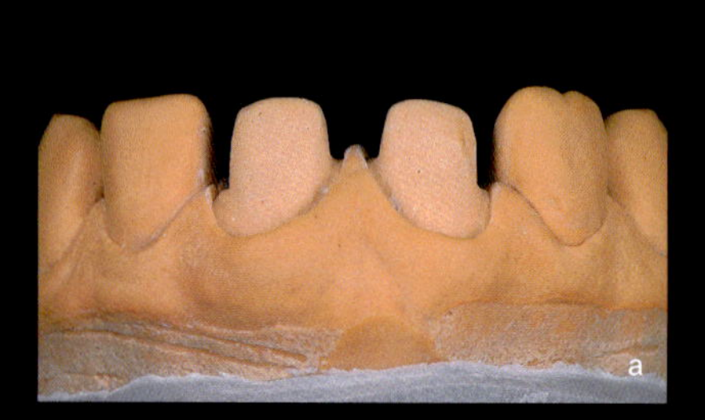

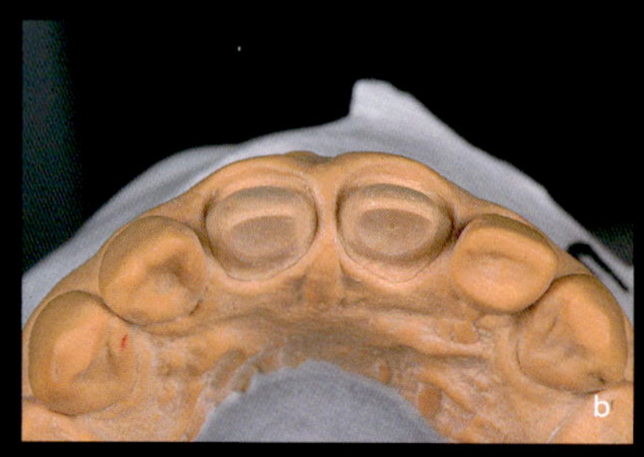

Fig 12a and b　模型上での支台歯形成。歯冠色に最低限必要な形成量にて形成している。左右歯頚部の歯肉形態を整えるための唇舌近遠心のフィニッシュラインを予想することで、歯科医師が支台歯形成の目標とすることができる。

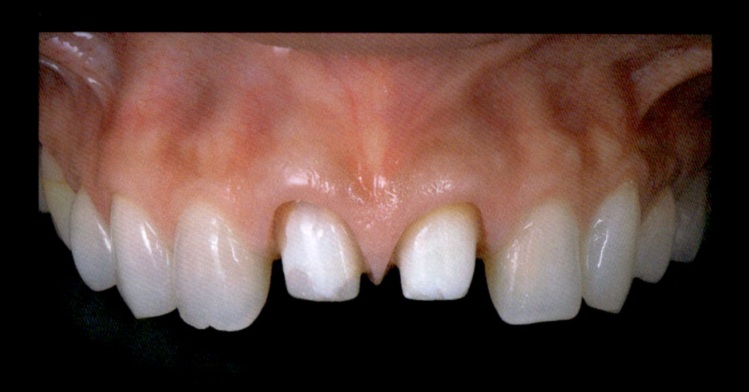

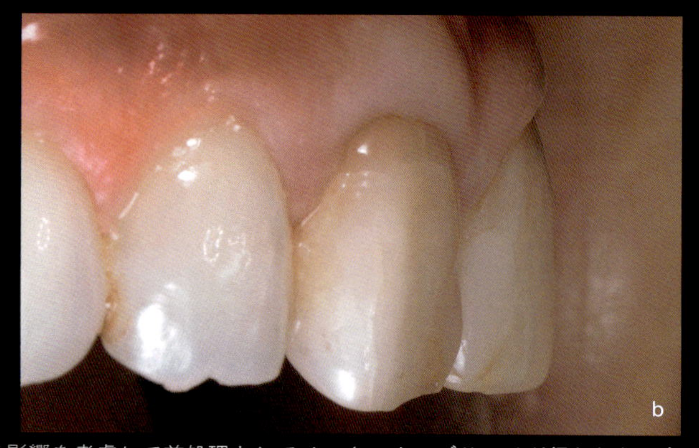

Fig 13a and b　支台歯形成。支台歯形成にあたり、支台歯色の補綴への影響を考慮して前処理としてインターナルブリーチが行われた。支台歯形成においては歯冠色再現に必要な形成量が適切に確保されている。

1|唇側マージン付近に軽度の歯根クラックを発見したため(b)、1|のみクラックが消失する位置でフィニッシュラインを設定することとした。縁下深いマージン設定になったものの、プロビジョナルレストレーションによる経過観察によって歯冠長延長術を行わなくても炎症のコントロールが可能と判断し、補綴的アプローチのみで対応することとした。

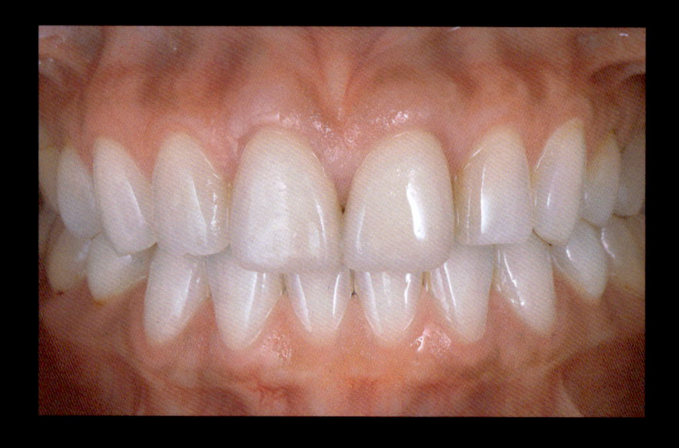

Fig 14　プロビジョナルレストレーション装着。チェアサイドにてウオッシュおよびプロビジョナルレストレーションの調整を行った後に装着した状態。適切に支台歯形成およびプロビジョナルレストレーション形態の調整がなされたことにより、左右の対称性が改善されている。

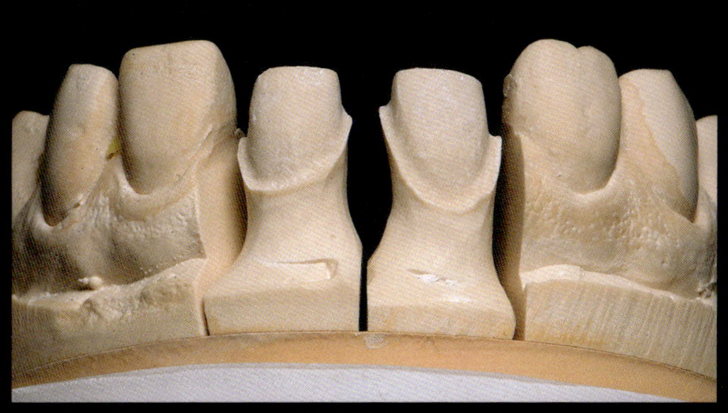

Fig 15　ダウエルピン・ダイモデル。左右の唇側フィニッシュラインの高さの違いは約 1 mmである。

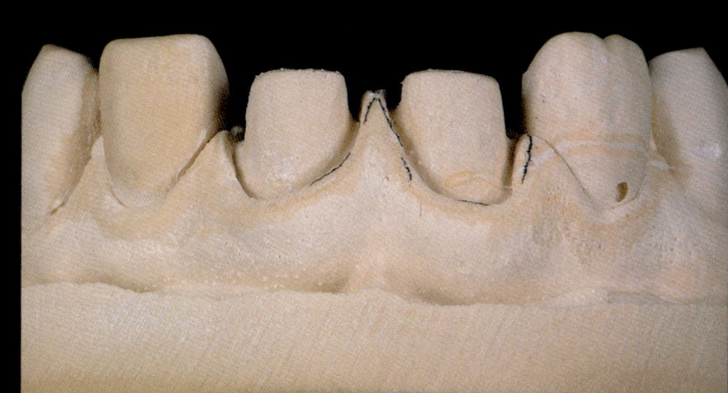

Fig 16　マスターモデル。良好な印象採得が行われたものの、支台歯形成写真と比べると歯肉の倒れこみや歯間乳頭のつぶれが見られる。

Fig17a to d　ジルコニアフレーム（松風ディスクZRルーセント）。プロビジョナルレストレーションの形態から、適切な陶材築盛量を確保したうえでジルコニアフレームをマスターモデルにシーティングしている。マスターモデルは歯肉が支台歯側に倒れこんできているため、歯肉部をデザインナイフにて調整する。デザインナイフの刃の形状はcのような形にすると刃の背側が歯肉を傷つけず、細かい調整がしやすい。ダイモデルにてマージンの調整を行い、前処理後に陶材築盛に移行する。

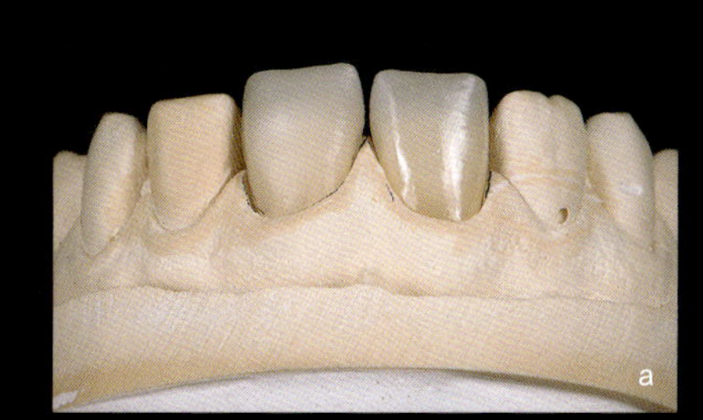

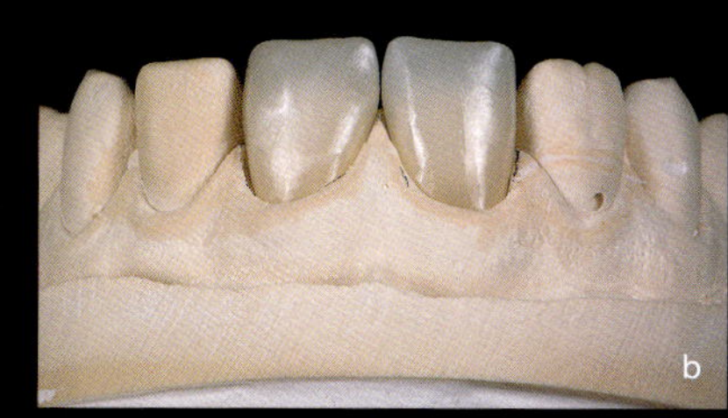

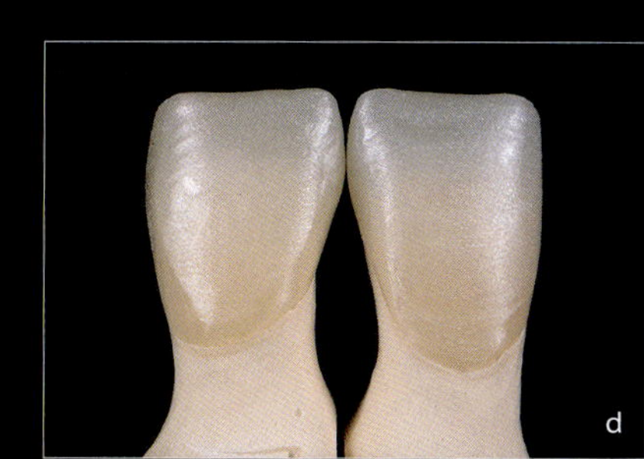

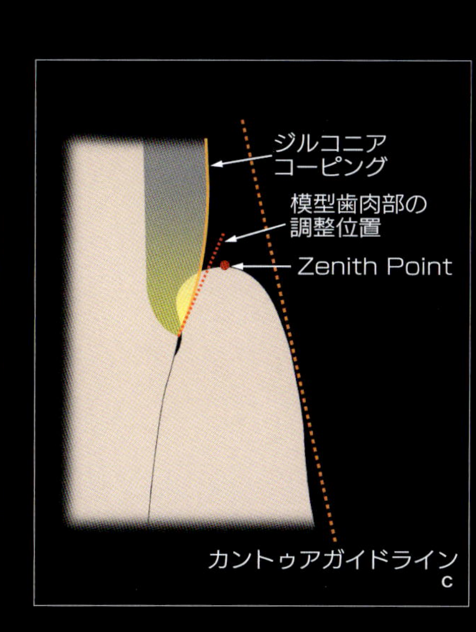

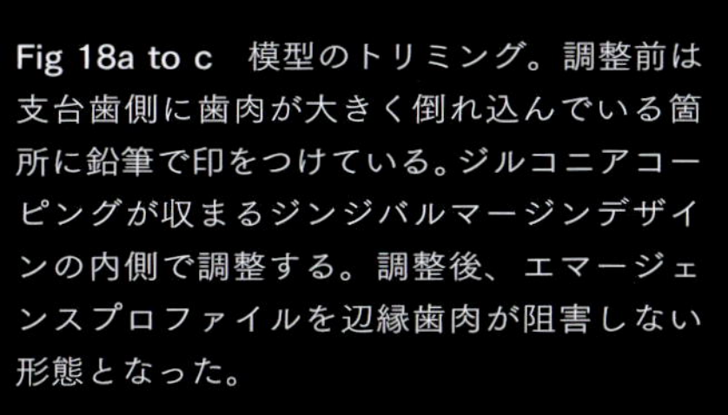

Fig 18a to c　模型のトリミング。調整前は支台歯側に歯肉が大きく倒れ込んでいる箇所に鉛筆で印をつけている。ジルコニアコーピングが収まるジンジバルマージンデザインの内側で調整する。調整後、エマージェンスプロファイルを辺縁歯肉が阻害しない形態となった。

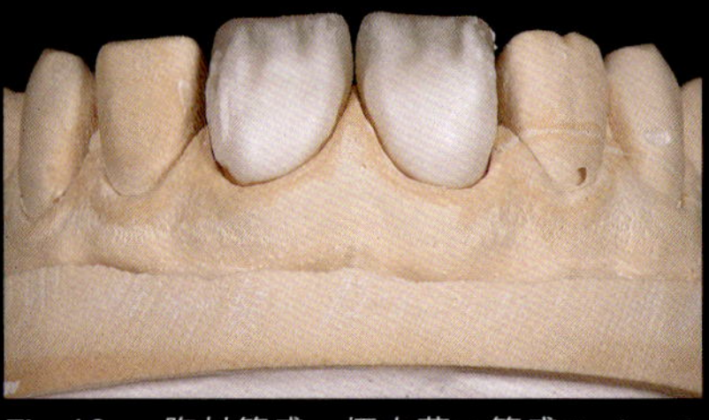

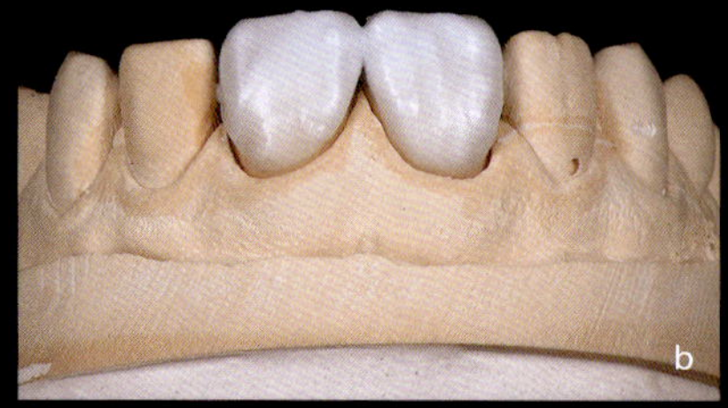

Fig 19a　陶材築盛。極力薄い築盛スペースで明度を落とさないようにするため、デンティンとオペーシャスデンティンを混和させてデンティンを築盛している。

Fig 19b and c　エナメルの築盛と不足箇所の修正。形態修正を見越して築盛を行い、形態を付与していく。

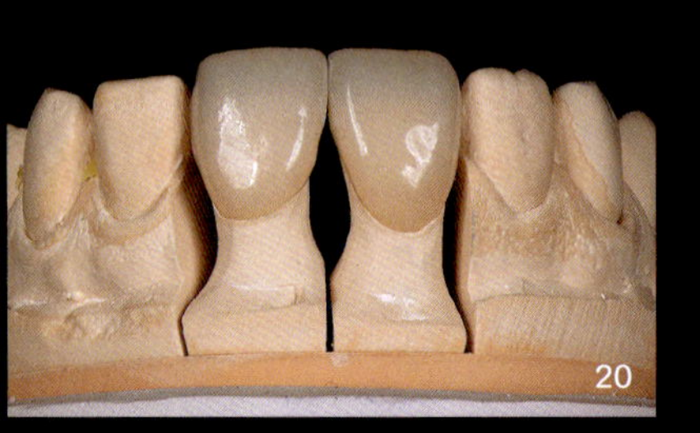

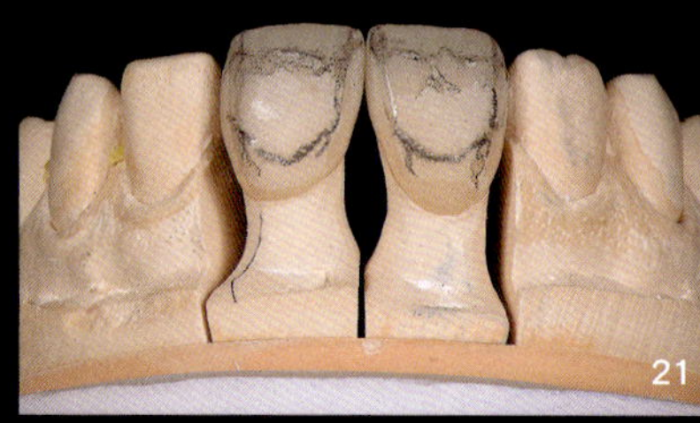

Fig 20　焼成後、コンタクトのみ微調整した状態。

Fig 21　形態修正。大まかな外形とラインアングルやスリープレーン(膨隆)の位置の決定。サブジンジバルカントゥア(歯肉縁下形態)はまだ決定しておらず、オーバーカントゥアの状態。

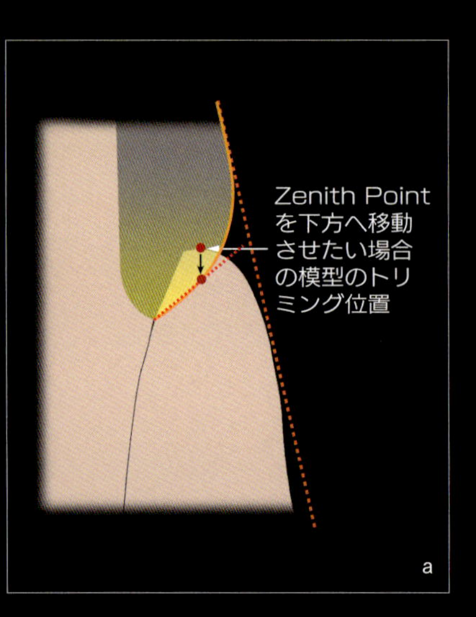

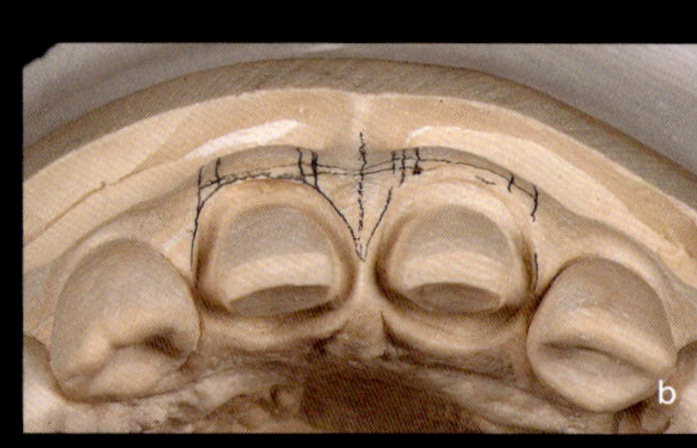

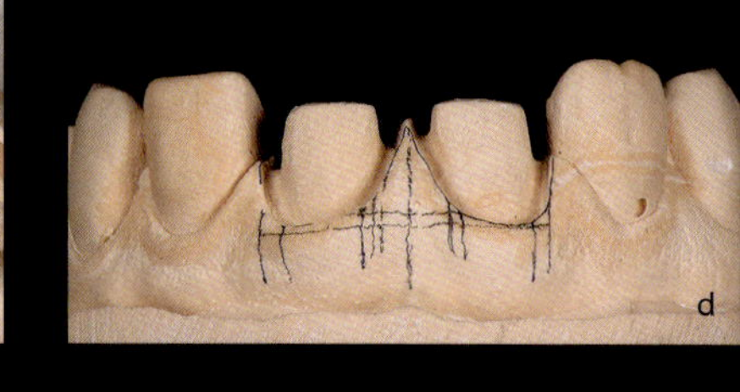

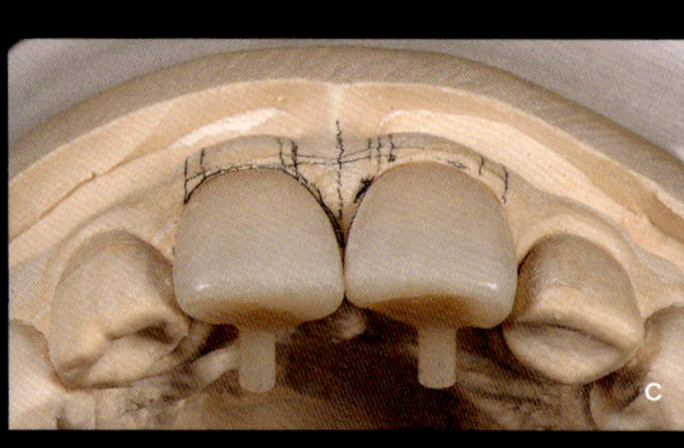

Fig 22a to d　マスターモデルのトリミング。左右の対称性を優先し、Zenith Point、ジンジバルマージンラインを決定する。決定した歯肉形態に合わせてサブジンジバルカントゥアの調整を行う。

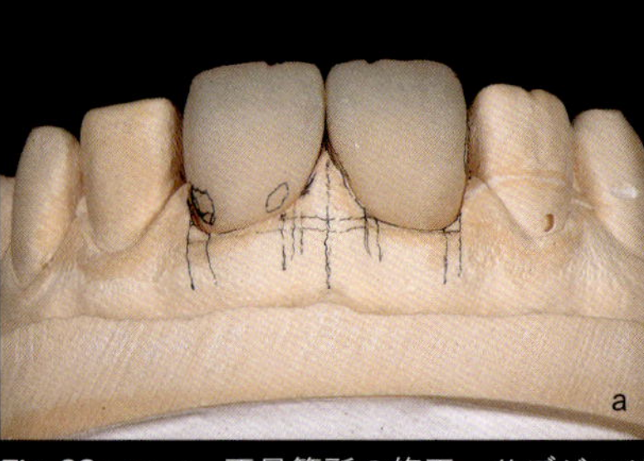

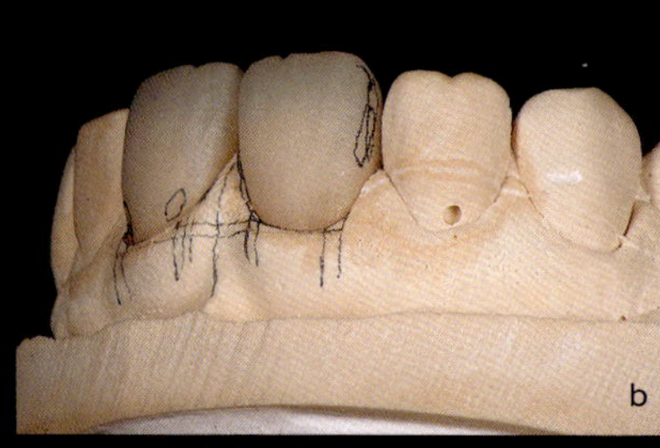

Fig 23a to c　不足箇所の修正。サブジンジバルカントゥアを含めたラインアングルや外形の不足箇所を注意深く観察して築盛箇所を決め、追加築盛を行う。

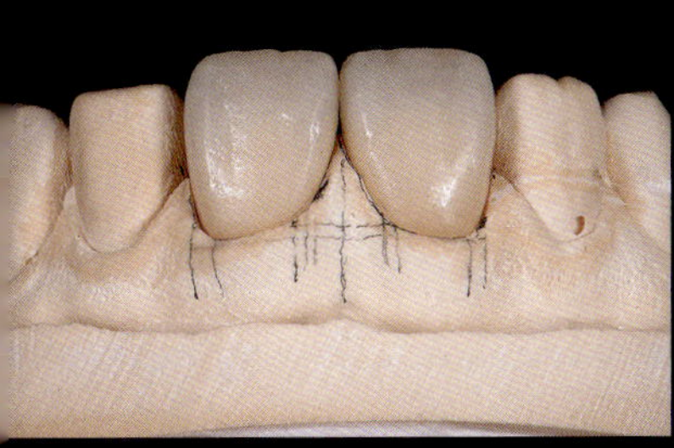

Fig 24　焼成後。

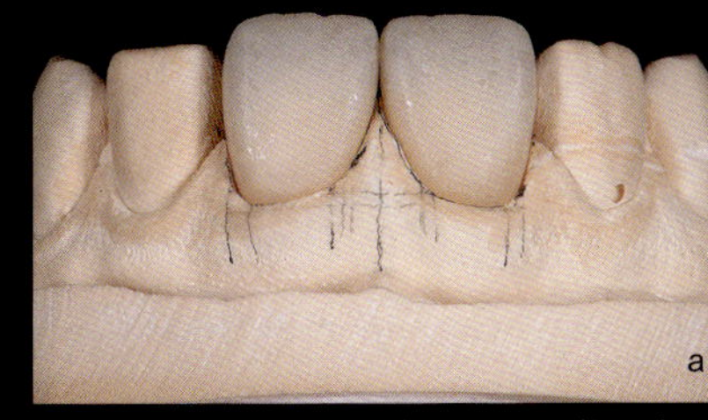

Fig 25a and b　最終形態修正。形態や表面性状の細かいディティールの付与を行う。

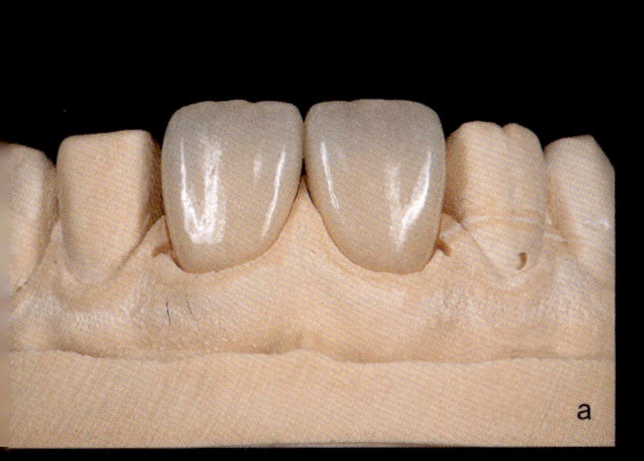

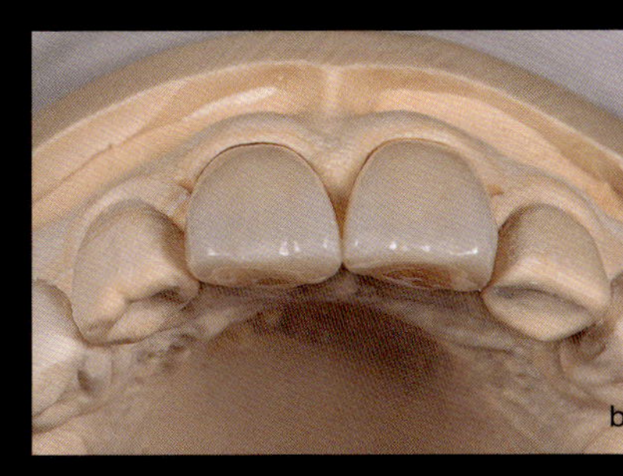

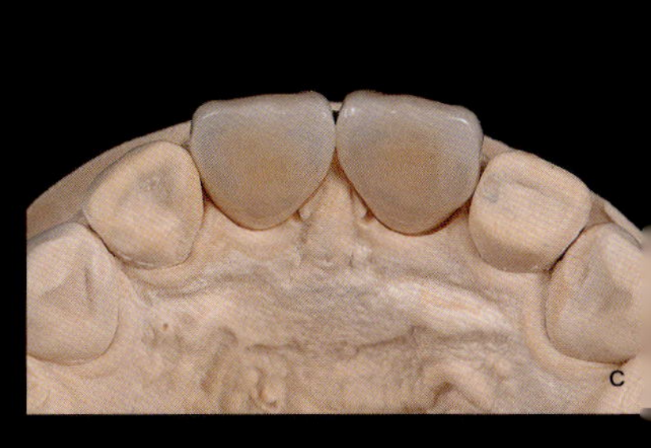

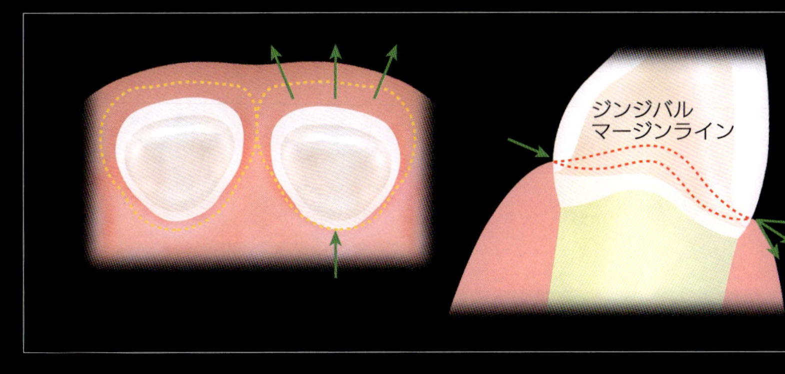

Fig 26a to d　PFZの完成。グレーズ焼成後、最終的な研磨を行い、質感を付与した状態。マスターモデルのジンジバルマージンラインの左右対称性と適切なサブジンジバルカントゥアを付与した。舌側には過度なプレッシャーを与えないことで、わずかではあるが唇側のジンジバルマージンラインの形状変化を許容させる。

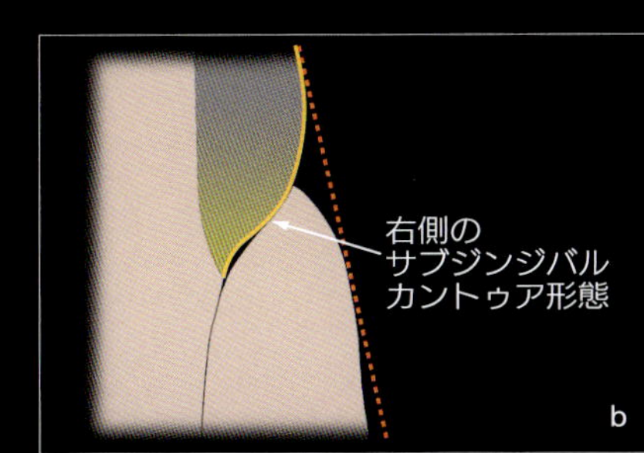

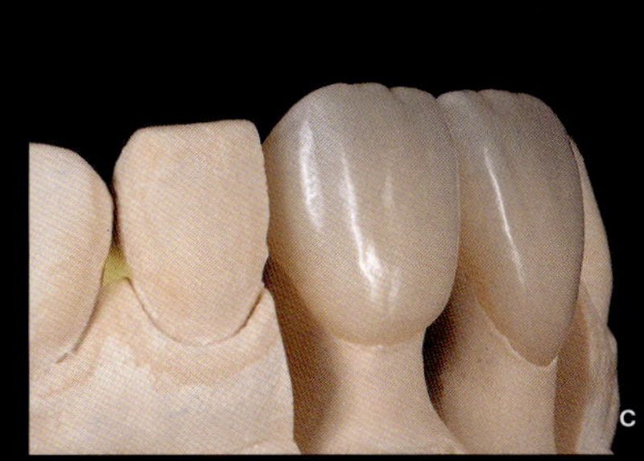

Fig 27a to c　左右のマージンラインが違うことにより、サブジンジバルカントゥアの形態の違いが確認できる。

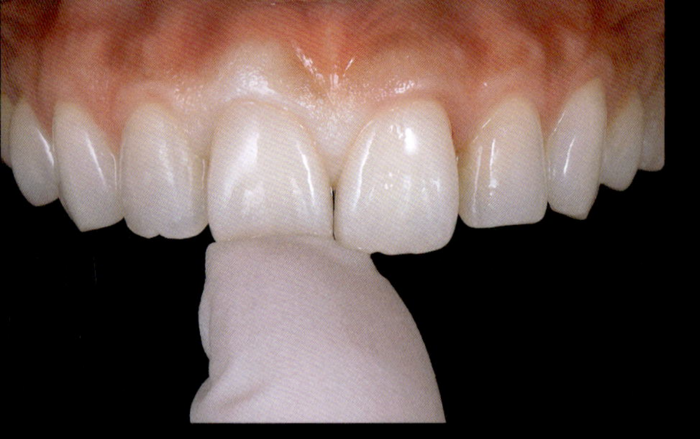

Fig 28　口腔内試適時。サブジンジバルカントゥアの形態や圧が適正かを確認。

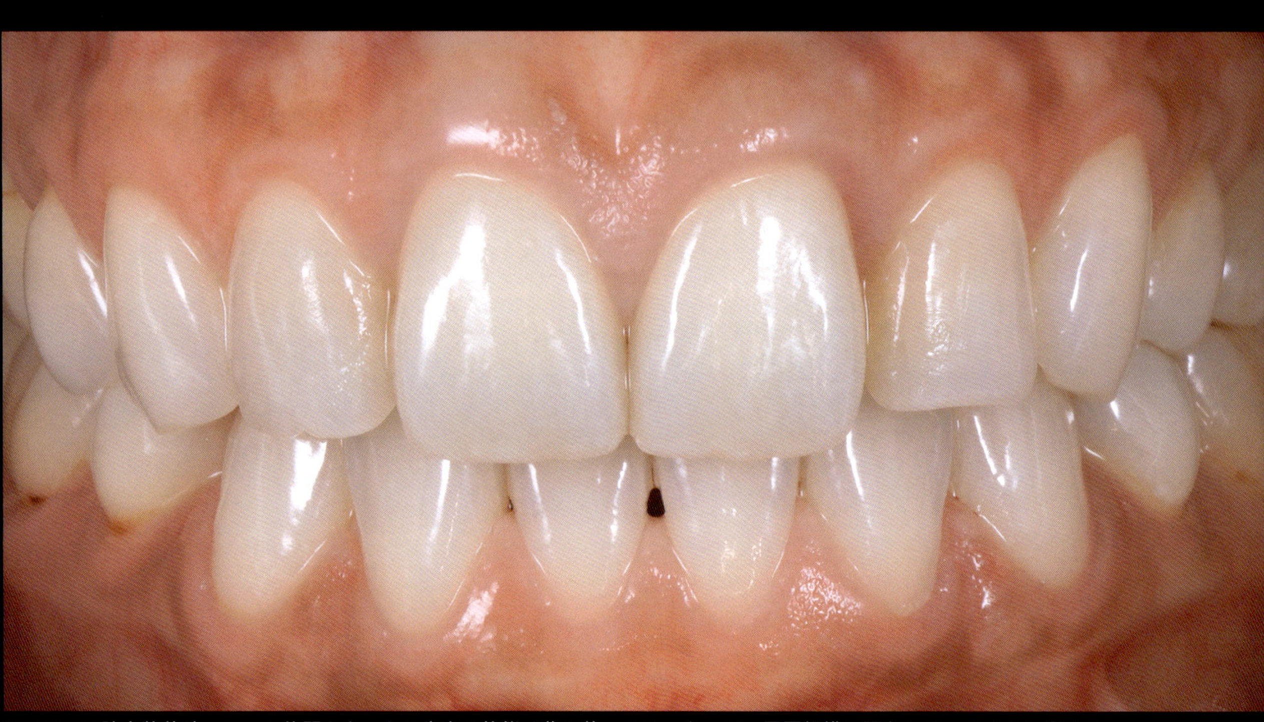

Fig 29　口腔内装着時。セット後間もないため歯肉の状態は落ち着いてはいないが、周囲組織に調和しているように見える。

Fig 30a and b　初診時の顔貌写真(a)と口腔内装着時の顔貌写真(b)。

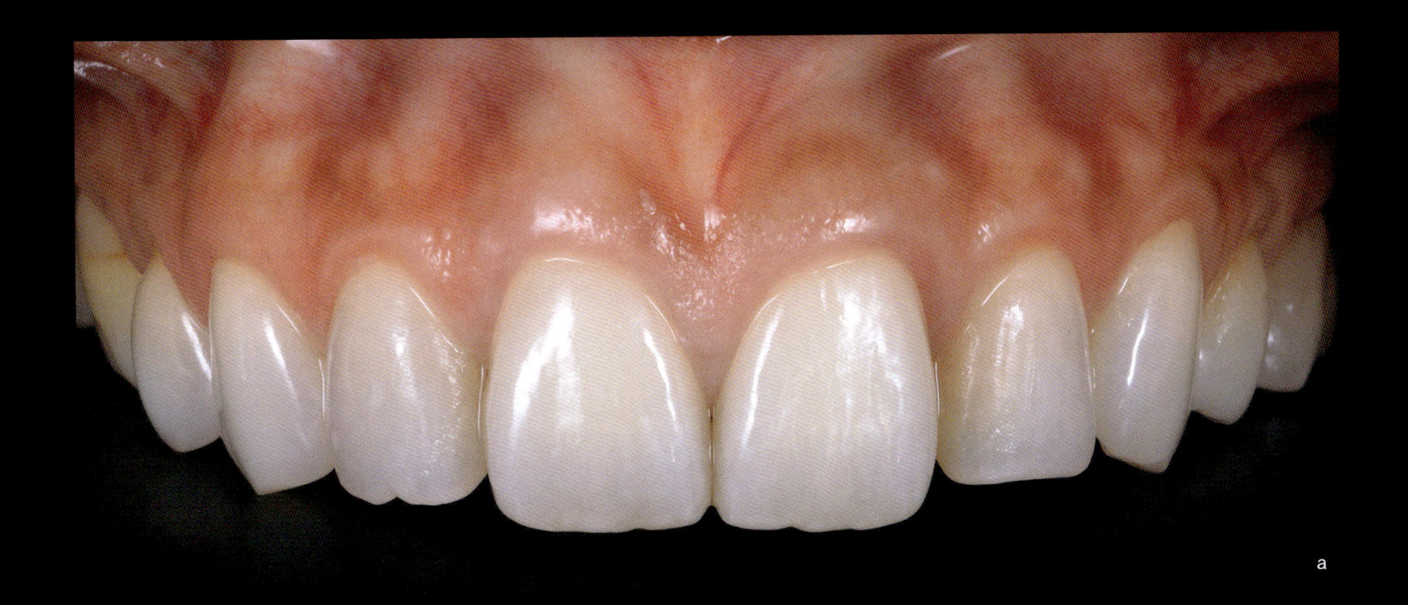

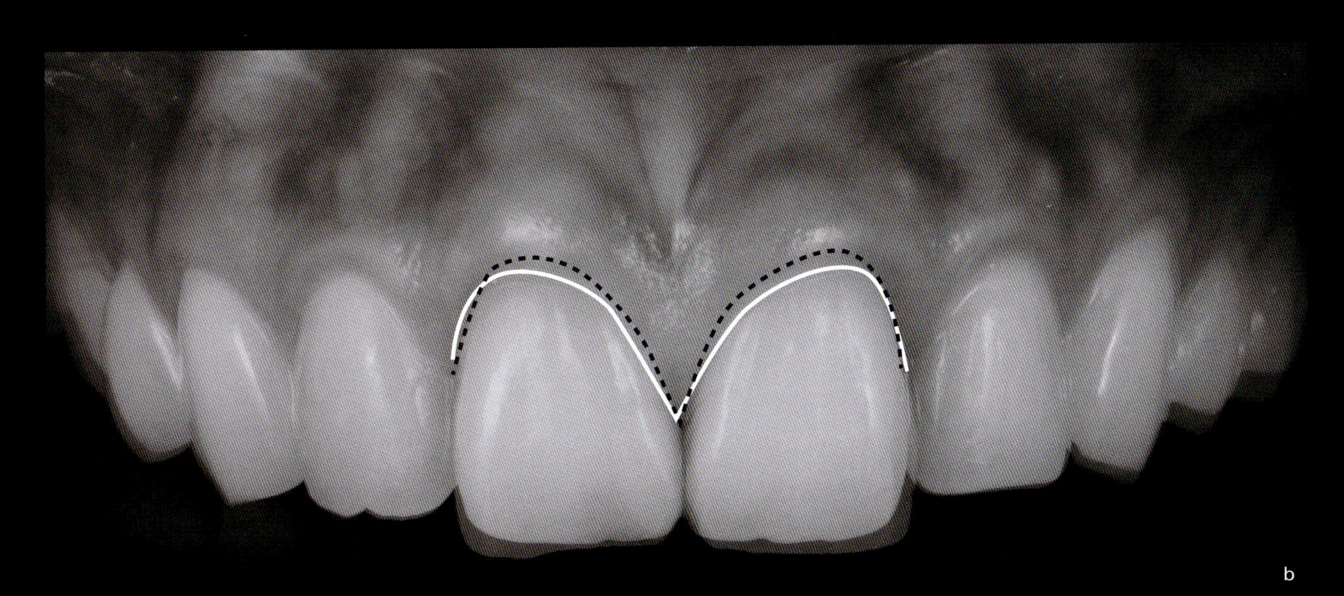

Fig 31a and b　口腔内装着時の上顎正面観(a)と、術前(白線)と術後(黒点線)のジンジバルマージンラインと歯冠形態の違い(b)。ジンジバルマージンラインはサブジンジバルカントゥアの形態によって左右対称にコントロールされている。

|1 2の歯間乳頭の閉鎖を行った症例

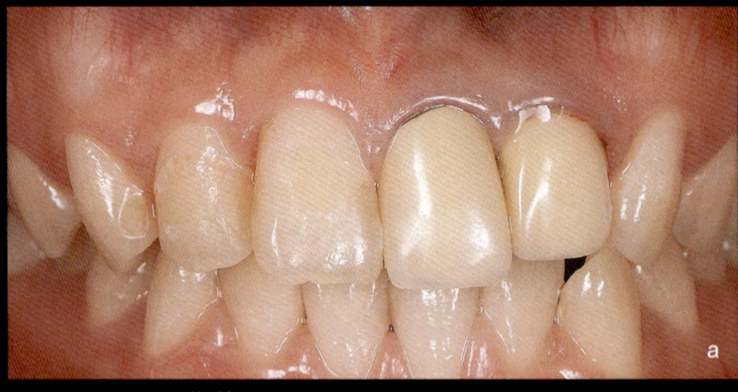

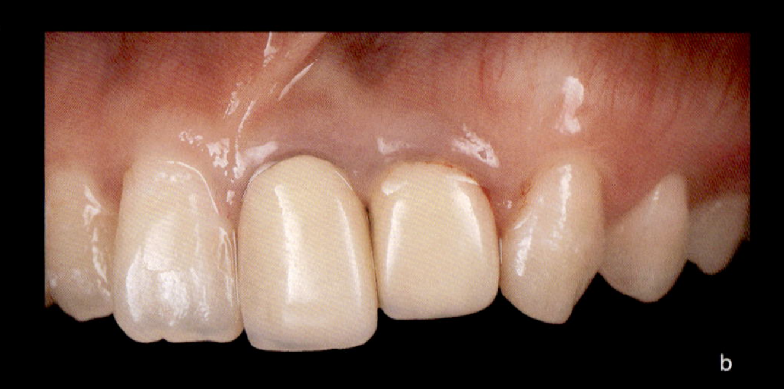

Fig 32a and b　術前。

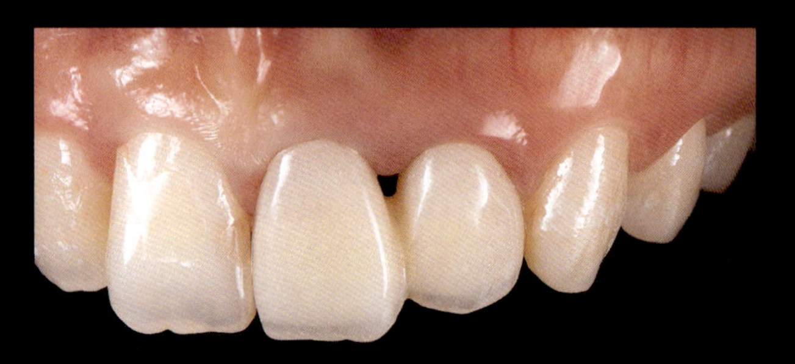

Fig 33a　院内ラボによる1stプロビジョナルレストレーション。歯肉の腫脹や出血が軽減したが、歯間乳頭部のサブジンジバルカントゥアの形態が適切ではないためにブラックトライアングルが出現している。

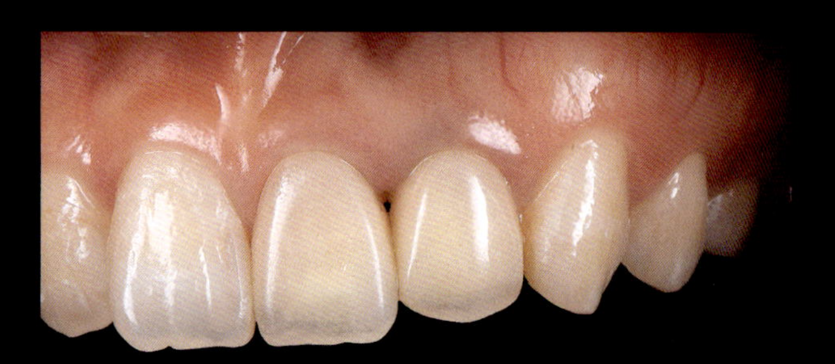

Fig 33b　2ndプロビジョナルレストレーション。ハイジーンコントロールがなされた状態だが、ブラックトライアングルの完全な消失には至らなかった。

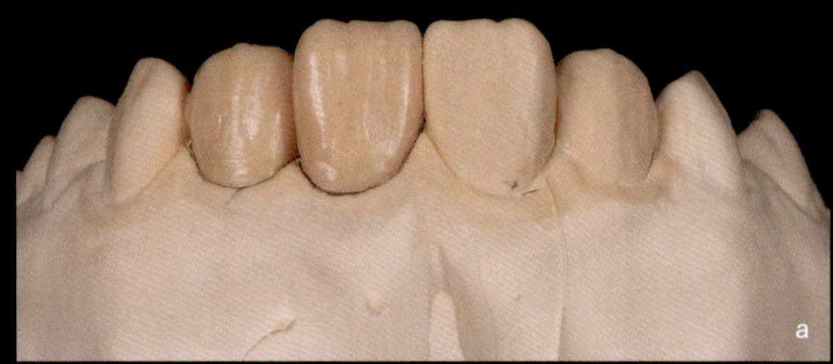

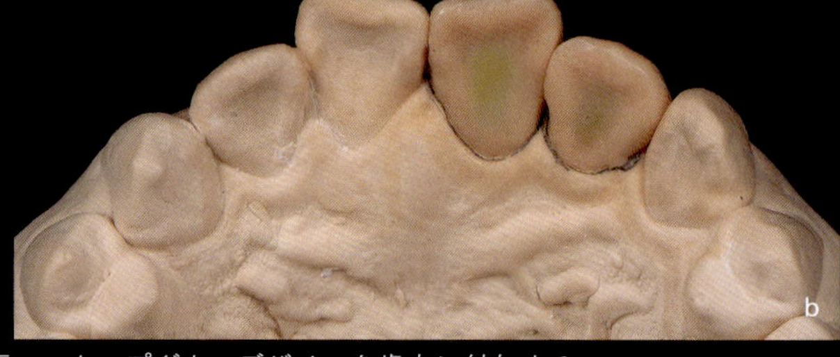

Fig 34a and b　最終補綴装置製作にあたり、理想的な歯冠形態の回復を行い、トップダウンデザインを歯肉に付与する。

担当歯科医師：佐藤洋司（さとうデンタルクリニック）、佐々木俊哉（北インター歯科クリニック）、高橋 正（ただしデンタルオフィス）

患者は30代女性。|1 2に不適合補綴装置が装着されており、左右の対称性が著しく失われている。BiotypeはThin-scallop Type。

本症例はスタディグループ秋田一水会にて歯科技工コンペティションを開催した際に提供されたケースである。

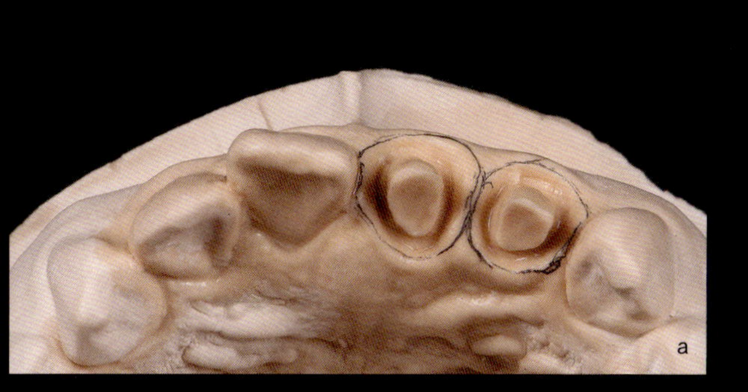

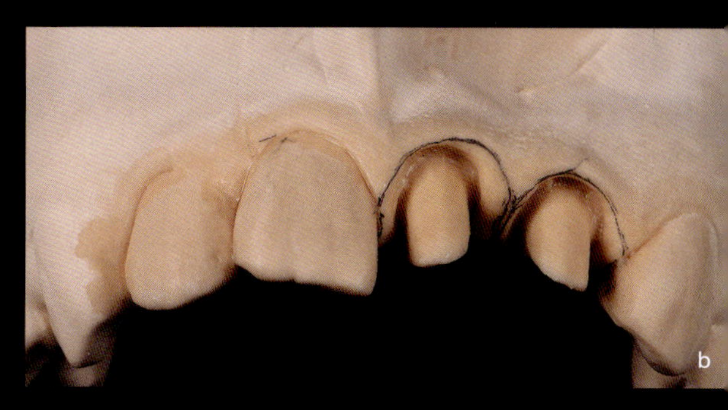

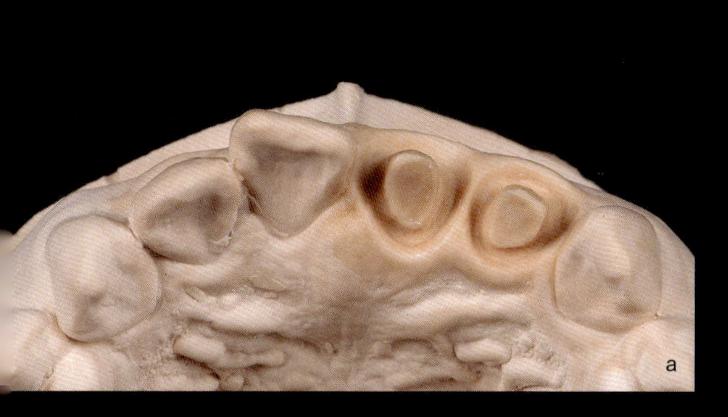

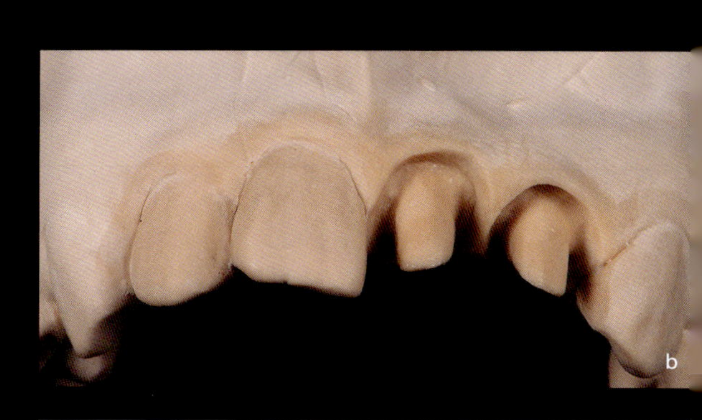

Fig 35a to c　歯冠外形からジンジバルマージンラインを印記した状態。

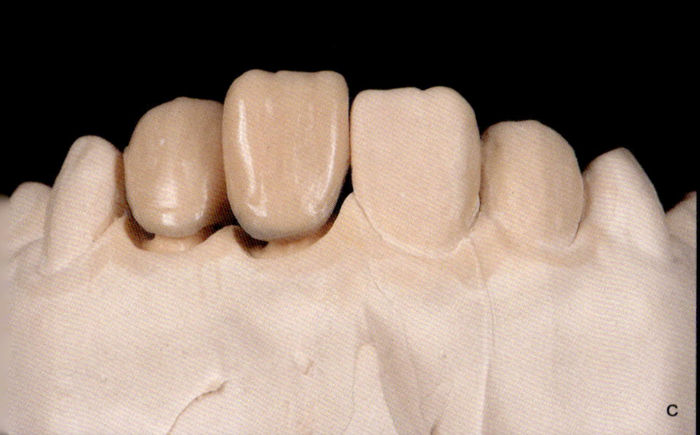

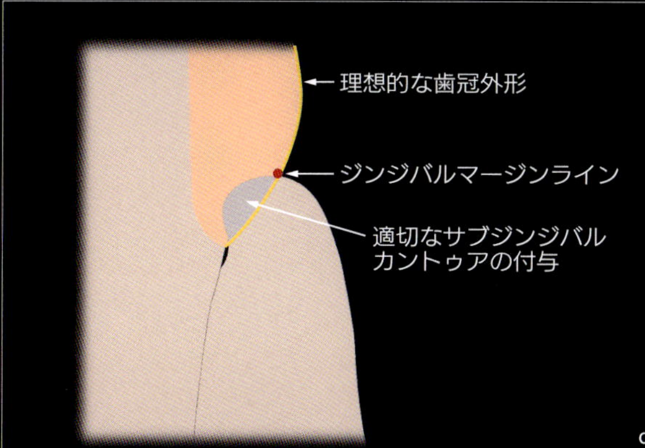

Fig 36a to d　ジンジバルマージンラインからフィニッシュラインに向けて模型歯肉部の調整を行った状態。歯肉縁下のアンダーなサブジンジバルカントゥア部分に色を変えたワックスを築盛し、マスターモデルに圧接しながら適切なカントゥア形態を付与していくことで歯周組織への適度な圧の量を目測できるようにしている。

また模型上の歯根間距離や歯肉の厚みに対し、適切なサブジンジバルカントゥアの付与をするには口腔内写真やエックス線写真、プロービングチャートなどから歯肉縁から骨頂までの距離を把握しておくとより適切なカントゥア形態の付与が可能となる。

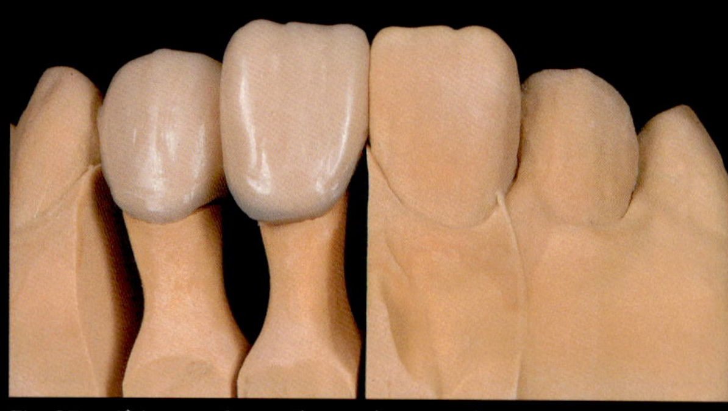

Fig 37　ダウエルピン・ダイモデルにサブジンジバルカントゥアを含む最終的な歯冠形態を決定したワックスアップを乗せた状態。

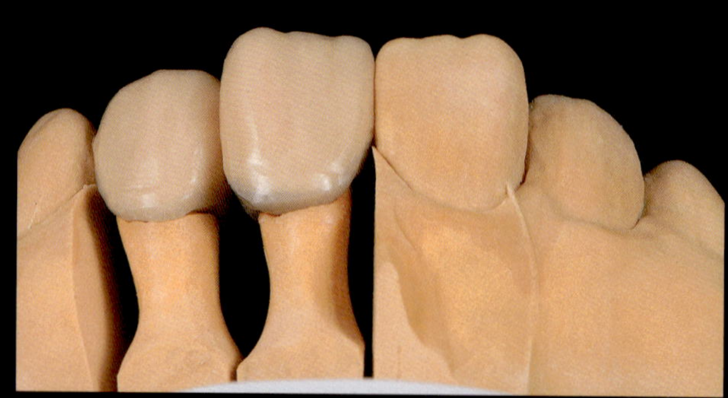

Fig 38　歯間乳頭部の骨頂から約5mmの位置にコンタクトエリアを設定し、ジンジバルマージンラインに左右対称性をもたせて適切な歯冠外形を与えるためには、特に|1遠心部のサポート形態をサブジンジバルカントゥアに付与する。

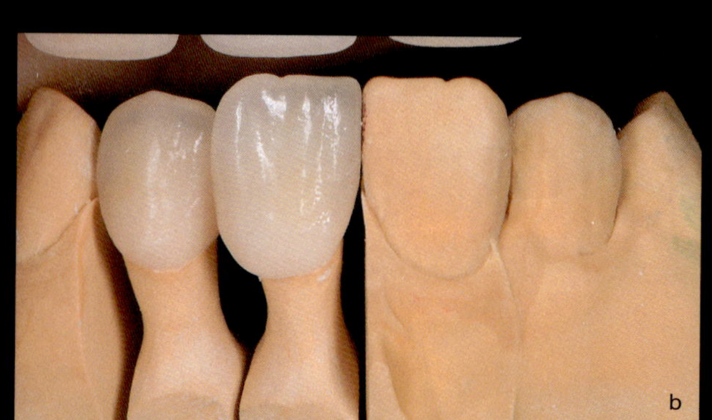

Fig 39a and b　PFZの形態もワックスパターンと同様の形態となっている。

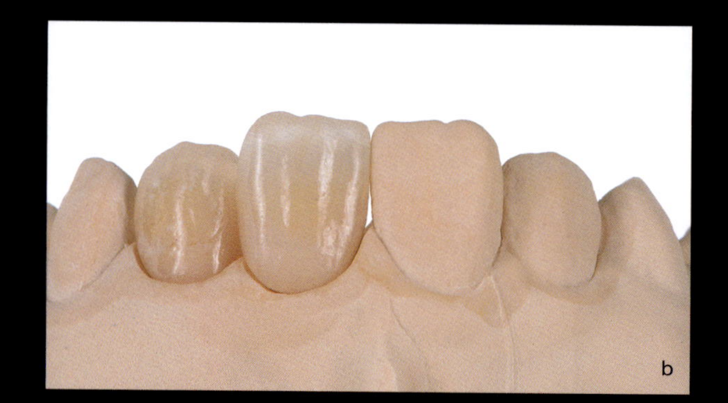

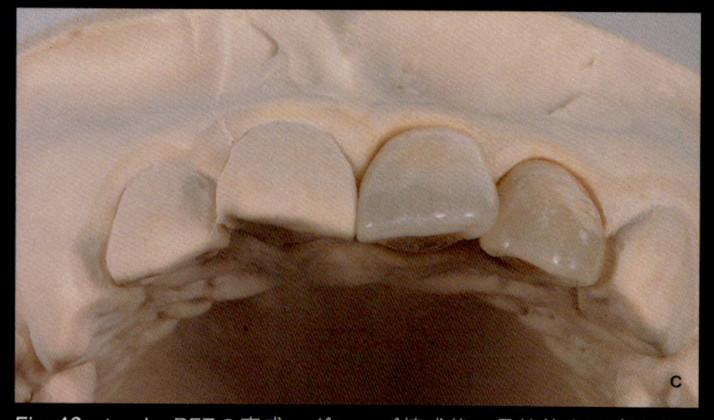

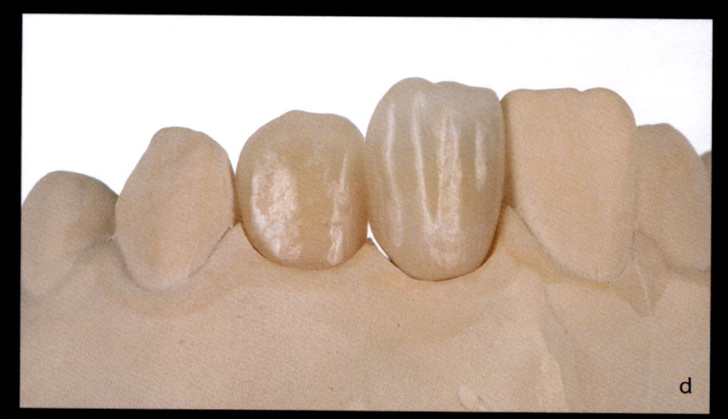

Fig 40a to d　PFZの完成。グレーズ焼成後、最終的な研磨を行い、質感の付与を行った状態。マスターモデルのジンジバルマージンラインの左右対称性と適切なサブジンジバルカントゥアの付与を行い、歯間乳頭部の閉鎖が予想される形態とした。

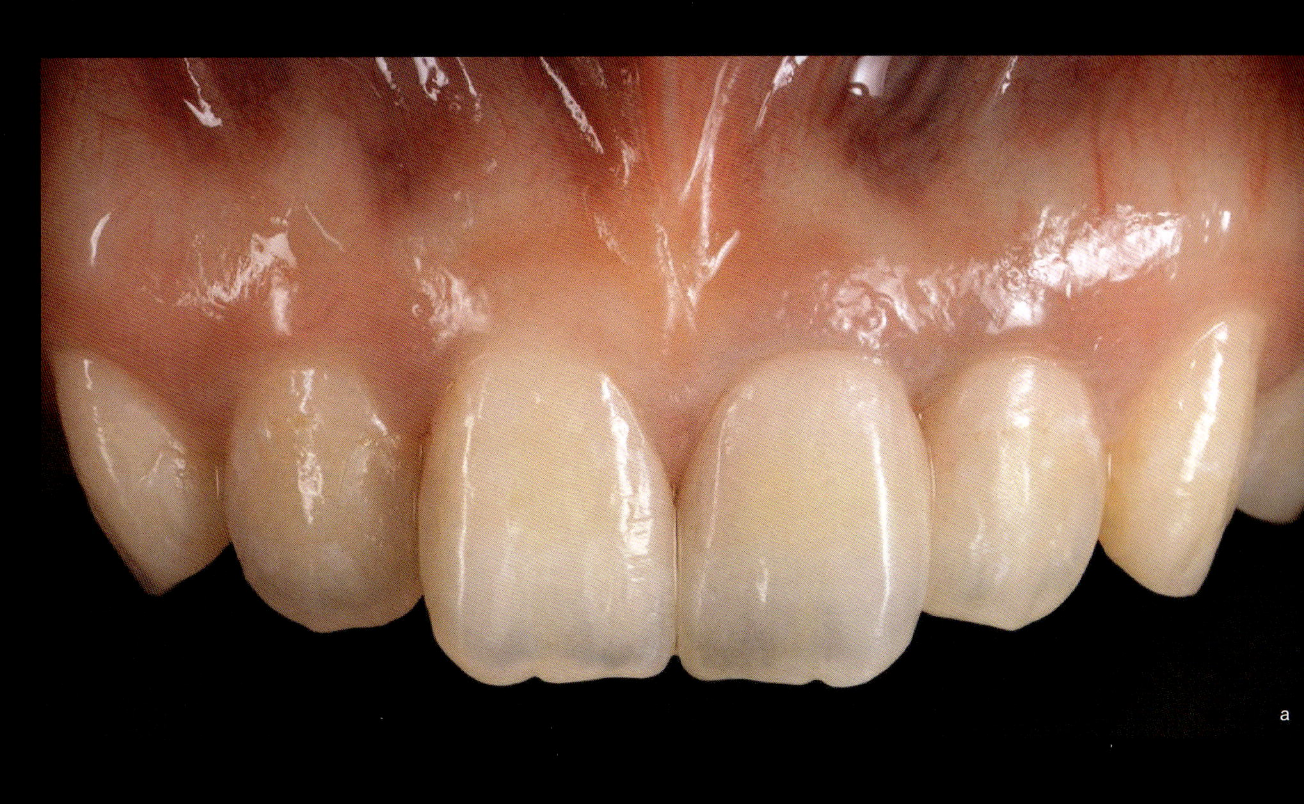

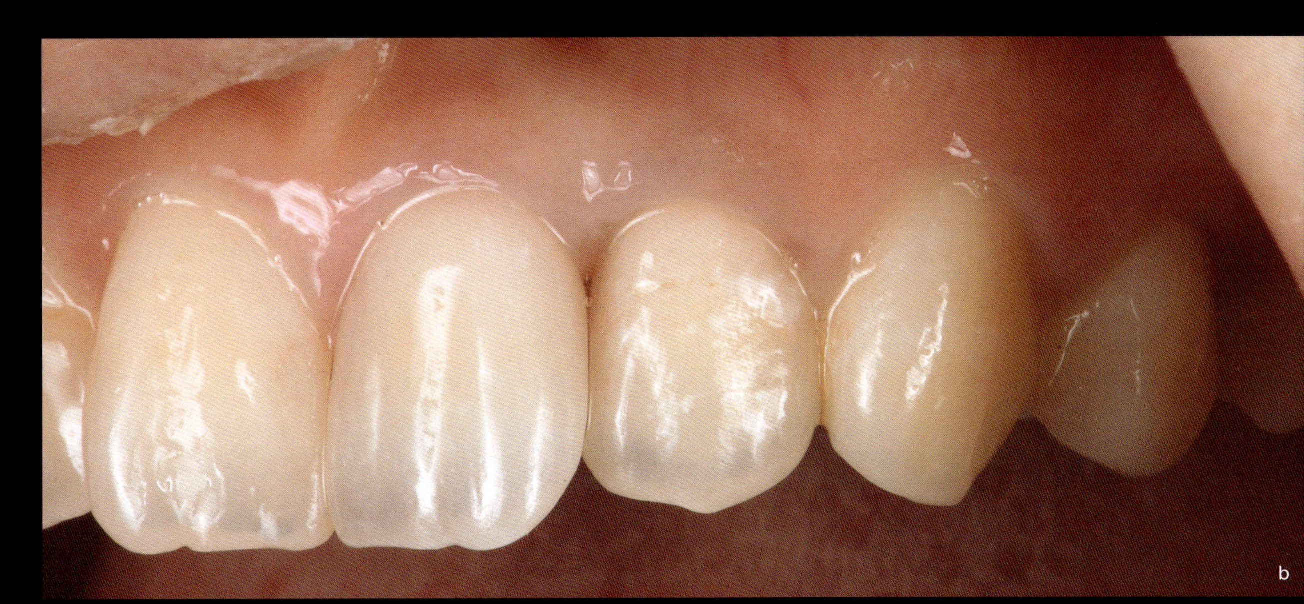

Fig 41a and b　口腔内装着時。適切なサブジンジバルカントゥアの形態により、歯間乳頭の閉鎖とジンジバルマージンラインの左右対称性が改善していることが分かる。

考察

・サブジンジバルカントゥアを含めた歯冠形態の適切な形態を付与することにより、辺縁歯肉形態のコントロールが可能である。

・天然歯における補綴治療での周辺組織のコントロール可能な範囲は、多くとも1～2mm範囲の中に限局される。

・その範疇でも周辺組織に対する基本的な知識と配慮がなければ適切なコントロールは不可能である。

・マージンの位置やBiotypeによってその範疇はより限局されるため、歯科医師との密なコミュニケーションや資料伝達が必要不可欠である。

・また、外科処置や矯正治療といった前処置を行うことにより、コントロール領域は格段に大きく、そして難しくなる。機会があれば、天然歯の補綴治療に限局しない歯周組織のコントロールの考察をしていきたい。

終わりに

近年の歯科治療では加速するデジタルデンティストリーの発展により、歯科技工士の職域を再考しなければいけない時代に入ったと考える。歯科技工士を含め、歯科医療に携わる者の目標とは「患者の健康の回復と維持・促進を成すこと」であるが、とかく歯科技工士の多くは「自分の役割は補綴装置を製作して納品すること」がゴールと考えがちである。しかし、本来われわれの目的は補綴装置の装着ではない。そこから患者の健康の手助けとなることがスタートであり、それによって回復された健康が維持され、場合によっては促進されて長い間健康に役立つことが目的である。その目的を達成するには「機能」「構造」「歯周への調和」がなされ、それらがすべて満たされた上での「審美」を実現することが条件であり、われわれはそれらすべてを満たすためにあらゆる知識と技術を身に付けなければならない。

歯科技工士数の激減、それにともなう機械化や新しいマテリアルの開発などデジタルデンティストリーが進むことで今後は大きな技工技術の格差は減っていくであろう。不安要素が多く、暗い未来のように見えがちではある。しかし、歯科医療人としての本分をまっとうする歯科技工士にとっては、希少価値の高い職域としてこれまで学んできた知識や知恵を大いに役立てることができる時代でもあると言える。見方を変えれば、ピンチではなくチャンスとなるはずである。歯科治療において歯科技工士には何ができるのかを考え、歯科医師や歯科衛生士とともにチーム内の職域を確立させ、歯科技工士の積極的な治療への参画が必要とされる時代となることが望まれる。

だが筆者は「多くの歯科技工士は製作する歯に対する形態や色などへの興味は深いが、目的達成の要件のひとつである『歯周組織への調和』に関する興味や知識が浅く、また縁遠いと思っているのではないか」と感じることが多い。歯科技工士は周辺組織に対して何を考慮して補綴治療に携わるべきなのか、またチームの長である歯科医師は歯科技工士に対してどのようなことを求めているのか、そしてそのためにはどのような資料提供が必要になるのか。本稿がそれを考えるヒントとなれば幸いである。

謝辞

今回、本書における歯科技工士初単著の機会を与えて下さった前職場の院長であり日本臨床歯科学会理事長である山﨑長郎先生(原宿デンタルオフィス)はじめ編集者の皆様、執筆にあたり症例の提供をしていただいた原宿デンタルオフィス時代の同期である中野忠彦先生(NAKANO DENTAL)、ともに学び合う仲間であるスタディグループ秋田一水会の佐藤洋司先生(さとうデンタルクリニック)、佐々木俊哉先生(北インター歯科クリニック)、高橋 正先生(ただしデンタルオフィス)をはじめとした一水会の皆様に深く感謝いたします。

参考文献

1. 山﨑長郎(監). 歯科臨床のエキスパートを目指してvol.1 コンベンショナルレストレーション. 東京：医歯薬出版, 2004.
2. 山﨑長郎. エステティック クラシフィケーションズ 複雑な審美修復治療のマネージメント. 東京：クインテッセンス出版, 2009.
3. Gargiulo A, Wentz F, Orban B. Dimensions and relations of the dentogingival junction in humans. J Periodontol 1961；32：261-267.
4. Weisgold AS. Contour of the full crown restoration. Alpha Omegan 1972；10：77-89.
5. 都築優治. 歯肉審美に配慮した審美修復治療 第1回～第5回. QDT 2018；43(5-6, 9-11)：118-127, 104-116, 150-160, 138-149, 118-129.
6. Kois JC. Altering ginviva1 levels: The Restorative Connection Part I: BiologicVariables. Journal of EstheticDentistry 1994；6：1, 3-9.
7. Kois JC. The restorative-periodontalinterface: biological parameters. Periodontol 2000 1996；11：29-38.
8. 日髙豊彦. Solutions for Dental Esthetic. 東京：クインテッセンス出版, 2007.
9. Maynard JG Jr, Wilson RD. Diagnosis and management of mucogingival problems in children. Dent Clin North Am 1980；24：683-703.
10. 山﨑長郎. 審美修復治療 複雑な補綴のマネージメント. 東京：クインテッセンス出版, 1999.
11. 桑田正博. セラモメタルテクノロジー1、2. 東京：医歯薬出版, 1982, 1983.
12. 桑田正博. The harmonized ceramic graffiti—審美と機能の回復のためのセラミックレストレーション. 東京：医歯薬出版, 1997.
13. 木林博之. 歯冠長延長術後の補綴歯科治療の困難さとその対応. QDT 2018；43(10)：22-41.
14. 土屋賢司. 包括的治療戦略 修復治療成功のために, Vol.2 for Functional Management. 東京：医歯薬出版, 2010, 2019.
15. 日髙豊彦. Control of black triangle by restorative treatment 修復治療によるブラックトライアングルのコントロール. In 山﨑長郎(編). QDT別冊ジャパニーズ エステティック デンティストリー 2019. 東京：クインテッセンス出版, 2018：20-30.
16. 六人部慶彦. Aiming at symmetry of gingival level Gingival levelの対称性を目指して. In 山﨑長郎(編). QDT別冊ジャパニーズ エステティック デンティストリー 2019. 東京：クインテッセンス出版, 2018：32-46.
17. 大谷一紀, 湯浅直人. Selection of zirconia ceramics of different characteristics in consideration of individual abutment tooth conditions 個々の支台歯の状態を考慮した特性の異なるジルコニアセラミックスの選択. In 山﨑長郎(編). QDT別冊ジャパニーズ エステティック デンティストリー 2019. 東京：クインテッセンス出版, 2018：48-62.
18. 片岡繁夫, 西村好美. ネイチャーズ・モルフォロジー 天然歯牙に学ぶ形態学. 東京：クインテッセンス出版, 1993.
19. 片岡繁夫(監), 脇田太裕(著). ZERO別冊 歯牙形態. 京都：永末書店, 2014.

Zirconia and its novel compositions: What do clinicians need to know?

ジルコニアとその斬新な組成物：臨床家は何を知っておかねばならないか？

Jan-Frederik Güth, Prof Dr med dent
Associate Professor, Deputy Director, Department of Prosthetic Dentistry, University Hospital, LMU Munich, Munich, Germany

Bogna Stawarczyk, Priv-Doz Dr rer biol hum, Dipl Ing (FH), MSc
Head of Material Science, Department of Prosthetic Dentistry, University Hospital, LMU Munich, Munich, Germany

Daniel Edelhoff, Prof Dr med dent
Head of Department, Director, Department of Prosthetic Dentistry, University Hospital, LMU Munich, Munich, Germany

Anja Liebermann, Priv-Doz Dr med dent, MSc
Associate Professor, Department of Prosthetic Dentistry, University Hospital, LMU Munich, Munich, Germany

要約

ここ数年、歯科医療の分野では明らかにモノリシックの歯冠色ジルコニアによる修復がトレンドである。この文脈から考えると将来、歯科材料、特に、ジルコニアセラミックスの分野での光学的特性においてめざましい進歩がもたらされるだろう。最新のジルコニア組成物は、その光学的・力学的特性に基づいていくつかのグループに分類できる。各グループの適応症例と限界を知ることが、ジルコニアを正しく臨床に応用するためには必須である。最新のジルコニアの長期の臨床使用についての報告はほとんどなく、実験データしか得られていない。さまざまな進歩にもかかわらず、臨床的かつ長期的な成功を収めるためには、特定の適応症や形成、素材の選択、知識、歯科医師と歯科技工士の経験によるところが大きく、それとともに適切な合着状態と咬合の概念も重要である。一般的に素材やCAD/CAM技術が高速で革新されているため、歯科医師や歯科技工士は十分に情報を得てこれらのさまざまなオプションを利用して治療を成功に導く必要がある。

キーワード：オールセラミックス、曲げ強さ、世代、モノリシック修復物、透明性、ジルコニア

Correspondence to: Prof Dr Jan-Frederik Güth
Department of Prosthetic Dentistry, University Hospital, LMU Munich, Goethestraße 70, 80336 München, Germany.
Email: jan_frederik.gueth@med.uni-muenchen.de

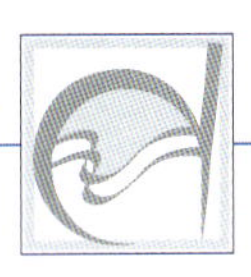

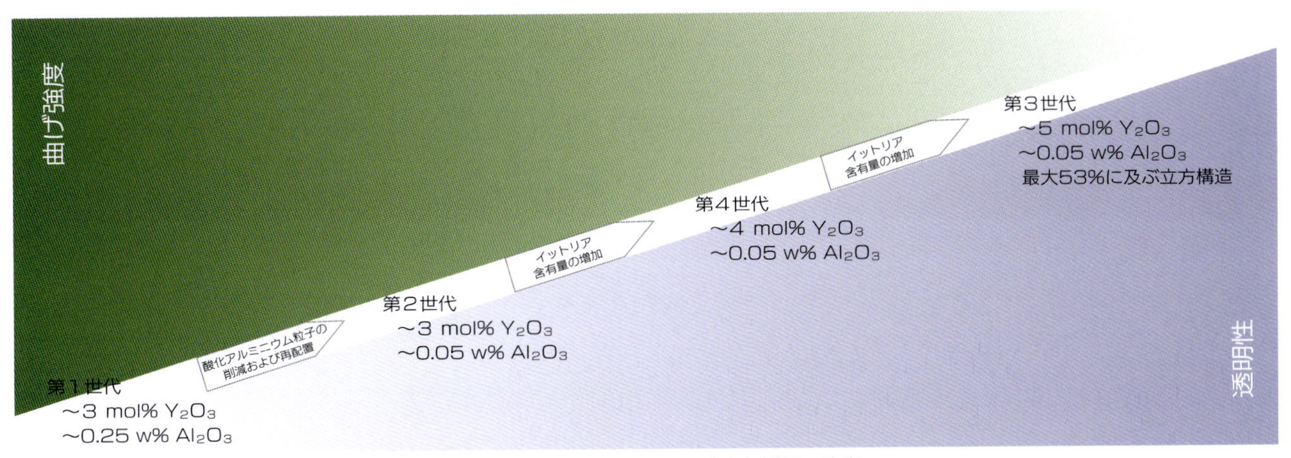

Fig 1 ジルコニアの各世代分類と歯科市場に登場した時系列。Stawarczykら[9]より引用・改変。

モノリシックジルコニアも含めて多くの選択肢が利用可能なため、日常臨床における修復材料の選択はかえって複雑で困難なものになった。高い生体親和性と審美性を有するので、オールセラミック材料は、多くの補綴適応症例に用いるメタルベースの補綴物の代替選択肢として、適切である。大多数のガラスセラミックスとは別に、歯科セラミックスの中にジルコニア化合物が含まれており、それは日々進化し改良されている。日常臨床ではモノリシックジルコニア類だけに限らず修復材料の選択肢が数多く存在し、その選択は複雑で悩ましいものとなっている。

同時に、歯科市場でもモノリシック修復へ向かう明確な潮流を認める。フレームワーク上に歯科技工士の手によってベニアリングしたモノリシック修復物を選択する根拠は、工作費用の低減、高い信頼性（Weibull係数の向上）、厚みの減少によって、より低侵襲を可能にすることができる、といった決定的な利点をもつことである。加えて、シンタリング時のベニア用セラミックの焼結収縮を防ぎ、より正確な方法で形態を製作することが可能となる。

さらに、CADプロセスそれ自体の簡便化が挙げられ、これによって設計に起因するチッピングのリスクを軽減することができる。適切な材料の選定は非常に重要である。というのは、モノリシックを臨床で使用するのに可能なジルコニア材料には力学的・光学的特性に相当な違いがあるからである。これらの違いは素材の組成や製作過程によって決定される。「ジルコニア」はさまざまなジルコニア含有素材の一般名称になっているので、本稿の目的は、ジルコニア材料を正確に分類し適切に使用して適応症に使用することを望む臨床家の一助になることである。

最新のジルコニア材料の分類

ジルコニア素材開発の今後の基本的な目標は、特定の適応症例に対応するモノリシック修復物を製作するために透明性を高めることである。より高い透明性を獲得するために材料組成を変える特殊な戦略が追求されていくだろう。

・材料構造体内部の欠陥の減少。たとえば、ガラス相の追加や焼結時の添加物を加える[1]。

・微細構造の細密化により粒界が透過光に干渉しないようにする。

・粒子サイズを大型化し粒界数を減少させる[2]。

・立方晶の材料構造は等方向の光学特性をもつので、これを製作することにより複屈折を防止する[3]。

多くの可能な選択肢と要素があるため現在の開発状況を追跡するのは困難で、どのタイプのジルコニア系材料を現段階でわれわれが手中にしているのか確信をもてなくなっている。

ジルコニアは理論的には組成と温度によって単斜晶・正方晶・立方晶の３つの結晶構造を呈する。これがジルコニアに

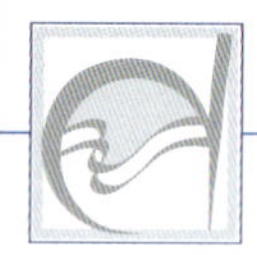

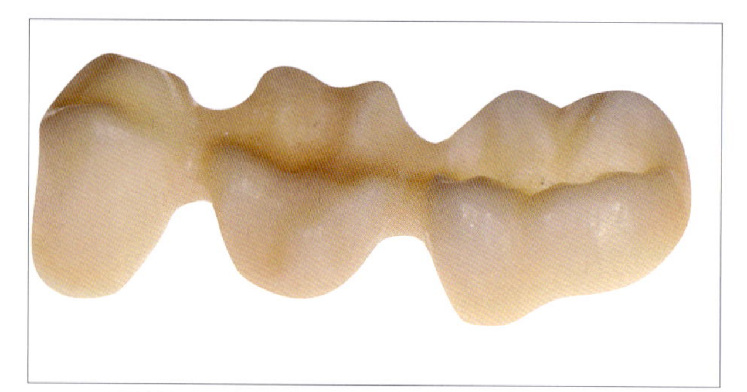

Fig 2a　解剖学的形態に切削された|56の第２世代ジルコニアによるフレームワーク。|7を支台歯とするモノリシックデザインの固定性補綴物。

Fig 2b　手技により|56にセラミックスのベニアリングを施した。|7を支台歯とする固定性補綴物であるが、同歯にはガラスセラミックスをベニアリングせず、研磨とグレージングのみ行った。

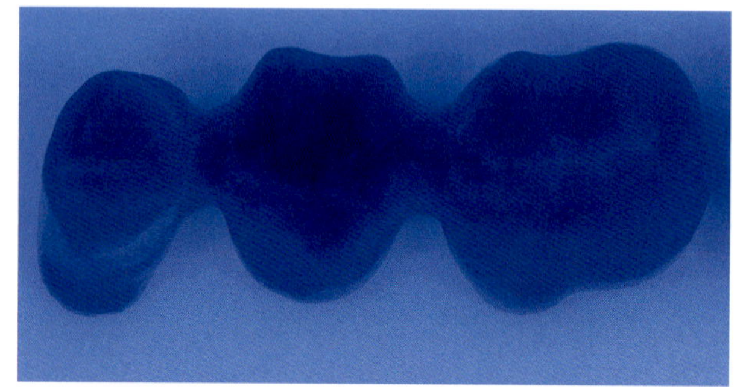

Fig 2c　解剖学的形態に切削された|56の第２世代ジルコニア製フレームワークの蛍光下の状態。

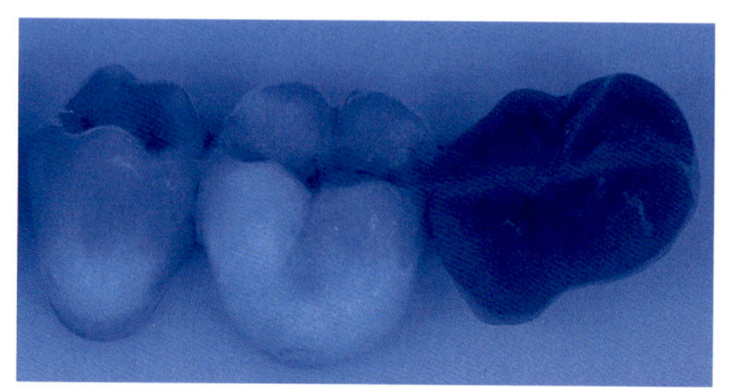

Fig 2d　解剖学的形態に切削された|56に手技によりセラミックスをベニアリングした第２世代ジルコニア製フレームワークの蛍光下の状態。|7のモノリシックな補綴物と比較する。

幅広い機械的・光学的特性をもたらしている。製作方法と処理過程もまたジルコニアの最終的な特性に決定的な影響を与える。さらに補綴物製作過程で取り扱いを間違うと、相転移を惹起し、全体の機械的特性、特に熱膨張係数に影響を与える。

ジルコニア組成物はその機械的および光学的特性に応じて現在、４世代に分類できる。**Fig 1**に現在利用できるジルコニアの各世代を概説する。これは、日常診療の中で素材選択の際に利用できる[4-9]。

第１世代：３mol％イットリア安定化正方晶ジルコニア多結晶体（3Y-TZP）

3Y-TZPは正方晶で部分的に安定化しており、もっとも高い機械的特性を示し、25年以上前に歯科市場に登場した。その突出した生体親和性と1,000MPa以上の曲げ強度から、第１世代のジルコニアは一般的にフレームワークの材料として使用されている[10, 11]。その機械的特性により、壁厚がもっとも薄い場合やマルチユニットの補綴修復物に用いることが可能である。

しかしながら、オペーキーであり最終補綴物が不透過性をもつ結果となることから、主として支持構造のフレームワークとして使われている。したがって、インプラント修復においては、第１世代ジルコニアは手技によりベニアリングを施したうえでフレームワークとして使い、またインプラント修復の際のハイブリッドアバットメントの製作に用いられる。生体外および生体内での研究により、これらジルコニア補綴物は良好な機械的安定性と高い臨床的信頼性をもつことが示された[12-15]。

S3のガイドライン「オールセラミックのクラウンとブリッジ」[16]によれば、３ユニットまでのベニア処理した固定性補綴物（FDPs）は、フレームワークデザインによりガラスセラミック層に十分な解剖学的支持が得られる場合は、前歯

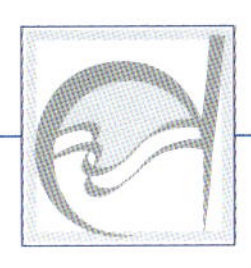

Fig 2e　口腔内に接着後のジルコニア製固定性補綴物の側面および咬合面観。|56は手技によりセラミックスをベニアリングし、|7はモノリシックのままである(技工操作：MDT Marc Ramberger)。

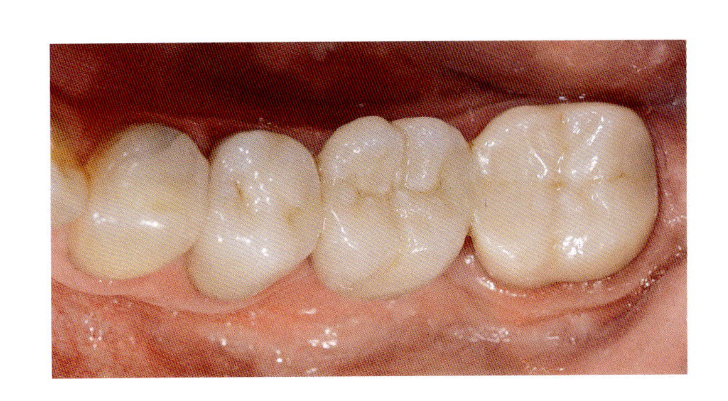

部・臼歯部への使用を推奨可能としている。臨床データは良好で、10年後に98.2%の生存率と92%の成功率を示した[17]。しかしながら、術者が形成した形態と臨床家のジルコニアの接着に関する知識と技術いかんによっては、長期の成功に大きな影響が出てくる。

不透過性が高いため、第1世代のジルコニアはモノリシック修復物の製作に関しては禁忌であった。この点を改善し、モノリシックでの使用を可能にするために、いろいろな化合物の構造変更が行われた。主に改良が行われたのは光学特性について、特に透過性を高めることであった[18]。最初のアプローチとしては焼結に関するパラメーターの変更が試みられた。最終的に焼結温度を1,600℃まで上昇し、保温時間も延長された。これらの方法により透明性は増したが、同時に曲げ強度が低下し、構造欠陥が見られるようになった。この方向性は、自然発生的破折やそれによる信頼性の低下により[14, 19]、最終的には歯科材料市場で普及することはなかった。その代わり、透明性を高めるための代替策が選択されるようになった。

第2世代：酸化アルミニウムの含有量を低減した3mol%イットリア安定化正方晶ジルコニア多結晶物(3Y-TZP)

2013年ごろには、3Y-TZPの改良版が呈示された。新しい試みの大部分は分子レベルでの変更であった。構造物中の酸化アルミニウム粒子(Al_2O_3)の数や大きさを減少させた。さらに、酸化アルミニウム粒子がジルコニア粒子の境界部に配置されることで高い光透過性を獲得し、その結果、透明性が増した。同時に、*in vitro*の研究では長期安定性は十分で、曲げ強度も高いまま維持された[12, 20]。その高い耐久性と良好な光学的特性から、第2世代のジルコニアは主として、単独および複数ユニットのFDPsのフレームワーク素材として利用されている。補綴物の部分的ベニアリングも可能で、欠損に対応した形成を行うことが可能であり、同時に魅力のある審美修復にも対応できる(**Fig 2**)。

第3世代：5mol%イットリア安定化正方晶ジルコニア多結晶物(5Y-TZP)

イットリア化合物(Y_2O_3)含有量を5%へ増量することで、ジルコニア化合物のさらなる透明性が獲得された。この新種の化合物は2015年に紹介され、立方/正方晶の微細構造を有する完全に安定したジルコニアであるといわれ、一般にキュービックジルコニアと呼ばれている。立方晶の構成比率はおおよそ50%である。立方体結晶は正方晶のそれよりも大きいため、光が透過する際に通過する界面が少なくなり、多くの反射光を生み出す可能性のある多孔性の部分が少なくなるため透過性が増す。立方体結晶の量が増えるほど透過性が高くなる。しかしながら、立方晶の量の増大にともない、曲げ強さ、破壊靭性などの機械的強度には悪影響が現れる。第3世代のジルコニア化合物の透過性はリチウムケイ酸化合物のそれよりわずかに劣るが、曲げ強度や破壊靭性は高い。これらのことから、第3世代のジルコニア化合物は高強度のガラスセラミックスの代替となり得る可能性があると見なされている[18, 21]。

大多数のメーカーは第3世代のジルコニア化合物を、リチウムシリケート化合物と同じく、単独歯補綴物もしくは小臼歯部の支台歯2本に支えられた1個のポンティックといった

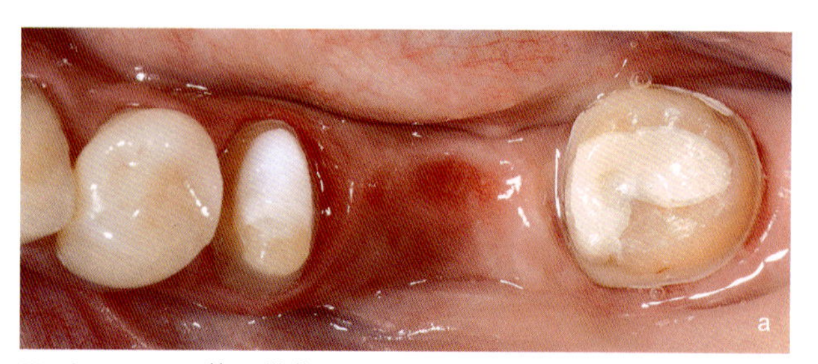

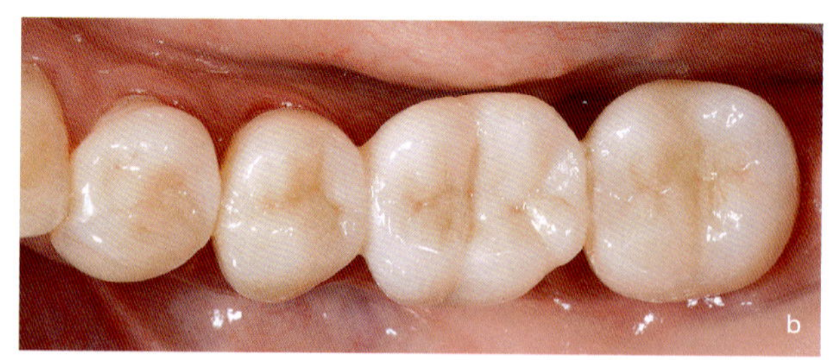

Fig 3a and b　第３世代ジルコニア製の３ユニットブリッジ。a：最小量の形成。b：接着された補綴物（技工操作：MDT Hans-Jürgen Stecher）。

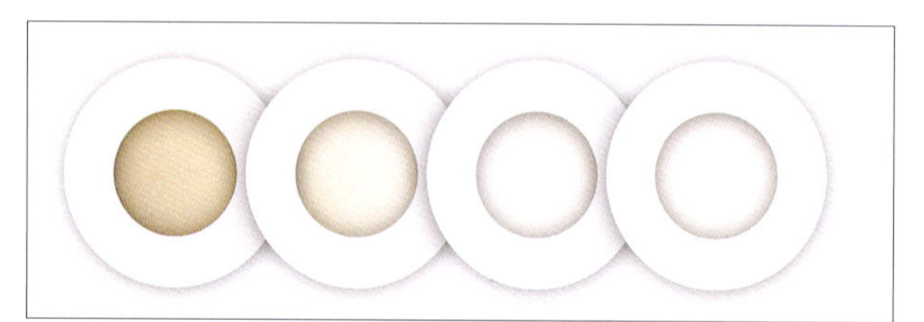

Fig 4　４つの異なるジルコニア層（左から右：エナメル層、移行層１、移行層２、ボディ層）からなる多層構造の淡いグレーのジルコニアブロック（Katana Zirconia Multi-Layered Disc, Kuraray Europe）のリング部を透過して背後の可視光線（400～700nm）が見える（出典：Uedaら[22]）。

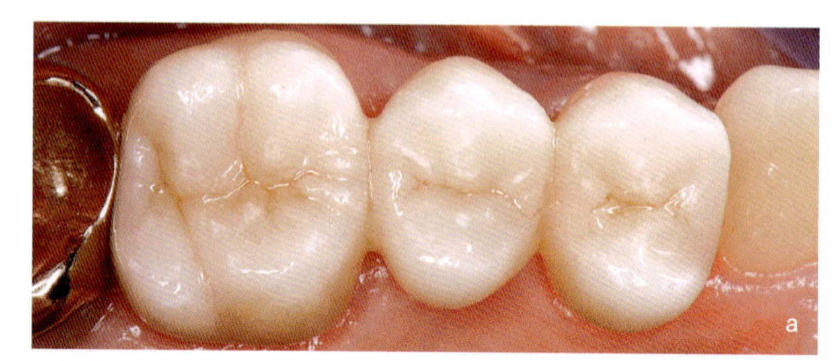

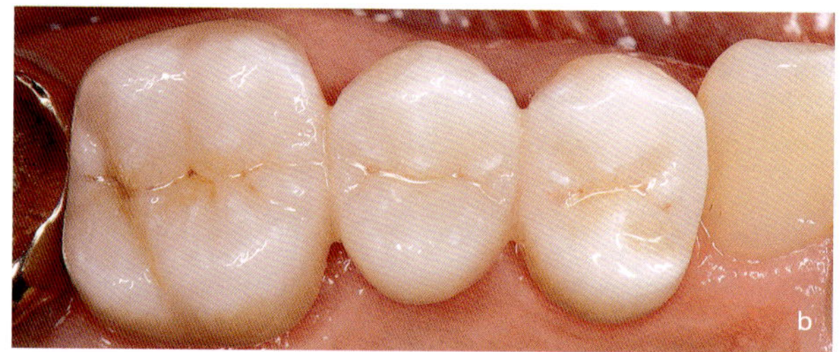

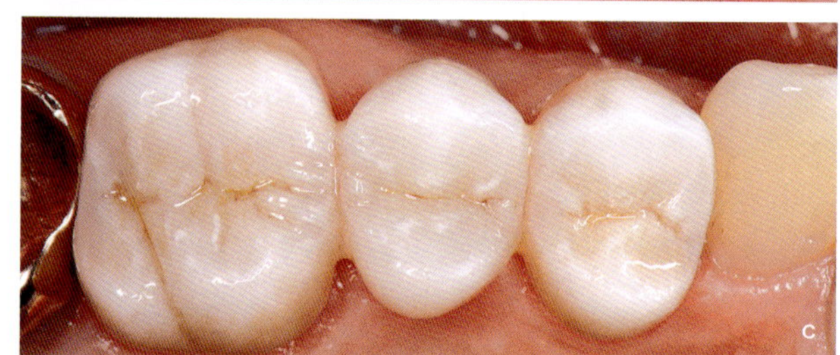

Fig 5a to c　異なる組成のジルコニア。それぞれの異なるシェードと色調のグラデーションを有する。a：Katanaジルコニア ML。b：Katanaジルコニア STML。c：Katanaジルコニア UTML（技工操作：MDT Josef Schweiger）。

３ユニットまでのFDPsの製作等を適応症として推奨している。しかしながら、使用の際は材料仕様書をチェックして詳細な情報を得ることが望ましい。情報に関しては、透過性の性質の研究は別として、第３世代のジルコニア化合物に関しては臨床データおよび*in vitro*データが不足していることに言及する必要がある。**Fig 3**では第３世代のジルコニア化合物による３ユニットFDPsを示す。

第４世代：４mol％イットリア安定化正方晶ジルコニア多結晶物（４Y-TZP）

モノリシックジルコニア修復の適応範囲を広げるために、その物性を最適化する目的でさまざまな改良が行われている。2017年に第４世代ジルコニアが紹介された。第３世代ジルコニアに比べてイットリアの含有量が４mol％までに減量され物性が向上した。それと同時に光学的特性は低下し

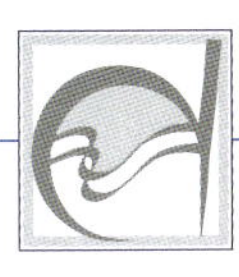

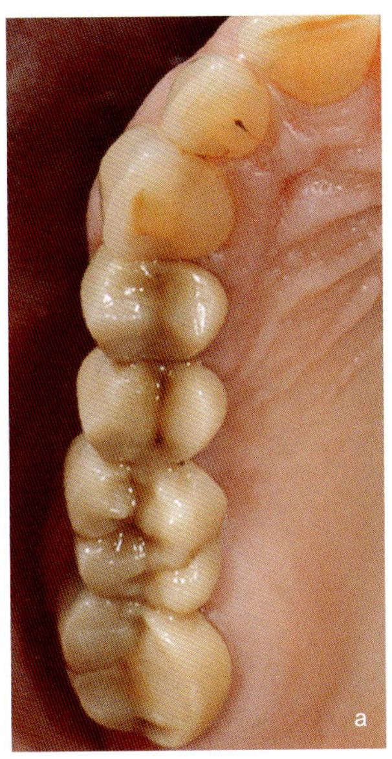

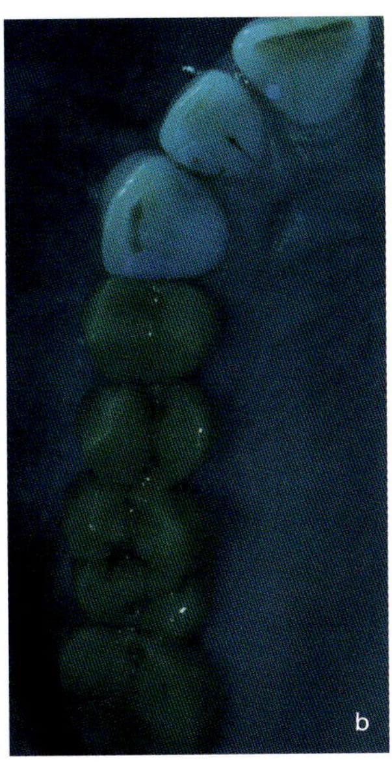

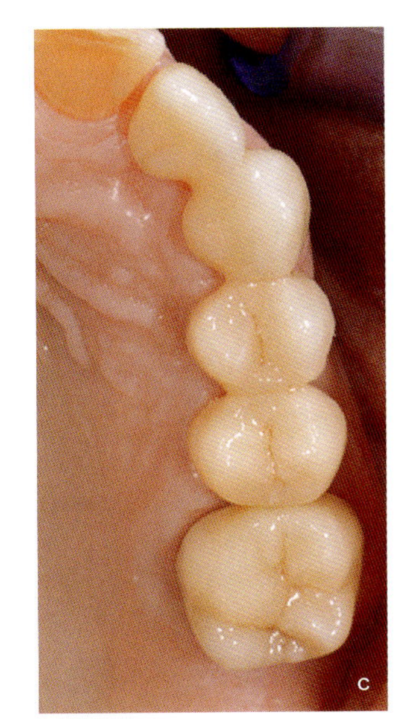

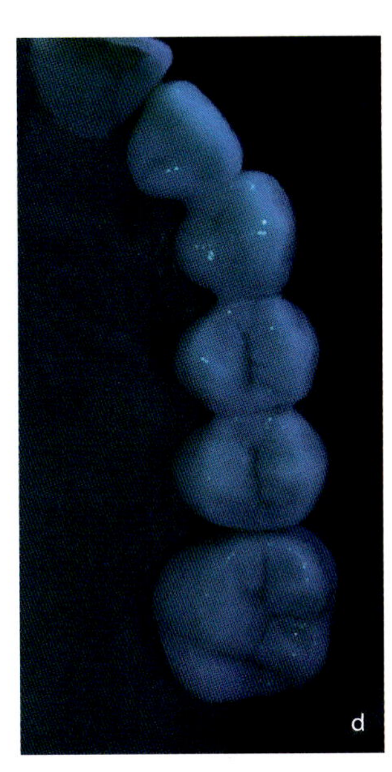

Fig 6a to d　異なる世代のジルコニアの光学的比較。
a：可視光線下の第２世代ジルコニア製の6～4|固定性補綴物（FDPs）と、7|単冠。
b：紫外線光源下で撮影した第２世代ジルコニア製6～4|と7|単冠の蛍光下での動態を示す。
c：蛍光粒子を混和結合させた（Lava Esthetic, ３M）第３世代ジルコニア製の|2のカンチレバーポンティック付きの|3～5 FDPs（適応範囲外の研究的使用）と|6のクラウン。
d：紫外線光源下（fluor_eyes, www.finest-dental.de）で撮影した同じ補綴物（技工操作：MDT Josef Schweiger）。

た。メーカーによって違いはあるが、ショートスパンの複数ユニットFDPsが第４世代ジルコニアの適応症とされている。

追加的変更点

各世代のジルコニア化合物に対して、多層性または段階的にシェードが変化するグラデーションを有するジルコニアブロックが使用可能である。これらは天然歯の色調のグラデーションを模倣する目的で開発された（Fig 4 and 5）[22]。加えて、できるかぎり最適な力学的・光学的特性を得るために、異なる世代のジルコニア素材を組み合わせたマルチレイヤーなどのブロックも最近紹介された。例えば、これらの素材はボディは第４世代ジルコニア（４Y-TZP）で安定性を少し高め、高い透明性をもつ第３世代のジルコニア（５Y-TZP）を選んで、切縁部分に使用するものもある。また、他のメーカーからは異なった世代のジルコニアを組み合わせた素材も提供されている。その他のジルコニアブロックには蛍光粒子を結合させているものもある（Fig 6）。

他の傾向としては、製作時間の短縮のために、焼結（シンタリング）工程をスピードアップすることに目が向けられている（スピードシンタリング、スーパースピードシンタリング）。補綴物それぞれの形態に応じて、シンタリングが30分で済む場合もある。しかしながら、これはスピードシンタリング向けに開発されたブロックに限られるうえに、スピードシンタリングに関しては十分な科学的データが不足している。

ジルコニア補綴物の合着

ジルコニア補綴物を合着する過程を考慮すると、追加的接着システムの使用の有無にかかわらず、接着性セメント合着と従来のセメント合着の間には違いがある。見える部位に第３・第４世代ジルコニア製の透明性のある補綴物を使用する際には、審美的観点からオペーク色の接着材料は使用しないことが推奨されている。

しかし、装着材料を選ぶ際の主たる基準は、形成デザインであり、それはオールセラミック形成ガイドラインに基づ

いて選ぶべきである。伝統的なグラスアイオノマーセメントを使う際は、適切な保持形態と抵抗形態を付与しなければならない[23-25]。例えば、最長9年間の臨床研究により、リチウムニケイ酸セラミック製(IPS e.max Press, Ivoclar Vivadent)オールセラミッククラウンをグラスアイオノマーセメント(Ketac Cem, 3M)で合着した場合、支台歯が10°で形成されかつ最低4mmの高さがあれば、補綴物脱離率の増加は見られなかったと報告されている[26]。支台歯の高さが最低4mm以上か、最大でも15°以下の形成角度であるかが従来のセメント合着を選択するかどうかの基準値となる[27]。

セメント合着は形成した支台歯上に機械的嵌合により機械的結合を確立するプロセスであるといわれており、正確な補綴物の適合(フィット)は必須である。保持形態・抵抗形態に関して形成ガイドラインを尊重しているかぎり、従来のセメントを使用する合着方法でも維持喪失が累積的に増加することはないようである[28-30]。しかしながら最近の10年間の経過を観察した研究では、リン酸亜鉛セメントを使用して下顎にFDPsが装着された場合には特に、有意に脱離の増加が認められた。そのため筆者らはこの種のセメントの使用を批判的に再評価することをすすめている[31,32]。1本のクラウンの形成を調べると、形成軸面のなす角は平均26°以上であった[33]。したがって、毎日の治療の際に今のガイドラインに従うのが可能かどうか、議論する余地があると思える。この背景に対して、接着性の合着には利点があるように思える。この方法はセメント合着に比べ、よりテクニックセンシティブで時間がかかるが、従来のセメントと比較して良好な化学的接着と低い溶解率を示す。また、より良いマージンの一体化が得られる。ゆえに、残存歯質や補綴物の内面を適切に前処理することが、信頼性のある結果を得るための重要な条件である。

コンポジットレジンセメントは、化学的組成に基づく接着システムの有無により(セルフエッチング)分類される。セルフエッチングコンポジットレジンセメントが使われる際は、歯面のコンディショニングは必須ではない。しかしながら、エナメル質が存在する場合はつねに、最初の選択的エナメルエッチング処理を行うことでより高質の接着と耐久性のある辺縁封鎖性を獲得できる。組成中の酸化モノマーおよびリン酸モノマーの存在により、プライマーによる象牙質表面の個別のコンディショニングは推奨されていない。

ジルコニア化合物の世代にかかわらず、補綴物とセルフエッチコンポジットレジンセメントとの間に化学的結合が構築される。追加的にジメタクリレートを基剤とする接着システムを使うコンポジットレジンセメントは、リンを含む接着システムを使用して個別のコンディショニングが必要である。しかしながら、通常型のコンポジットレジンセメントでMDP(10-meth-acryloyloxydecyl dihydrogen phosphate)のようなリン酸モノマーを含む場合は、リン酸塩を含む接着システムを使ってジルコニアの前処理をする必要はない。口腔内で試適した際は、通常唾液によって汚染されるので、補綴物は徹底的に清掃しなければならない。ジルコニアはガラス粒子を含まない酸化セラミックスなので、フッ化水素酸を用いるエッチングでは期待する効果は得られない。それよりも口腔内での試適後には強くないエアーアブレーションを筆者は推奨する(筆者の使用条件：最大でも1barの風圧、約10mmの距離から、粒子径は50μm以下)。

リン酸による洗浄は批判的に再考する必要がある。たとえリン酸による洗浄がアルコールによる洗浄よりもはるかに効果的に見えたとしても[34]、リン酸による洗浄を行った場合、経年変化試験では接着強さの低下が観察されている。しかし、この影響はその後にアルコール洗浄を続けて行うことで防ぐことはできる[35-37]。もしも接着による装着を行いたいなら、リン酸を用いてジルコニア製補綴物の表面を洗浄することはすすめられない。リン酸処理後にアルコールを用いても表面が十分に洗浄できない場合は、リン酸中のリン酸塩が酸素結合していると考えられる。この結合部位は、通常ならセルフエッチングコンポジットレジンセメントや接着システムに含まれるリン酸モノマーが結合するはずの場所である。余分な表面のダメージ、応力、マイクロクラックなどの発生を予防するためには過大な粒子による高圧なエアーアブレーションは避けるべきである。

歯の表面への接着を担う酸性モノマーを基本とする組成をもつため、セルフアドヒーシブコンポジットレジンセメントはジルコニア表面への前処置を必要としない。従来型のコンポジットレジンセメントを使用する際は、化学的結合を促進するために、リン酸塩モノマー(MDP monomerなど)を

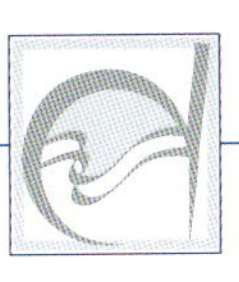

含む接着システムを使用した個別のコンディショニングが必要である。MDPは2つの機能を有するモノマーで、ジルコニアにはそのリン酸グループ鎖末端で結合し、レジンセメントにはそのメタクリレート鎖末端で結合する。エラーが起こる可能性を最小にするためには、接着に際して推奨されている特定のプロトコールを厳格に守る必要がある。

調整とその後の表面処理(研磨)

対咬歯のエナメルを摩耗から保護するために補綴物の表面はできるかぎり滑沢でなければならない。不適切に研磨された表面にはきわめて鋭い角が立っており対咬歯を傷つけるので、モノリシックジルコニア補綴物に関しては、このことは特に重要である。

ベニアリングしたジルコニアの場合、早期接触の調整が重要である。というのは、チッピングをともなう問題が報告されているからである。チッピングは、ベニアリングセラミックスの破折と定義され、粗い不十分な研磨表面でしばしば観察される。チッピングのリスクを最小化するためには、口腔内での試適後にその補綴物を技工所に送り返すほうがいいのかもしれない。調整した面積によっては(1mm^{2}以上)、補綴物を二次グレーズするか再研磨することが推奨されている。研磨には、歯科診療所でも可能だが、異なる粒子サイズのシリコーン研磨材による、別の(通常多段階の)研磨システムも利用可能である。研磨が推奨どおりに(粗目から細目へ)行われれば、良い結果が得られるようになっている。セラミック研磨システムはベニアセラミックスやジルコニアの研磨に適している。

モノリシックジルコニア補綴物も焼結に先立ってホワイトステートで研磨される可能性がある。素材がとても軟らかく、かつ表面は簡単に削れるので慎重に研磨しなければならない。

論文に基づくモノリシックジルコニア補綴物の評価

最適な歯科用セラミック材料の選択に際し基本的な指標となるのは、2014年発行のS3ガイドライン「オールセラミッククラウンとブリッジ」である[16]。しかしながら、十分な臨床データが得られておらず、長期間の観察から得られた結果がないことから、ジルコニアベースの最新のモノリシック修復物はこのガイドラインには収載されていない。現在までのところ、ジルコニアの新世代について十分な知見は得られていないし、科学的データは乏しい。しかし、これらの新素材の特徴的な性質や臨床応用へ向けて解決すべき多くの課題などは、臨床医にとっても研究者にとってもおおいに興味深い。現段階では、これまでに得られている科学的データ(大部分は*in vitro*研究)や筆者らの経験に基づいて、これらの新しいモノリシックジルコニア材料を評価し分類することしかできない。

特に単独歯の修復の場合、歯冠色モノリシックジルコニアは長期の臨床的データにおいては、その他のオールセラミック材料との厳しい競合にさらされている。しかしながら、実験室での研究では、モノリシックジルコニア補綴物はリチウムダイシリケート等の代替セラミックス製のクラウンより高い破折強度を示している[38]。このことから、モノリシックジルコニア製クラウンでは、より低侵襲の形成デザインを採用することが可能である。研究室での実験では、層の厚みが0.5mmのモノリシックジルコニア製単冠の場合、合着方法によらず十分な破折強度を示した(接着:1,628±174N、セメント合着:1,357±340N)[39]。

決定的要因となるのは、維持を喪失させない適切な維持形態と抵抗形態である。しかし、ある研究では形成が円錐形に近づきすぎる傾向が示されている(単冠形成時の平均軸面角度は26°)[33]。臨床医は的確に形成することが必須である。それによって早期の補綴物脱離を防止できる可能性があるからである[26]。さらに、毎日の多忙な臨床の中でも接着プロトコールを守ることが、維持力の低下を予防する有用な手段になり得ることを結果が示している[28]。材料選択の過程で「可能な最小厚み」の基準を評価するとき、臨床医はつねに歯質の破壊量(削除量)がどの程度になるか考慮しなければならない。この点から、低侵襲で代替可能な補綴形態と形成形態で(アンレー・オーバーレイ・ベニア・部分被覆冠)使用可能な補綴材料があるか、批判的に検討することが必要である[40]。

また、材料選択の際に尊重しなければならない点は材料自体と対咬歯に対する摩耗特性である[41]。この件に関する臨床データもまた不十分なので、特定の材料や特定の材料グループを使用することに対する賛否どちらの見解も出すことができない。これは修復治療を手がけるチームが調和のとれた咬合コンセプトを採用することにかかっている。望む結果を確実に得るためには、推奨されたプロトコールに忠実に従うことをおすすめする。

臨床医は特定の材料に焦点を当てた研究だけから結論を導き出したり、異なる世代のジルコニア群の知見を転用したりしないよう注意すべきである。これは、組成中のイットリアの量の違いと劣化反応の差があるからである。モノリシックジルコニアに関して、初期の*in vitro*データが確実な結果を示していたとしても、多様な適応例に関して臨床研究が始められなければならない。その結果は新材料グループ(群)を使用する際の十分な臨床的エビデンスを提供することができるだろう。

結論

セラミック材料の光学特性の確固たる向上は、継続的開発によって達成されてきた。しかし、臨床的な長期の成功は、正しい適応症の選択、形成、材料、臨床医と歯科技工士の知識と経験、最適な合着手技、そして咬合の概念と強く結びついている。材料とCAD/CAMテクノロジー開発の急速な進化・革新は、使用可能なすべての材料の中から最適の材料をうまく使いこなすことができる臨床医の十分な知識を必要としている。

参考文献

1. Anselmi-Tamburini U, Woolman JN, Munir ZA. Transparent nonometric cubic and tetragonal zirconia obtained by high pressure pulsed electric current sintering. Adv Funct Mater 2007；17：3267-3273.
2. Malkondu Ö, Tinastepe N, Akan E, Kazazoglu E. An overview of monolithic zirconia in dentistry. Biotechnol Equip 2016；30：644-652.
3. Klimke J, Trunec M, Krell A. Transparent tetragonal yttria-stabilized zirconia ceramics: Influence of scattering caused by birefringence. J Am Ceram Soc 2011；94：1850-1858.
4. Rosentritt M, Kieschnick A, Hahnel S, Stawarczyk B. Werkstoffkunde-Kompendium Zirkonoxid. Moderne dentale Materialien im praktischen Arbeitsalltag. iBook, Version 1.1. Berlin: Annett Kieschnick Dentale Fachkommunikation, 2017.
5. Stawarczyk B, Keul C, Eichberger M, Figge D, Edelhoff D, Lümkemann N. Werkstoffkunde Update: Zirkonoxid und seine Generationen – von verblendet bis monolithisch. Quintessenz Zahntech 2016；43：740-765.
6. Stawarczyk B, Keul C, Eichberger M, Figge D, Edelhoff D, Lümkemann N. Three generations of zirconia: From veneered to monolithic. Part I. Quintessence Int 2017；48：369-380.
7. Stawarczyk B, Keul C, Eichberger M, Figge D, Edelhoff D, Lümkemann N. Three generations of zirconia: from veneered to monolithic. Part II. Quintessence Int 2017；48：441-450.
8. Stawarczyk B, Liebermann A, Pfefferle R, et al. Zirkonoxide der neuen Generation. Quintessenz Zahntech 2018；44：688-697.
9. Stawarczyk B, Lümkemann N, Eichberger M, Edelhoff D. Werkstoffkunde Update: monolithisches Zirkonoxid. Quintessenz Zahntech 2017；43：980-991.
10. Denry I, Kelly JR. State of the art of zirconia for dental applications. Dent Mater 2008；24：299-307.
11. Zarone F, Russo S, Sorrentino R. From porcelain-fused-to-metal to zirconia: clinical and experimental considerations. Dent Mater 2011；27：83-96.
12. Filser F, Kocher P, Weibel F, Lüthy H, Schärer P, Gauckler LJ. Reliability and strength of all-ceramic dental restorations fabricated by direct ceramic machining (DCM). Int J Comput Dent 2001；4：89-106.
13. Heintze SD, Rousson V. Survival of zirconia- and metal supported fixed dental prostheses: a systematic review. Int J Prosthodont 2010；23：493-502.
14. Stawarczyk B, Özcan M, Hallmann L, Ender A, Mehl A, Hämmerle CH. The effect of zirconia sintering temperature on flexural strength, grain size, and contrast ratio. Clin Oral Investig 2013；17：269-274.
15. Stawarczyk B, Özcan M, Trottmann A, Hämmerle CH, Roos M. Evaluation of flexural strength of hipped and presintered zirconia using different estimation methods of Weibull statistics. J Mech Behav Biomed Mater 2012；10：227-234.
16. Meyer G, Ahsbahs S, Kern M, et al. Vollkeramische Kronen und Brücken. S3-Leitlinie. AWMF-Registernummer: 083-012. Stand: 08/2014. Available at: www.dgzmk.de/uploads/tx_szdgzmkdocuments/083- 012l_S3_Vollkeram_K_und_B_2015-03-30.pdf. Accessed 27 June 2018.
17. Kern M. Misserfolge vermeiden – adäquate Retentions- und Widerstandsform von Brückenpfeilern. Quintessenz 2011；62：1017-1023.
18. Shahmiri R, Standard OC, Hart JN, Sorrell CC. Optical properties of zirconia ceramics for esthetic dental restorations: a systematic review. J Prosthet Dent 2018；119：36-46.
19. Stawarczyk B, Emslander A, Roos M, Noack F, Sener B, Keul C. Zirconia ceramics, their contrast ratio and grain size depending on sintering parameters. Dent Mater J 2014；33：591-598.
20. Stawarczyk B, Frevert K, Ender A, Roos M, Sener B, Wimmer T. Comparison of four monolithic zirconia materials with conventional ones: contrast ratio, grain size, four-point flexural strength and two-body wear. J Mech Behav Biomed Mater 2016；59：128-138.
21. Nassary Zadeh P, Lümkemann N, Sener B, Eichberger M, Stawarczyk B. Flexural strength, fracture toughness and translucency of cubic/tetragonal zirconia materials. J Prosthet Dent 2018；120：948-954.
22. Ueda K, Güth JF, Erdelt K, Stimmelmayr M, Kappert H, Beuer F. Light transmittance by a multi-coloured zirconia material. Dent Mater J 2015；34：310-314.
23. Kern M, Passia N, Sasse M, Yazigi C. Ten-year outcome of zirconia ceramic cantilever resin-bonded fixed dental prostheses and the influence of the reasons for missing incisors. J Dent 2017；65：51-55.

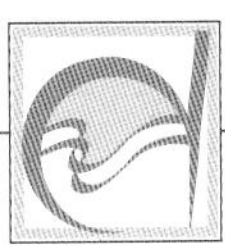

24. Trier AC, Parker MH, Cameron SM, Brousseau JS. Evaluation of resistance form of dislodged crowns and retainers. J Prosthet Dent 1998；80：405-409.
25. Weed RM, Baez RJ. A method for determining adequate resistance form of complete cast crown preparations. J Prosthet Dent 1984；52：330-334.
26. Gehrt M, Wolfart S, Rafai N, Reich S, Edelhoff D. Clinical results of lithium-disilicate crowns after up to 9 years of service. Clin Oral Investig 2013；17：275-284.
27. Edelhoff D, Ozcan M. To what extent does the longevity of fixed dental prostheses depend on the function of the cement? Working Group 4 materials: cementation. Clin Oral Implants Res 2007；18(Suppl 3)：193-204.
28. Chaar MS, Passia N, Kern M. Ten-year clinical outcome of three-unit posterior FDPs made from a glass-infiltrated zirconia reinforced alumina ceramic (In-Ceram Zirconia). J Dent 2015；43：512-517.
29. Raigrodski AJ, Yu A, Chiche GJ, Hochstedler JL, Mancl LA, Mohamed SE. Clinical efficacy of veneered zirconium dioxide-based posterior partial fixed dental prostheses: five-year results. J Prosthet Dent 2012；108：214-222.
30. Wolfart S, Harder S, Eschbach S, Lehmann F, Kern M. Four-year clinical results of fixed dental prostheses with zirconia substructures (Cercon): end abutments vs. cantilever design. Eur J Oral Sci 2009；117：741-749.
31. Rinke S, Gersdorff N, Lange K, Roediger M. Prospective evaluation of ziconia posterior fixed partial dentures: a 7-year clinical results. Int J Prosthodont 2013；26：164-171.
32. Rinke S, Wehle J, Schulz X, Bürgers R, Rödiger M. Prospective evaluation of posterior fixed zirconia dental prostheses: 10-year clinical results. Int J Prosthodont 2018；31：35-42.
33. Güth JF, Wallbach J, Stimmelmayr M, Gernet W, Beuer F, Edelhoff D. Computer-aided evaluation of preparations for CAD/CAM-fabricated all-ceramic crowns. Clin Oral Investig 2013；17：1389-1395.
34. Yang B, Scharnberg M, Wolfart S, et al. Influence of contamination on bonding to zirconia ceramic. J Biomed Mater Res B Appl Biomater 2007；81：283-290.
35. Feitosa SA, Patel D, Borges AL, et al. Effect of cleansing methods on saliva-contaminated zirconia: an evaluation of resin bond durability. Oper Dent 2015；40：163-171.
36. Phark JH, Duarte S Jr, Kahn H, Blatz MB, Sadan A. Influence of contamination and cleaning on bond strength to modified zirconia. Dent Mater 2009；25：1541-1550.
37. Yoshida K. Influence of cleaning methods on resin bonding to saliva-contaminated zirconia. J Esthet Restor Dent 2018；30：259-264.
38. Nordahl N, Vult von Steyern P, Larsson C. Fracture strength of ceramic monolithic crown systems of different thickness. J Oral Sci 2015；57：255-261.
39. Weigl P, Sander A, Wu Y, Felber R, Lauer HC, Rosentritt M. In-vitro performance and fracture strength of thin monolithic zirconia crowns. J Adv Prosthodont 2018；10：79-84.
40. Edelhoff D, Liebermann A, Beuer F, Stimmelmayr M, Güth JF. Minimally invasive treatment options in fixed prosthodontics. Quintessence Int 2016；47：207-216.
41. Lohbauer U, Reich S. Antagonist wear of monolithic zirconia crowns after 2 years. Clin Oral Investig 2017；21：1165-1172.

＊この論文はQuintessenz 2018；69(8)：878-888. に掲載されたものをQuintessence Int 2019；50(7)：512-520. に訳載したものである。
翻訳：松下容子(歯科英語通訳翻訳オフィス；勤務医、WDC／JUCメンバー)

QDT別冊　ジャパニーズ エステティック デンティストリー 2020

2019年12月10日　第1版第1刷発行

発 行 人　北峯康充

発 行 所　クインテッセンス出版株式会社
東京都文京区本郷3丁目2番6号　〒113-0033
クイントハウスビル　電話(03)5842-2270(代表)
(03)5842-2272(営業部)
(03)5842-2277(編集部)
web page address　https://www.quint-j.co.jp/

印刷・製本　サン美術印刷株式会社

Printed in Japan

ISBN978-4-7812-0720-9　C3047